ВЛАДИМИР ЛЕВИ

Доверительные Разговоры

серийное издание
в прозе, стихах, рисунках,
фотографиях, анекдотах, нотах и умолчаниях

Как тесно под этой кожей,
как много я жизней прожил
за всех, кто не смог,
за всех, кого нет,
за тысячи солнц
и мильоны планет...

За что же, шепчу я, Боже,
Ты счастье мое умножил,
со мною бы надо строже,
ведь я нарушал обет...

И слышу ответ: не может
никто свою жизнь итожить,
а счастье на луч похоже,
прорвавшийся сквозь портрет...

Уходя не гасите свет

ВЛАДИМИР ЛЕВИ

НАЕМНЫЙ БОГ

не только о гипнозе

издательство
ТОРОБОАЖ

Москва
2004

УДК 159.923
ББК 88.37
Л36

Адрес для писем: 113639, Москва, а/я 2, Леви В.Л.

Л36   **Леви В.Л.**
       Наемный бог. –
       М.: Торобоан, 2004. – 416 с.: ил. –
       (Серия «Доверительные разговоры»).

       ISBN 5-901226-07-0

                                    УДК 159.923
                                    ББК 88.37

**Исследователь человеческих миров, врач, психолог, гипнолог,
писатель с многомиллионной аудиторией,
Владимир Леви продолжает общение с читателем.
Новая книга «Наемный бог» раскрывает тайны воздействия
человека на человека, природу внушения и гипноза,
психологию веры, зависимости и власти.
Как и все книги Леви, эта книга — учебник свободы, душевного
здоровья и внутренней силы, книга для поддержки души.**

Главный редактор: Н. А. Леви

ISBN 5-901226-07-0 © Издательство ООО «Торобоан», 2004
                        © В.Л. Леви, текст, иллюстрации, 2004

гипнозавр

не только о себе

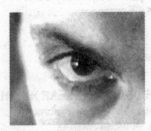

Смотрю в этот глаз, наставленный на меня,
словно пистолетное дуло. Бр-р, не сказал бы,
что чувство приятное. Глаз-то мой, между прочим.
Такова видимая реальность.
А рассказ наш о другой — той, что там, за...
Эта книга, многожанровое повествование
в прозе и стихах, пишется наново, с привлечением
прежних текстов, основательно переработанных.
Гипноз — стержень, вокруг которого
собирается многое человеческое...
Тема серьезная, без шуток не обойтись.

Однажды мне надоело причесываться, и я подумал: «А почему бы не вырастить на голове кактус с цветочками?»

Овечкам эта идея понравилась.

И они обозвали меня гипнозавром.

Гипнотизер выходит в полночь
основы охмурологии

Как начинается стезя?
Как можно или как нельзя...
Я рассекретил старый миф,
сверхчеловека надломив,
и в духоте железных кружев
каморку детства обнаружил.

...Ты подтвердишь: я никому не врал,
что с бытием справляюсь лучше прочих,
с самим собой включительно... Напротив,
не лучше, а хуже,
да, хуже многих, пусть не большинства,
о коем нам судить нельзя, поскольку
мы только понаслышке с ним знакомы,
крутясь в своем подзвездном меньшинстве.

И если бы не зов моей стези,
и я бы не умел гипнотизи...

Первые опыты на школьных учителях

В основе крупных событий лежат мелкие глупости. Стрелочники судьбы не ведают, что творят.

Старшая двоюродная сестра Таня сказала мне, третьеклашке, что у меня гипнотический взгляд.

Сказала шутя, со смехом. А я возьми да поверь.

Танюша, конечно же, не могла и представить себе, что своим ироническим замечанием закладывает колею моей жизни, а с нею и судьбы многих...

Потом самые разные люди мне это повторяли множество раз, уже взрослому, уже доктору.

Повторяли, не ведая, что любое, даже самое заурядное или уродливое лицо — гипнотично.

Да, каждый — гипнотизер, каждый — внушатель, если вглядеться... И ребенок, и старец. И мужчина, и женщина. И человек, и кошка, и бабочка...

Магия линий, цветов и пятен, волшебство объемов, музыка внутреннего движения...

Облик всякого живого существа несет вселенскую тайну, сообщает о чуде Творения; само его присутствие, даже незримое, магнетизирует пространство и время. Каждое лицо движет взор по маршрутам своих страстей. Каждая фигура приглашает к танцу чувства и мысли... Чуть шире зрачки, чуть сильнее блеск радужек, чуть энергичней излом бровей — или какая-то складка идет не совсем обычно — и вот это уже что-то значит, что-то особенное, таинственное...

Знаменитый телепат и гипнотизер,
великий медиум Вольф Мессинг утверждал,
что способность к гипнозу
впервые у себя обнаружил в трамвае.
Ехал он без билета, мальчишка, без денег,
а тут контролер...
Достает Вольф Григорьевич,
царствие ему небесное,
из кармана какую-то смятую пустую бумажку,
протягивает контролеру, глядя в глаза
ВНИМАТЕЛЬНО
и говорит:
в-в-в-в-в-вот — мой – билет...
Контролер тут же впал в транс и поверил,
дальше пошел... Может, и не впал в транс,
просто поверил. Может, и не поверил,
просто пошел. Может, не разглядел,
что за бумажка. Может, усталый был или особо
задумчивый. Или принял парнишку за чокнутого...
По некоторым свидетельствам, Вольф Григорьевич
мог и присочинить, кто же из нас без греха...

В те далекие-близкие-вечные совково-школьные времена мы с приятелями часто от нечего делать играли в гляделки: уставимся друг на друга, и кто первый моргнет, с того фантик, или щелбан по лбу.

Я выигрывал чаще, потому что роговица у меня хорошо увлажняется, и была, как и ныне, манера: чуть что — резко поднимать брови, очень подвижные.

А пребывал я в очередной своей личиночной стадии: был полуразоблаченным вундером и старательно мимикрировал. Ради призрачной возможности быть принятым в Обыкновении, этой самой великой стране планеты Земля, всячески оглушался и оглуплялся, учился как можно хуже, косил под своего в доску, изображал из себя микрокомпанейского макролидера.

На уроках делать мне было нечего, спрашивали редко. А вот сегодня я сам хочу, чтобы учительница меня вызвала. Белла Александровна, по прозвищу Бяша, наша добродушная и крикливая англичанка, перманентно беременная, устремляет глаза в классный журнал...

А я — на нее. Напряженная тишина... Стоит только взглянуть одним глазом на физиономии... или прислушаться, в каких углах затаилось дыхание...

Бяша водит по журналу глазами... вверх... вниз...

Сколько это будет продолжаться?.. В руке обкусанная синяя ручка... Ну... Ну же... Меня!..

— Имярек, плиз, вуд ю кам ту зе деск.

Есть!.. Я волшебник и маг! Я могу!.. Правда, в другой раз, сколько я ни буравил Бяшу глазищами, гипноза не получилось. Один раз, наверно, слишком пыхтел — Бяша вдруг раздраженно произнесла: «Прекрати!.. Или выйди из класса!..» Она была уже с пузом, месяце на седьмом.

Я продолжил опыты на других.

Физкультурник Ефтим (Ефрем Тимофеич), хрипатый мужик уголовного типа исполнял мои мысленные приказания через раз, зато точно: раз пять я заставил его ни с того ни с сего упасть и отжаться.

Физичка Сансанна, строго-дистантная, четкая, волевая дама, перед которой мы трепетали, не замечала моих потуг, но всякий раз, как я впdo=верялся, на нее почему-то нападал кашель.

А самой внушаемой оказалась Ворона Павловна (в жизни Екатерина), пожилая шепелявая флегма.

Ворона преподавала у нас математику, на уроках ее каждый занимался чем хотел, стоял ровный гул со вспышками смеха, она этого не замечала...

Почти всегда Ворона вызывала к доске именно того, кого я ей *заказывал*. По моей наводке чесала себе нос, уши, лоб и другие места, стирала с доски написанное и писала, вставала, снова садилась, умолкала и вновь начинала говорить, пару раз даже, сама себе удивившись, тихонько запела... Трижды я побуждал ее выйти из класса и сходить в туалет. Она, конечно, была в полной уверенности, что действует по собственным побуждениям.

Ребята, скептически относившиеся к моей практике, относительно Вороны сомненья отбросили.

— Загипнотизируй, чтоб меня не спросила. Сделаешь?.. За два рэ...

— Убери свои гроши. Сделаю.

ДОС: четыре звена внушения
не только в гипнозе

Экспериментируя, я начал постепенно осознавать — вернее, о-чувствовать звенья действия: что же происходит в действительности.

Вот что. (В пересказе моими сегодняшними словами.)

Звено первое: программирование, оно же создание Действующего Образа События (ДОС).

Задание не ставится, а пред-ставляется. Конкретно и четко — не как то, чему быть должно, а как уже свершившееся действие. Ворона вызывает к доске Такого-то.

Ярко это представь, увидь внутри себя — и... Забудь.

Звено второе: резонансное подключение.

Да! — забудь, совсем забудь, что ты хочешь чего-то добиться... И устреми на Существо, к которому обращаешься, все внимание — постарайся этим существом стать: присоединись к потоку его жизни — именно здесь и сейчас, именно в данный миг — отождествись!

Внутренне подражай движениям, мимике, дыханию, настроению... Результатом такого присоединения, подключения — если оно произойдет — станет состояние резонанса, ощущение единой волны...

Описать трудно — события эти почти не имеют словесных обозначений. В эти мгновенья ты не управляешь, а наоборот — становишься управляемым — и...

Если волна поймана, дальнейшее напоминает полет...

Звено третье: наведение ДОС. Только после того, как волна поймана, начинай внушение. Превращай себя в мозговую видеокамеру. Ярко-зрительно-динамично-киношно воображай требуемое действие, как уже-совершаемое-происходящее-прямо-сейчас...

Звено четвертое: оставление результата.

Продолжай, с полной сосредоточенностью продолжай наведение... В эти мгновения опять главное — полная отрешенность — вот как раз именно то, что йоги называют «оставлением плодов действия».

Совершенно не важно, получается или не получается.

Нужно, чтобы задание во всей полноте переживалось тобою как действие Существа, которым ты стал, вот и все.

И тогда...

В детстве как-то само собой верится, что желание может возыметь силу действия, нужно только суметь захотеть, суметь правильно захотеть!..

Вера эта питает самые тайные и безнадежные наши мечты. И она права — иногда...

Много раз я потом, в бытность врачом, забывал свои глупенькие детские эксперименты и опять вспоминал... Ерунда, обычные внесловесные внушения с пробивом защит и микротелепатическим компонентом; такие пробивы случаются чаще непреднамеренно...

Важней всего СОСТОЯНИЕ, в котором ты это делаешь.

Тебе четырнадцать. Вдолбили
уже под дых, что мир не розов.
Как жить, чтобы тебя не били?
Заняться боксом и гипнозом.
Ах, это просто как наперсток:
всевластие, мечта убогих.
Все манит, если ты подросток,
но сила — главное в итоге.

Флюид, в надбровие зашитый,
в плену житейских отношений
вначале был простой защитой,
затем потоком искушений...
В том сне духовном я спросонок
водицу делал цинандали,
гипнотизировал девчонок,
которые и так бы дали,
однажды грабил на спор банк —
внушил, что в кассу въехал танк...

Гипнотизеры-самоучки
освоили такие штучки
давным-давно. Велосипед,
изобретённый колдунами,
безумно прост: гипноза нет,
есть только то, что между нами:
доверие — вселенский мост,
и беззащитный детский мозг,
и упование на чудо.
Сын Человеческий Христос
вогнал историю в гипноз,
но на осине как вопрос
висит Иуда...

Пушкин, психушкин... Крещение Спасика

Позвоночник моей судьбы, родимый дурдом, век буду благодарен тебе за то, что соединил во мне наследственность личную и общую, землю и небо, слезы и смех...

Дорожки ведут с двух семейных линий.

Одна — трагисерьезная.

Первая встреча с непостижимым недугом, душа к душе, произошла в 11 лет, когда заболела сестра Таня, та самая, что нечаянно сподобила меня на гипноз.

Ей было всего 13, это была девочка с душой чистой и глубокой, как артезианский источник, полная юмора и благожелательства, с недетски проникновенным умом. Чернобровая, с рассветным румянцем, почти красавица...

Мы были очень дружны. Не мог знать я, мальчишка, не мог и помыслить, что через 7 лет Таня покинет жизнь...

Я был ее первым и последним, единственным психотерапевтом, стихийным и не вполне безуспешным — понял это потом, а тогда только отчаянно старался вдохнуть в ее задыхавшуюся душу веру и волю к жизни, страстно разуверял в том, что казалось мне простым заблуждением, — а это был бред, захваченность роковой разрушающей силой... Детской частицей своего существа и сейчас верю, что мог бы ее вытянуть из воронки, спасти, если бы дружбу нашу не разорвала материнская ревность...

Это раннее запечатление внесло главную лепту в мое врачебное самоопределение.

На четвертом курсе мединститута, после пары лет идиотского увлечения нейрофизиологией (губил в опытах кошек, которых люблю даже больше собак) Танюша мне вспомнилась и опять подсказала, что делать в жизни...

Психиатрия. Из медицинских специальностей самая забавная, самая страшная, самая философская.

«Не дай мне Бог сойти с ума»?..
Все относительно весьма,
и я шепнул бы: милый Пушкин,
когда судьбу не обмануть,
кидайся смело ей на грудь,
ответь на зов...
В чем смысл психушки? —
Здесь жизнь от пяток до макушки
свою вытряхивает суть
и в ложь ни волоска не прячет —
здесь только медицина врет,
а вольный дух ее дурачит
и вечность переходит вброд...

Другая дорожка трагикурьезна. Дед по отцу, полуев-рей-полунемец, слесарь-ремонтник, сурово-простодуш-ный блондин богатырского телосложения, в первые после-революционные годы направлен был на рабочую парт-учебу, после чего руководство сочло его подготовленным исполнять обязанности прикрепленного секретаря парт-ячейки в известной всему сумасшедшему миру москов-ской психушке номер один — больнице имени Кащенко.

Послушный велению пролетарского долга, отправился дедушка в пункт назначения, и на третий день службы, во время утреннего обхода с главным врачом, какой-то идейно возбужденный больной вылил на его полуарий-скую белокурую голову полное ведро свежего горячего киселя. Этого боевого крещения оказалось достаточно.

Просек дед, что парткарьера не для него, подал ра-порт об откреплении по состоянию психздоровья и подал-ся опять в слесаря.

Психздоровье впоследствии у него и вправду разла-дилось — на 54-м году жизни в состоянии острой депрес-сии покончил с собой — отравился, умер мучительно...

Родовая карма, верь в нее или нет, иногда выделывает замысловатые крендели. Спустя 30 лет был направлен и я после окончания мединститута на свою первую самостоятельную работу — аккурат в то же самое место.

Итак,
больница Кащенко и первый
мой пациент... Мой. Настоящий.
Внезапно отказали нервы...
А он, непьющий, некурящий,
простой советский шизофреник,
как Голиаф огромный чайник,
мне обещал мешочек денег
за избавление от нянек:
— Иначе будем в дураках!..

Избитого, в одних носках,
его доставили по «скорой».
Он дома всюду вешал шторы,
в непроницаемых очках,
покрытый кожею гусиной,
сгибаясь, крался в туалет...

Был убежден, что Бога нет,
но есть Психическая Сила,
вполне научная. Она
ему кастрацией грозила,
внедрялась в мозг, лишала сна,
бранила голосом отцовским...

Он никому не доверял
и с наваждением бесовским
боролся сам: расковырял
квартирный свой электросчетчик
(следящий аппарат-наводчик...)

и, наконец, противогаз
надел, но он его не спас —
агенты воду отравили
какой-то жуткой жидопастой...
Он жил в своем бредовом мире,
считал себя Фиделем Кастро,
племянником Мао Цзэдуна,
профессором Джордано Бруно,
блюстителем гражданских прав,
и был во всем отчасти прав...

— Насчет моих галлюцинаций
в Совет Объединенных Наций
прошу вас, срочно позвоните,
не верьте вражеским угрозам,
а за настырность извините
и не воздействуйте гипнозом,
не поддаюсь!!!
— Да что вы... что вы...
— Ага! Попался, хрен моржовый!
Гипнотизер, ха-ха! Видали
таких в гробу! Своим навозом
все зодиаки закидали!
А я не дамся! Я гипнозом
владею сам! Я под экраном!..
Ща как проткну тебя тараном!
Щща ка-а-ак гипнотизну!
Бараном, блин, станешь!
Ты и есть баран,
шпион звезды Альдебаран!
Ну, что уставился?..

Два метра
в нем было росту, центнер веса,

стеклянный взгляд, как у осетра,
мускулатура Геркулеса,
а голос тонок... Сей ребенок
себя любить не догадался,
боялся, как гадюк, девчонок...

В палате страшно возбуждался —
в часы, когда гулял синдром,
его вязали впятером,
а он, как вепрь, освобождался...
Я был боксер, валил иных,
но никогда не бил больных;
а он схватил меня за шкирку,
поднес кулак под носопырку
и — блямс!..
С тех пор мой нос — тупой.
Сему способствовал запой
дисциплинарного состава.
Начальство не имело права
меня к больному подпускать
без ПЕСТУНА — да где ж сыскать?
Уполз в ближайшую канаву
портвейном горло полоскать...

Дееспособных санитаров
там, в буйном, было два всего:
«Пестун» Василий Сухопаров
и Николай Несдоброво,
два уголовничка-садиста.
Работали со вкусом, чисто,
но если брали на хомут,
еще не получив зарплаты,
то мог случиться и капут.
Из наблюдательной палаты

и Николая черт унес:
его в тот день пробрал понос...

Так путь к народному здоровью
я окропил своею кровью
и оттого столь тупонос.
Что этот бедный параноик
во мне просек?..
Не до гипноза
мне было, я дрожал, как бобик.
А в нем барахталась заноза
души – она в его мозгу
вращалась в замкнутом кругу
ворсистых
мысленных
цепочек...
Российская шизофрения
имеет характерный почерк:
как будто небо накренили,
и сам Господь строчит донос
себе на собственное имя
и черту задает вопрос –
с какой балды Ильич Владимир,
садист, в порядке извращения,
у жертвы попросил прощения?..

Он древен как язык угроз,
он жил и в Иерусалиме,
и во втором, и в третьем Риме,
он врос в московский наш мороз –
тот злой наследственный гипноз,
владевший предками моими
и мною в детстве – миф-ублюдок,
смешавший истину и вздор

в кровавом трансе — красный вор,
скрестивший веру и желудок
попам и ксендзам на позор...

А в жизни личной предрассудок —
сильнейший наш гипнотизер,
но это понял я позднее,
хлебнувши славы полным ртом...

Тот пациент мне стал роднее
родного брата, он потом
меня признал, дал имя «Спасик» —
а я его благодарил
за то, что он мне подарил
восторг врачебной ипостаси...

Еще произошло (верней, проявилось) родовое посвящение в дело, возможно, главное, — от моей мамы.

После 50 лет у нее начались выпадения памяти. Сначала медленно, потом все быстрее память принялась таять, стираться вместе с ориентировкой, затем интеллектом, затем личностью... Болезнь Альцгеймера. Все стадии неотвратимого исчезновения маминой психики мы с папой пережили у себя дома.

(Вероятнее, это был не Альцгеймер. Когда мама была ребенком, ей облучили голову рентгеном — так тогда лечили стригущий лишай. Волосы в 15 лет поседели.)

За время маминой болезни я стал знаменитым психотерапевтом, популярным писателем. И ничем, ничем, кроме ласки и музыки (мама ее глубоко чувствовала, любила мою игру и пела даже после утраты речи), не мог ей помогать уходить полегче...

Она отдала всю свою память мне.

Игра с жизнью
гипноз лечебный классический
эскиз к портрету доктора Черняховского

Но кто ж он? На какой арене
Стяжал он поздний опыт свой?
С кем протекли его боренья?
С самим собой, с самим собой.

Пастернак

Этот человек уже покинул земной мир. То, что я о нем сейчас расскажу — не развернутое воспоминание, а лишь беглая выборка, несколько малосвязных строк из книги его таинственной жизни, еще слишком близкой к нам, остающимся пока тут, слишком еще живой, чтобы можно было что-то итожить...

Прокручу стрелку времени снова назад — к четвертому курсу, когда я определился в специализации. Тогда по неведению я еще не проводил грани между психиатрией и психотерапией (и то, и другое буквально означает «душелечение»), а уже сознательно не провожу и сейчас, хотя жизнь их, увы, разделяет.

На занятии психиатрического кружка знакомлюсь с одним студентом нашего института.

Давид Черняховский приехал из Киева — покорять Москву. В группе наших кружковцев он единственный к тому времени имел практику самостоятельного врачевания и был вхож в кафедральную клинику, в закрытую среду врачей-психиатров. Имел репутацию — нет, уже славу — потрясающего гипнотизера. Ходили слушки, что пользует важных секретных персон.

Таким я видел Давида. Набросок по памяти — В.Л.

Нам, студентикам, непонятно было, как он все это успел и вообще — откуда взялся?.. Печать посвященности, отблеск избранности... Уже к 15 годам Давид умудрился прочесть все, что можно было тогда прочитать о гипнозе и психотерапии. С шестнадцати неофициально вел пациентов. Держался так, чтобы мы могли почувствовать, что он мэтр: вежливо, сдержанно, без фамильярностей.

У него была в то время яркая младосемитская внешность: долговязый, гибко-прямой, шея длинная, руки изящные и не очень сильные, шапка черных жестко-волнистых волос, очки, загадочные аккуратные усики...

Южно-восточный брюнет если не откровенно-хищный самец, то немножко бес, если не бес, то суровый демон, если не демон, то божий воин, святой — Давид был всем понемножку и даже помножку. Экстремист-холерик в основе, весь из углов внутри, глубочайше вжился в овал флегматического благодушия. Из него лучился вкрадчиво-располагающий-обволакивающе-притягательный-пульсирующе-проникающий-сексуально-магнетический интеллектуализм (все прилагательные можно менять местами и добавлять по вкусу).

Размеренная, литературно поставленная речь с просторными паузами и киевским шелковичным акцентом.

Тембр голоса шоколадно-замшевый, с йодистым запашком свежевыловленных креветок.

Немножко размазывали этот балдеж глаза — небольшие, прищурно-примаргивающие, слегка куриные, в себя прячущиеся... Он и сам чувствовал, что глаза у него дырявенькие, со слабинкой: очки снимал неохотно.

...Задачка на сообразительность: каким одним русским глаголом можно исчерпывающе обозначить методику колдунов, магов, шаманов, факиров, фокусников, донжуанов, гипнотизеров, артистов, художников и проходимцев всех времен и народов, всех уровней?..

Ответ: **охмурить.**

Молодому Давиду, наряду с другими его талантами (важно! — не на пустом месте!..), искусство сие было присуще врожденно в той совершенной степени, когда оно не только незаметно для окружающих (по определению) — но и для себя самого.

Прошу тонкого внимания. Охмурить — не значит ввести в заблуждение, обмануть, нет! — но значит произвести впечатление столь далеко идущее, что реальность уже не имеет значения. Первооснова всех на свете чудес, охмуреж начинает действовать задолго до начала гипноза — и даже до встречи с гипнотизером.

Суть: не давая понять, что делаешь, приведи человека в **вероготовность**, наибольшую из возможных, предельную — а затем уж и запредельную.

Изначальная вероготовность, она же внушаемость, есть у каждого — как у каждого есть пупок. Вероготовность и есть наш психологический пуп с тайным ходом вовнутрь — да, астральная пуповина нашего вечного вселенски-зародышевого состояния.

Чтобы добраться до вероготовности и завладеть ею, нужно одной рукой водить перед носом, другой убирать защиты. В коммерческом жаргоне сегодняшних дней близкий вульгарный термин — «понты», наводить понты, давить на понты и т.п. Именно этим и занимается любая реклама, успех коей напрямую зависит от того, насколько ей удается скрыть, чем и как занимается. Гипноз, зомбирование, охмурение, обольщение, очарование... Лишь по-разному окрашиваемые слова, обозначающие одно.

Дилемма Великого Инквизитора, психодиалектика: зло и добро пользуются одной и той же входной дырой — вот этой самой внушаемостью, вероготовностью.

Чтобы обмануть и использовать, чтобы уничтожить, человека требуется охмурить, требуется обольстить.

Чтобы вылечить, чтобы выучить и развить, чтобы приобщить к истине, чтобы освободить, одухотворить, оживить — человека требуется... Да-да, тоже охмурить, обольстить, очаровать, только в другую сторону. За очарование многое прощается. Взыскивается еще больше...

Все это молодой Давид не столько понимал, сколько чувствовал: кровью, позвоночником, нутряным нюхом.

Женщины от него хмелели, переполнялись зноем и косяками впадали в транс, мужчины обалдевали и превращались в восторженных кроликов. Давид был создан для очарования, рожден для гипноза; охмуризм был его генетикой и способом существования.

Но продлилось это лишь до *излома судьбы* ...

Внезапно оставив прекрасную, любящую, бесконечно преданную ему жену с маленьким сыном, Давид женился на одной из своих пациенток. Не могу позволить себе подробностей и оценок, скажу лишь одно: во втором браке он доверху нахлебался опыта собственной любовной зависимости, опыта жестокой беспомощности.

С ним произошла личностная мутация.

(Для любопытных: никакого прототипного отношения к героям моих книг – Кстонову, Лялину, Клячко и Калгану Давид не имеет.)

...Мы пробирались сквозь джунгли своего странного ремесла соседними, иногда пересекающимися тропами: то общие пациенты, то общие знакомые и друзья, то нечаянно общие женщины. Не берусь определить, как Давид относился ко мне — всегда сдержанный, ироничный, он звал меня не иначе как шуточно-церемонно: «сэр» и очень редко по имени. А я его просто любил как брата, любил некритично, люблю чуть потрезвей и сейчас...

Прошло некое время, прежде чем догадался, что в нем погибает гениальный актер собственной жизни.

Не хватало, наверное, Режиссера.

В одной из ранних книг я описал его гипносеанс. «Сэр, не хотите ли посмотреть гипноз?» — пригласил он меня. Пригласил, чтобы мальчишески хвастануть мастерством — охмурить, но *тогда* я этого не уловил...

Репортаж из гипнотария

...Первое впечатление: как легко дышится в присутствии этого человека. Какое спокойствие, какое приятство... Но — ощутимое «но»: холодок дистанции. Будь любезен, рядом дыши, но не прикасайся...

Д. тягуче-медлителен: на пять движений обычного человека приходится у него одно. В такую медлительность погружаешься как в перину. Стремительно-четким, впрочем, я его тоже видел.

...Звуконепроницаемый гипнотарий. Полутемно. Кровать и два стула, ничего больше.

Сейчас я впервые увижу ЛЕЧЕБНЫЙ сеанс гипноза. И даже приму в нем участие...

Медсестра приводит пациентку. Женщина лет тридцати в больничном халатике с простовато, округло-помятым лицом буфетчицы. Оживленно сообщает, что стала лучше спать, настроение чудесное, чувствует себя хорошо... Голос немного хриплый. (Пьет?.. Курит?..) Ясно, что обожает Д., а что больна, непохоже...

Д. не глядит на нее, вернее, не смотрит глазами, но мне показалось, что *смотрит мозгом* — между ним и пациенткой, почудилось мне, протянулась легчайшая прозрачно-радужная дуга...

— Полежите немного...

Женщина легко легла на кушетку.

Медленная тишина. Д. медленно берет руку пациентки. Медленно приподнимает... Считает пульс...

Затем эту же руку вытягивает под острым углом к телу и вкладывает в ладонь ключ. Предмет мне знакомый: это входной ключ в отделения клиники, ключ врачей. Сейчас он служит взородержателем.

— Внимательно... Пристально.... Смотрите.

Смотрите на ключ. Внимательно... Пристально... Смотрите... На ключ...

Время стало пульсировать. Я не мог понять, быстро оно течет или медленно... Я пульсировал вместе с ним...

— Теплые волны покоя... Туман в голове... Я считаю до десяти... С каждым моим счетом вы будете засыпать... Засыпать все глубже...

«Слова могли быть о мазуте», а действовал гипнотический темпоритм, гипнотический тембр — роскошно сотканный голосом музыкальный рисунок сеанса. Теплые волны покоя вибрировали в груди, горле, обволакивали мозг, тело... Паузы между словами заполнялись вибрациями...

— ...десять... Рука падает... Глубоко и спокойно спите...

Пациентка уже посапывает. Д. медлит еще немного и начинает с ней разговаривать:

— Как себя чувствуете?

— Прекрасно... Хр... х-х-х...

— Прочтите стихотворение. Любое.

— У лукоморья дуб зеленый, златая цепь на дубе том. И днем и ночью кот ученый все ходит по цепи кругом... Как ныне сбирается вещий Олег...

— Хорошо, довольно...

— Хрх... хр...

— Кто это вошел в комнату? (*Никого, разумеется.*)

— Женька. Племянник мой.

(*Наведенная гипнотическая галлюцинация.*)

— Поговорите с ним.

— Привет, Женьк... Что сегодня в школе получил, а ну признавайся. Отметку какую?..

Д. кивает мне, чтобы я ответил. Я теряюсь, мешкаю, глотаю слюну...

Наконец, выдавливаю:

— Три балла по арифметике... А как у тебя дела?

— Х-ф-х...

Д. улыбается: забыл передать связь, «рапОрт» — перевести гипнотический контакт на другого человека — пациентка меня не слышит, она глубоко спит.

— Сейчас вы услышите голос другого доктора и поговорите с ним.

— Здравствуйте, доктор.

(Это уже мне.)

— Здравствуйте... Как чувствуете себя?

— Отлично. Погулять хочется...

Разговоры кончаются — начинается лечебное вну шение. Голос Д. излучает торжество органной мессы

— С каждым днем вы чувствуете себя лучше. Стан витесь увереннее, спокойнее. Растет вера в свои сил Улучшается настроение. Вам хочется жить, радоватьс работать... Вы чувствуете себя способной ко всему, че го сами хотите. Ко всему нужному и всему хорошему...

Несколько вот таких простых слов. Очень уверенно. Очень мощно. Красиво по звуку, точно по смыслу...

Потом Д. сделал паузу, спокойным и твердым тоном сказал пациентке: МОЖЕТЕ СПАТЬ — и умолк.

— Сейчас она уже нас не слышит, — пояснил о шепотом, — но все же лучше потише... Пускай поспит этим закрепится внушение. Я выйду минут на пятнад цать, а ты, сэр... а вы, доктор, посидите, пожалуйста...

Вышел. Вернувшись (мне показалось, он и не уходил...), легко дотронулся до руки пациентки и начал...

Уверенно, сдержанно-торжествующе:

— Вам легко и хорошо... Вам радостно жить... Наш сеанс завершается. Вы проснетесь бодрой, веселой. Сейчас я просчитаю от десяти до одного. На счете «один» вы проснетесь с прекрасным самочувствием.

Считает ровным механическим голосом с нарастанием темпа и громкости:

— Десять... семь... пять... ...три, два, один!..

На счете «три» пациентка пошевелилась, на счете «один» открыла глаза. Сладко потянулась, зевнула:

— А-в-в-в... А!.. Хорошо выспалась...

— Видели какие-нибудь сны? — спрашивает Д.

— Что вы, как убитая спала. *(Так называемая спонтанная, не внушавшаяся специально, постгипнотическая амнезия, непроизвольное забывание. Так мы сразу и начисто забываем большую часть своих сновидений. Но некоторые можно и держать, запомнить...)*

— Сеанс окончен. Всего вам доброго.

— До свиданья, спасибо, доктор...

Насчет диагноза и судьбы этой пациентки, типичной сомнамбулы, я остался в неведении; припоминая, соображаю: после какой-то душевной травмы у нее развился психоневроз так называемого конверсивного типа («превращательного» буквально) — когда тело в ответ на невыходную для души ситуацию воспроизводит любую болезнь, вплоть до настоящего умирания. В таких случаях гипноз может сработать как психический скальпель — но суть исцеления вовсе не в нем, а в особой связи врачующего и врачуемого — в этом самом рапОрте...

Актерские трюки подсознания Давид чуял как пес и *до излома* лечил фантастически успешно. Он сам был к ним весьма расположен. Однажды *(еще до...)* я был свидетелем его страшненького судорожного припадка после неудачного любовного приключения...

Тарапунька любил чинить штепсели,,

Нет-нет, ни эпилептиком, ни истериком Давид не был. Но задатки *демонстративной личности* в нем в то время играли вовсю — и более того: культивировались, амплуа обязывало. Гипнотизер — это же ведь сплошная самоподача вовне, особый род сценического искусства, а подсознание слишком легко заигрывается.

Давид был младше меня на два года; казался же — не из-за физических признаков — старше, и всеми воспринимался как недосягаемо старший. Потом и телесно начал догонять и обгонять свой образ-для-других; в 30 смотрелся уже на сорокапятилетнего профессора, в 45 — на шестидесятилетнего.

А в то молодое время мы сблизились, дружили первыми своими семействами, гуляли на дачах, дурачились, боролись, как пацаны, дулись в шахматы.

Домашний Давид оказался полной противоположностью своей врачебно-гипнотической ипостаси: ничего магического — уютный, теплый, смешной, рассеянный, грустно шутливый, мальчишески азартный, глупо завистливый, подтрунивающий над собой...

Нежный папаша, заботливый муж, веселый бытовой комик, иногда вдруг зануда, ворчун, страшный тем, что голоса никогда не повысит...

В те времена популярен был украинский сатиро-юмористический дуэт дылды и коротышки: Тарапуньки и Штепселя, и долговязый Давид, стоило ему снять очки, чуть наклонить набок голову и приподнять одну бровь, становился вылитым Тарапунькой, один к одному. Подыгрывая своему персонажу, импровизировал на полуукраинском наречии преуморительные байки.

Рассказчик был потрясающий, многожанровый, с даром артистического перевоплощения, с превосходным вкусом к сочной подробности, с отменным умением распределять слушательское внимание, держать паузы. Иной поведает тебе душераздирающую историю, и ты сдохнешь со скуки; Давид же мог рассказать всего лишь о том, как встал утром, сходил в туалет и почистил зубы — но рассказать так, что ты обо всем забудешь, впадешь в экстаз или помрешь со смеху.

Он жил тогда еще безалаберно, юношески открыто и был центром притяжения для обширной и разношерстной публики: для одних Додик, для других Дима, для третьих Давид, для четвертых (и для меня) Давидушка, для пятых, коих прибывало все более, — Доктор...

В доме беспрестанно трещал телефон, его спрашивали на разные голоса, разыскивали, допекали пациенты и особенно пациентки, от самых что ни на есть нормальных стерв-истеричек до вполне сумасшедших шизух... Интересно было наблюдать, как после дежурного, мягко-профессорского «да-да...», сразу славшего на другой конец провода магнетическую волну и одновременно сигнал дистанции, он мгновенно перевоплощался в Того, Кто Нужен Тому, с Кем говорит. То строг, сух, лаконичен, то мягко-проникновенен и до бесконечности терпелив, то ласково-ироничен. то бесовски-игрив...

А еще был Давид рукоделом — все, от детской соски до автомобиля, умел и любил чинить, разбирать-собирать, налаживать, конструировать разные приспособления и прибамбасы. Внимание его было пристальным, вникающим, методически-обстоятельным.

Странно: его техническую одаренность потом, через много лет, мгновенно просекла Ванга, великая слепая ясновидица и пророчица, у которой он побывал, будучи в Болгарии, как позднее и я.

А врачебную одаренность отвергла.

Инженер человеческих душ в прямом смысле?..

«Никакой ты не врач, — прокричала ему сухонькая слепая старушка со свойственной ей разящей резкостью, — не врач ты, а инженер. Хороший инженер».

Давид возмутился. О Ванге с тех пор, понятно, и слышать не хотел — «обычная знахарка и шарлатанка».

Встреча с Вангой произошла, важно заметить, уже *после излома судьбы*. К этому времени Давид имел лысину, седину и солидненькое брюшко; давно оставил гипноз («детские глупости, напрасная трата энергии»), лечил пациентов только лекарствами и собой.

Да, собой, как и всякий психотерапевт — но не тем собой, что блистал в густоволосые годы, а полным наоборотом. Строгая прохладная отстраненность, застегнутость на все пуговицы. Трезвые житейско-психологические советы. Никаких охмурежей, ни-ни.

Может быть, Ванга почувствовала его душевную израсходованность на тот миг, потерю огня, порыва — влиять, воздействовать, вторгаться вовнутрь — порыва небескорыстного и небезопасного, замешенного на самоутверждении, грешного, подчас низкого и грязного, но врачебно работающего, черт подери, ибо грязен и мир.

Сама Ванга была гением полнейшего и чистейшего сопереживания, абсолютным медиумом — ее вхождения в людские миры были молниеносными, космически обжигающими — для нее не было границ времени и пространства, границ языка, культуры, границ тела, границ души — медиумическая *сверхпроводимость*...

Давид же сокровенное зерно этой всеведческой способности *после излома* в себе заморозил.

Амплуа сверхчеловека таит разнообразные разрушительные и саморазрушительные возможности. Давиду пришлось, как и мне, испытать это на себе...

Выдавить из груди змею..

Кто посоветовал «познай самого себя», забыл договорить главное: «через познание другого». Познавать себя, упершись в себя, — вернейший способ свихнуться.

Почти все убеждены, что психологи и психиатры обязаны обладать сверхъестественной способностью самолечения — «врачу, исцелися сам», не иначе. Стоматолог по этой логике должен сам вырывать себе зубы, нейрохирург — делать операции на собственном мозге, реаниматор — самовоскрешаться из мертвых...

Давид кучу народу вытащил из пропастей, а ему самому помочь было некому — или было (я, может, смог бы?.. нет, без должной дистанции как же...), но он, гордец-одиночка, не рисковал довериться никому.

Многолетний психосоматический невроз, обратившийся в тяжелую астму с декомпенсациями, в конце концов его доконал. Он еще тогда, во дни наших молодых приключений, после любовной накладки, о которой я помянул (его как щенка охмурила и отдинамила обольстительная умная стерва, наша сотрудница-психиатрисса, которая потом то же вытворила со мной и еще одним другом-коллегой, ныне священником...), — да, после одной лишь дурацкой ночки с игривой дамочкой выдал сокрушительный срыв: сперва судороги с «дугой» (еще раз: не истерия в вульгарном смысле), а потом с полгода ходил как потоптанный и надсадно кашлял, словно выдавливал из груди змею...

В темных корнях таких состояний обычно прячутся внутренние конфликты, столкновения разных сторон души, раздоры с собой. У Давида таких тайных душеразрывных сшибок была уйма, как и почти у всякого современного человека; вопрос всегда в том, как конкретный, этот вот человек эдакую *жизнь* принимает, с какой борьбой и решениями, каковы издержки...

«Больше всего мы зависим от того, чему сопротивляемся». Давид с юности поставил себе запредельно высокую планку на все: на профессионализм и всяческие достижения, на социальный статус, на честь, на любовь, на цельность и осмысленность жизни, а подлая жизнь то и дело ставила подножки, заводила в болота, стучала мордой об стол, *расползалась по вшам* (когдатошнее выражение маленького сына Давида, теперь уже тоже доктора)...

В смертельной игре с жизнью первое дело — научиться проигрывать весело и благодарно. Когда в дружеских схватках я укладывал Давида на лопатки или на шахматной доске ставил мат, он усмехался, иронизировал над собой, но внутренне рвал и метал, жаждал реванша, глаза кричали, что он мальчишка...

Он все же смог, при всех срывах и кризисах, собрать себя и перенаправить, пойти в глубину. Защитил толковую диссертацию. Не прекращал врачевания.

Особо его ценили в мирах ученых, писателей и артистов, практика распространилась и за рубеж. Зная клинику как свои пять пальцев, приобрел сверхценное врачебное качество — лекарственную интуицию. Выбрать медикамент и дозу, точно их регулировать и менять в соответствии с состоянием пациента — так, как Черняховский в зрелые врачебные годы, не мог никто.

«Слава есть фикция, ряд нулей, – говорил один старый доктор, – да, лишь нули; но когда эти нули присовокупляются к воздействию лекарства, слова или иного средства, – сила воздействия соответственно умножается. Слава работает».

Зрелый Давид за нулями не ступал больше ни шагу, они бегали за ним сами.

В последние годы, не оставляя врачебной практики, вдруг занялся историческими изысканиями.

Не взыграл национальный инстинкт — нет, он всегда спокойно относился к тому, кто есть ху, русских и прочих хороших людей уважал и любил, пожалуй, поболее, чем сокровников, к антисемитам относился с понимающим состраданием, как к духовнобольным, что воистину так...

Но почему-то счел своим долгом собирать материалы по пресловутым протоколам сионских мудрецов, по истории погромов и холокосту. В последнем нашем разговоре сказал об этом: «Хочу понять и извлечь урок. Для себя».

...И вот таинственная жизнь завершилась. Ушел одаренный гипнотизер, строгий исследователь, авантюрист, беспомощный муж, великолепный любовник, артист, романтическая душа, судорожно пытавшаяся не остыть в холодных стенах позднесовковой зоны... Ушел искусный доктор и разочарованный странник, искушенный игрок и наивный ребенок...

Секрет мастера всякого дела состоит только в том, что он никогда не прекращает учиться и развиваться; гений же одержим учебой как священной болезнью и на протяжении своего пути успевает так измениться, что становится похожим на себя меньше, чем на него похожи другие.

*

На протяжении этой книги вы встретите еще много подробных, картинных описаний разнообразных сеансов гипноза, моих в том числе, — я помню их все в мельчайших деталях, дотошно, — они могут вам даже, подозреваю, поднадоесть, зато будет возможность многосторонне сравнить гипноз с жизнью.

После одного из сеансов мне и пришла в голову связка слов: *рисунки на шуме жизни*. Подходит и для гипноза, и для поэзии, и для музыки, и для любви.

Человек, которого было много

...Очень долго и я (может быть, как и вы?..) был внутренне зависим от внешних, личностных поддержек.

Лет в 26 - 28: фигура боксерски накачана, сила брыз- жет, а физономия все еще полумальчишеская — вилочко- вая железка, что ли, никак не угомонится?..

Отрастил бороду (фото тех времен спереди на облож- ке) — высвободилась диафрагма, помощнел голос, наб- рал басов. Стал удаваться приказной нокаут-гипноз.

Любопытно вспомнить, кто послужил мне в этом то- порном деле настроечным образчиком или, позаковырис- тей выражаясь, медиумической матрицей.

Мой тогдашний шеф, завкафедрой психиатрии про- фессор Василий Михайлович Банщиков, в просторечии Вася, колоритнейший персонаж.

Из рязанских мужиков, сам именно Мужик, с большой буквы: мужичнее, мужичистее его в целом свете не было, нет и не будет, даю бывшую бороду на отсечение!..

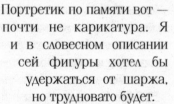

Портретик по памяти вот — почти не карикатура. Я и в словесном описании сей фигуры хотел бы удержаться от шаржа, но трудновато будет.

Придется себя еще поцитировать. Пи- сал, если кто помнит, о связи дыхания и характера:

... дыхание мощное, ровное и глубокое, дыха-

ние обнимательное, как у хорошего океанского теплохода, принадлежит уверенному и бодрому, неистощимо оптимистичному экземпляру породы, которую Эрнст Кречмер наименовал «конституциональный гипоманиак»...

(Нотабене. С маньяком в сегодняшнем расхожем значении ровным счетом ничего общего!)

... Человек, Которого Много... Врожденно-везучие люди, почти постоянно живущие на подъемной фазе большого маниакально-депрессивного цикла... Изредка депрессия добирается и до них – тогда дыхание замерзает, теплоход дрейфует во льдах...

Списано с Васи Банщикова, один к одному.

Дыхание, могучее обнимательное дыхание, слегка смрадноватое и подправленное крепким дешевым одеколоном «Шипр» (оченно уважаемым тогдашними, да, кажется, и сегодняшними алконавтами) — вулканическое дыханьище энергогиганта — и голосище, могутный басище... Пожалуй, все ж низкий баритон, но такой звучный, бодрый, мажористый, такой повелительный, раскатисто-обертонистый, что казался генерал-басом.

Слышно было Васю и видно — с любого расстояния до линии горизонта включительно, да притом так, что кто бы и что бы поблизости ни находилось, он становился Фигурой, а все остальное и остальные — бледно-размалеванным фоном или просто козявками. Вот уж воистину — Человек, Которого Много.

Роста был среднего или чуть повыше, широкогруд, крупнолап, хотя не атлет, с быковатой посадкой шеи, с брюшком заметным, но не расползшимся.

Очень крупная львиная голова с густой, лоснящейся рыже-блондинистой гривой, крутым мысом вдававшейся в скалоподобный лоб.

Под кустистыми дугами темных бровей — небольшие, остро-живые, усмехающиеся серые глазки. Иногда они мелко-мелко туда-сюда бегали, эти глазки — не то чтоб нистагм (медицинское название непроизвольно бегающих глаз, симптом некоей нервной недостаточности) — а так, нистагмоид, — возможно, признак очень высокой амплитуды мозговых биотоков или очень вороватой натуры. Так же, бывало, и вся большая гривастая банщиковская башка слегка тремолировала боковым тремором; на людей это действовало заволакивающе, буравило мозги и работало на охмуреж — будто вибрирует мощный двигатель, биопсихогенератор, оно так и было...

Здоровенная, выступающая нижняя челюсть с утолщенной и выдвинутой вперед нижней губой. Темнорыжая толстая борода лопатой. Нос картошкой а-ля деревенщина с краснотцой. Грубая, щетинистая, ноздревая кожа матерого зверя.

(Подробно выписываю наружности не ради клинической точности, хотя стремление есть и такое, – а потому, что очень люблю плоть живую, религиозно люблю. Какой-нибудь искушенный чтец через вкусноту деталей продышится вдруг к потаенной сути...)

Вот-вот, матерость. Матерый, то есть весьма здоровый и спелый донельзя, развитый до избыточности, особливо в половом отношении, экземпляр своего вида. Доминантный самец, пахан.

Особи женского пола мимо себя не пропускал ни одной, трахал все, что движется, неукротимо. Перешептываясь под дверью его кабинета, дамы с привизгом сообщали друг дружке, какой он ух-ах...

Да, ядреная генетика у Васи была. Похвалялся мне: дед, говорил, мой прожил сто шестнадцать, отец сто шесть, родил меня в семьдесят семь, а я больше ста не нацеливаюсь, век, знаешь, не тот, но на сотенку потяну, пожалуй... Почти потянул — девяносто шесть. Дряхлость настигла только в последние года три, до конца дней ходил на работу в клинику, продолжал патриаршески как бы руководить. А уж до того...

Кем только не командовал, каких титулов не носил, каких бабок не хапал.

Многолетний председатель союзного Общества невропатологов и психиатров, директор клиники и института психиатрии, завкафедрой, автор учебников и монографий (якобы), лауреат всяческих премий и прочая.

Лидер, организатор, воздействователь на человеков был прирожденный, ничего более не умел и ни в чем не петрил, да и зачем?.. Жми на кнопки в башках, и все.

Карьерный рост начался с провинциальной комсомолии. Сам Вася о начале своего восхождения любил на лекциях одну байку рассказывать с разными вариациями и виньетками. Он регулярно читал лекции по психиатрии студентам мединститута в качестве главного профессора кафедры. Обыкновенно это была путаная нудная смесь кое-как подстряпанной учебниковой скучищи с гротескной безграмотностью, белибердой — снотворно-рвотная микстура — но лишь до мига, когда самому Васе это надоедало. Через полчасика профессорского бубнежа или пораньше он вдруг с видимым отвращением отбрасывал в сторону конспекты, заготовленные ассистентами, и начинал баять САМ — за жизнь и в основном за себя. И Берлин-то он брал, и Москву спасал, и Ленина выручал... Вот тут-то все просыпались и разевали рты.

«Разрешите попочку, Владимир Ильич», или Сказ о том, как Васюта Банщиков пролетарского вождя поднимал и через то сам высоко поднялся. С личных слов вольно записал личный негр.

В двадцать первом году жил я в рабочем поселке. Бедно жили тогда мы после гражданской, голодные были годы. Я целыми днями стоял у станка, токарил, а по ночам в омутке карасей ловил с керосиновой лампой, чтобы семью подкормить.

Молодой я был парнишка и комсомолец, как и вы все, ребята, но пошустрей и поинициативнее.

Вот вам пример, когда я не растерялся и творческую инициативу проявил. А потом далеко-о-о пошел...

Приезжает к нам как-то выступать — кто б вы думали?.. Ленин. Сам Ленин, Владимир Ильич. Он тогда много по стране с выступленьями ездил, народ поднимал, особенно молодежь. И вот к нам приехал.

Мы к этому приезду готовились. Народу понабежало со всей округи. Столпились на поселковой площади кучей огромной, теснотища, не продохнуть. Помост для выступления сделали дощатый, наспех сбили, гвоздей не хватало, доски гнилые все... Стоим, ждем. Народ очень возбужден, никто Ленина еще живого не видел.

Я прямо около помоста стою, чтобы лучше увидеть самого дорогого для меня человека на свете, да еще на чурбанчик взобрался, который рядом валялся, так что чуток повыше других очутился...

И вот подъезжает к площади машина. Черная, скромная. Выскакивает из нее быстренько-быстренько Владимир Ильич Ленин с охранниками — видно, спешит очень, слегка припоздал.

Выскакивает и стоит: не пройти к помосту, народом вплотняк все забито, проход оставить не догадались.

Охранники раздвигают толпу — да куда там, стоят как бараны, каждый за свое место и друг за дружку держится... А время идет. Владимир Ильич, я его вижу со своей чурки отлично, с ноги на ногу переминается, посматривает на часы...

Ну вот, думаю, уже нервничает, сейчас обидится, махнет рукой и уедет... Э, нет, думаю, не таков наш вождь, чтобы отступать перед препятствиями, и надо ему помочь их преодолеть. Команду даю зычным голосом своим, вы его знаете: !!!РРРАС-СТУПИСССЬ!!!

ННА-ПРРРА! — ОПП!!! — ННА-ЛЛЛЕ! — ОПП!!!

(Каждый очередной раз, когда Вася это гремел, у всех чуть не рвались барабанные перепонки, и самые внушаемые из студентиков, а таких было немало, валились, как колоски, кто напра, кто нале...)

...Вот как вы сейчас тут попадали, ага — так и народ на площади.

А я с чурбанчика своего — прыг — и через распадающийся народ, как паровоз на всех парах, прямо к Ленину — и под ручку его: «Пройдемте, Владимир Ильич». Веду, провожу к помосту. Маленький такой, семенит рядом, но ручка крепкая... Сбоку слышу: «Гляди, Васюта наш Ленина ведет! Васюта Банщиков Ленину путь открыл!..» Васютой звали по-деревенски...

И это еще не главное. Главное вот. *(Сочная пауза...)* Подвожу Ильича к помосту, а его нет. Помоста-то нет уже!.. Снесли начисто и втоптали в землю — напер- ли, а доски гнилье одно... Ну, что делать?.. Куда поставить вождя?.. На чурбанчик мой?.. Там кто-то уже на него заступил — а ну, слазь, командую, слазь к чертовой матери!.. Сдунуло дурака, подошли — Ленин на чурбанчик прыг-прыг, взгромоздился, да толку что — росту недостает, все равно не видно его.

И тогда я принимаю решительное решение. (*Одно из частых Васиных выражений, подчеркивавших роль и значение – тоже любимые его слова – данного мероприятия; нерешительные решения он тоже принимал, но не озвучивал.*)

Нужно Ленина подсадить. На руки его взять, поднять — и держать! — да, больше никак. И я должен взять на себя это дело, на себя взять поднятие на высоту вождя мирового пролетариата. И я беру это дело решительно на себя, потому что, как говорил Маркс и в том числе Энгельс, мы не можем ждать милостей от природы, наша задача их вырывать с корнем.

«Владимир Ильич, — говорю, — придется вас подсадить маненечко. — Он улыбается хитренько так, простой ленинской улыбкой такой. — Разрешите попочку, Владимир Ильич». — «Как, батенька? Попочку? Чью?» — «Вашу попочку, Владимир Ильич. Вы не смущайтесь, товарищ Ленин, я парень простой, деревенский, привычный. Я быстро, раз и готово. Ведь для народа нужно. Увидели чтобы вас». — «Ну что ж, батенька, если народу требуется, то давайте. Я вам свою попочку доверяю. Не возражаю».

(*На этом месте рассказа обычно у Васи в басовобаритональных обертонах трепетала слеза растроганности.*)

— Приседает вежливо Ильич... Не приседайте, — говорю — я, я присяду... И хвать-хоп обеими руками его — и наверх, над собой, как ребенка. Он хоть и маленький был, но крепенький, увесистый такой, знаете. А меня охватил такой политический энтузиазм, что я веса его не почувствовал. Я держал Ленина над собой как бревнышко... как знамя... как перышко... А он речь говорил про НЭП... (*Слеза в голосе.*)

Вы меня спросите: неужели, Василий Михалыч, вы в продолжение целой речи вождя мирового пролетариата держали один на своих руках? Да, держал. Сначала один. И потом один — вот так вот, на вытянутых... *(Зримое изображение поддерживания ладонями попочки вождя мирового пролетариата.)*

Но в течение речи вождя нарастал народный энтузиазм, и ко мне присоединился народ. Поддерживать Ленина стали со всех сторон, и колени, и пятки, и голени, верзила один даже дотянулся до подмышек...

Ильич великое говорил, о продразверстке говорил, про НЭП говорил... А меня на следущий же день сделали вожаком нашей комсомольской организации. Вот так начал я путь в науку...

...Путь Васин был и уникален, и характерен для времени, достигшего небывалых успехов в постановке (или посадке) людей не на место, природой назначенное, а совершенно наоборот, и при этом перед стихией натуры человеческой ничтожного и слепого...

Быть бы Банщикову ухарем-купцом — в самый раз; или каким-нибудь хлебо- или коннозаводчиком, предпринимателем с богатырским размахом; и актером мог быть характерным — да и в своем роде был, роль профессора Банщикова исполнял хоть куда!

Самородок с огромным деловым и социальным талантом, он был и превосходным психологом: людей раскусывал с беглого взгляда — определял, кто на что способен, иметь дело или не надо, на какой дистанции держать, в какой манере общаться и как использовать.

Меня, студента, потом аспиранта, сразу определил в личные негры: я знал к тому времени несколько языков, котелок отчасти варил...

— Напишем с тобой монографию, Володя — предложил, дружески хлопнув по плечу и отечески приобняв. —
По МОЕЙ любимой теме — склерозу, а?.. У меня большой
материал, а вот обобщить, знаешь, все как-то некогда. Ты
парень писучий. Потянем?..

Все сотрудники знали, что Вася, имея настоящего об-
разования в районе пяти классов, не более, не в состоянии грамотно написать ни одной фразы. В любимом
склерозе, как и во всем прочем в медицине, разбирался
не сильней среднего сельского фельдшера.

— Потянем, Василий Михалыч... Почему бы не написать... Только справлюсь ли... М-м-м...

— Можешь не беспокоиться, я тебе создам все условия. Предоставлю весь СВОЙ материал. Свободного времени — сколько хошь, только на клинические конферен-
ции иногда ходи для приличия. А кто что не так подума-
ет, не бери в голову. Молчком все, договорились?.. Имя
будет на обложке мое — меня все знают. А ты станешь
скоро тоже известным, с диссертацией помогу. Деньги
получишь, тебе деньги нужны, молодой еще... Половина
гонорара будет твоя, сумма не маленькая. Ну, договорились, ВСЕ БУДЕТ ХО-РО-ШО! (Хлоп по плечу опять —
с буровым заглядом в глаза, мощно обдав теплоходным
дыханьищем. Ударный Васин метод внушения, работав-
ший как отбойный молоток.)

На службу и вправду, к зависти многих, я ходил когда
вздумается. Профессорскую монографию писал одновременно со своей кандидатской и книгой «Охота за
мыслью». Полгонорара, 20 тысяч тогдашних рублей —
сумма для аспирантишки фантастическая. А вскоре получил Вася за эту монографию премию, в три раза бОльшую, чем гонорар, и не выдал с премии мне ни копейки.

Я его поздравил немножко прохладно.

Он чуть замялся, отвел глаза. Совесть у него была развита, но он хорошо умел с ней справляться.

«Живет и дает жить другим», — говорили про него. Так и было, но с уточненьицем: сам жил как хотел, другие вокруг него — как могли. Всех использовал, но никому не мешал, не зажимал, подножек не ставил — по тем временам почти святость. А уж по нынешним...

Зверино был хваток, жил смачно. Дачку отхватил в подмосковной Жуковке, посреди имений правительственных чиновников. Спецснаб, персмашины и прочие *благи* всегда были при нем — умел и подольститься к кому надо, и дать взятку (сам брал немерено), пристроить-устроить, наврать с три короба, пропихнуть туфту, что попало скоммуниздить...

Все это весело, непринужденно, ухарски-лихо, с жадной жизненной силищей щедрого жулика.

Любил петь-плясать, мог выпить сколько угодно, практически не пьянея, полночи прогулять с девками, а с утречка свежий, пошучивая, проворачивал кучу дел, распоряжался, гремел, принимал разношерстный народ, всегда мявшийся в очереди у кабинета...

Прима его гарема, пышногрудая, пышногубая, волоокая, перманентно улыбающаяся красавица ассистентша Ирма однажды ночью на нашем совместном дежурстве в клинике под коньячок разоткровенничалась.

— Василий Михалыч неподражаем. По размерам мужчина средний, а к потолку прыгаешь, это ужас какой-то, я просто криком кричу. Муж у меня бывший баскетболист, тот еще жеребец, но после Васи я своего Колюню совершенно не чувствую...

Самый момент сказать, что при всем своем вопиющем невежестве и вульгарности, психолекарем — не врачом, именно лекарем, важный нюанс, — Вася был отменным.

Больных пользовал на своих профессорских клинических обходах. Спектакли эти устраивались раз, иногда два в неделю. Вася на них был почти нем, но...

С семеняще-гомонящей свитой доцентов, ассистентов, ординаторов, лаборантов, студентов-кружковцев и прочей челяди, как государь, торжественно шествовал в просторном полураспахнутом шелковом белом халате, похожем на балдахин, из палаты в палату.

Величественно останавливался возле койки пациента. Вменяемые больные при этом вставали, невменяемые и слабые сидели или лежали, а в наблюдательной палате, случалось, и возбужденные психи корячились связанные.

Пока сотрудник докладывал историю болезни и статус, Вася с непроницаемо-глубокомысленным видом потряхивал бородой и вбуравливался вибрирующими глазками в лоб пациента; мыслями же был далеко. Чересчур обстоятельные доклады академично прерывал единственно знаемым латинским выражением «квантум сатис», что означало в его устах «закругляйся нафиг».

Засим принимал *решительное решение* тут же, на месте больного облагодетельствовать, для чего тяжким шагом вплотную на него (или на нее) надвигался и накладывал на плечи и спину рыжеволосатые лапы; облапив, вп∈ривался в глаза, врубал психополе и рыкал:

ВСЕ БУДЕТ ХО-РРРО-ШООО!!!

Почти всем больным тут же и становилось хорошо хоть на минуту, а иногда и надолго. Случались и быстрые полные выздоровления. Колоссальная жизненная энергия, заквашенная на чудовищной сексуальной мощи, делала свое дело. Вспоминался Гришка Распутин...

Однажды лишь некая коварная упрямая шизофреничка вместо послушного улучшения взяла да и въехала

Васе ногой по яйцам. Видно, зашкалило. С того раза стал Вася свое лечебное рукоприкладство и психорык производить более выборочно, предусмотрительно прикрывая одной рукой пострадавшее рабочее место.

Время от времени проводил учебно-показательные массовые сеансы гипноза на студентах-медиках, своих слушателях. Я на этих сеансах иногда ассистировал и внимательно наблюдал.

Техника была элементарная, заимствованная у гипнотизеров-эстрадников. Сперва долго и нудно объяснял, что такое гипноз — почти ахинею нес, но аудитория настраивалась, транс назревал. Потом брал в руку карандаш, поднимал, приказывал на него смотреть и начинал очень медленно, пониженным голосом считать до двадцати или тридцати, с расстановкой описывая, что должно с гипнотизируемыми происходить — *и происходило.*

одиннадцать...веки тяжелеют... глаза закрываются... двадцать... хочется спать... все сильней хочется спать... двадцать семь... наступает дремота... дремота... тридцать... приходит сон... сон... вы спите и продолжаете меня слышать...

Уже к счету десять—пятнадцать половина студентов впадала в глубокий сомнамбулический транс. Загипнотизированных со всех концов зала вели к Васе на сцену, или они сами поднимались и шли с полузакрытыми глазами, словно магнитом влекомые.

Вася поднимал им руки и ноги, сгибал в разные стороны — конечности застывали воскообразно в приданном положении: гипнотическая каталепсия, зрелище для доводки — в гипноз от него впадало уже четыре пятых присутствовавших или более. Вася, не мешкая, отбирал самых ярко-податливых, остальных пробуждал, оставляя в роли зрителей, и начинал демонстрировать чудеса гипнотического внушения.

Пели-плясали, собирали с пола грибочки-цветочки-ягодки, пили галлюцинаторное вино, плавали в море, превращались в собачек, в Пушкиных, моментально запоминали огромные цифры, забывали и вспоминали все что угодно, общались с призраками...

Все эти штуки Вася, превосходный интуит, производил мягко, легко и бережно, без тени унижения подопытных, на фоне непрекращающихся общеположительных внушений, так что осложнений почти не бывало, а когда все же изредка возникали, не без того (истерики, неуправляемые состояния, начала припадков...) — быстро и грамотно выводил из транса.

Студенточки после каждого сеанса порхали за ним мотыльковым облачком. Вася басисто вибрировал, отечески трепал щечки, щекотал подбородочки, самым сдобненьким нашептывал что-то иногда на ушко... Был осторожен, на аморалке не попадался.

Да, незабвенный Василий Банщиков тоже был великим гипнотизером и феноменальным артистом жизни, гением охмурежа, как и Давид Черняховский, но совершенно иного жанра, другой породы, и не столько в национальном, замечу, смысле породы, сколько в биопрофсоюзном. Разные классы существ, как, скажем, удав и тигр, каждый по-своему совершенство.

Они друг друга хорошо знали и терпеть не могли, у обоих загривок дыбом вставал при упоминании...

Давид умудрился стать единственным, кого Вася, после пары лет феодального благоволения, с треском, взашей выпер из клиники. За мелкое самозванство.

В ту пору еще студент, Давид лечил некую титулованную персону и понта ради именовал себя ассистентом клиники. Добродушнейший Вася это узнал и взбесился. Бушевал и ревел, стены дрожали. Возгремел не по факту — он сам был самозванцем с ног до содержимого головы включительно, и широко прощал *своим* любые грехи и всевозможное жульничество, лишь бы не выносили сор да кой-чем делились. И антисемитом не был ничуть, разве что иногда подыгрывал текущим тенденциям.

Иное тут было: взыграл инстинкт гаремодержателя, контролирующего помеченную территорию.

Гневался Банщиков вообще редко и чаще всего по причинам непостижимым. Обычно с утра уже сотрудники знали: у Васи плохое настроение, дисфория, нельзя ни с чем обращаться — откажет, обматерит, разнесет, пошлет куда подальше, догонит и добавит еще...

Через пару-тройку часов гроза утихала, и лучезарный шеф снова всех благодетельствовал и имел.

Однажды лишь на недельку и он вмерз в депрессию...

Ладно, Васюта, на сем, пожалуй, прощай. Я, левикий твой негритос, и поныне тобой восхищаюсь и продолжаю в памяти любоваться как природным явлением. Ты поимел от меня недостававшую тебе частичку мозгов, а я от тебя — градус мажорного отношения к жизни, свободу дыхания и голосовых связок, потоковость бытия, — так что квиты и друг другом довольны.

Глубочайший же мой поклон тебе — и вместе со мной ото всех любящих Медицину, Россию и Человечество, не сочти за пафос — за то, что искренне ты почитал Сергея Сергеевича Корсакова, гениального отца-основателя клиники, где мы с тобою общались, врачевали, грешили...

Корсаков был твоею иконой и тайным укором — твоей измордованной, но все-таки совестью. Словно в богослужение и покаяние ты много сделал для воскрешения его памяти. О Корсакове дальше особо...

Нокаут в первом раунде

На свежем увлечении удается многое...

Лечебным гипнозом я начал заниматься, закончив мединститут, а плотно и каждодневно, по многу часов — в должности психотерапевта райдиспансера, будучи двадцатидевятилетним кандидатом наук и уже известным автором своей первой книги. Какие-никакие регалии плюс голосина, плюс борода, плюс психотехники работали довольно успешно, и все же главным было не это...

Вот маленький врачебный эпизод тех времен.

(Для меня — эпизод, для пациента — судьба.)

П. Б., 40 лет, металлург. До травмы норма из норм. Школа, техникум, армия, работа, женитьба, двое детей... Здоровье завидное. Увлечения: рыбалка, туризм. Характер компанейский. Покуривает. Алкоголь — немного пивка в компании, стопку-другую водки. Не прочь приударить за симпатичной бабенкой...

Три года назад был сбит машиной, шок с десятиминутной потерей сознания, перелом бедра. Через два месяца после выписки из больницы появились навязчивости.

— Боюсь высоты — кажется, что выброшусь, тянет. Боюсь острых предметов — ножей, бритв: зарежусь или зарежу кого-нибудь... Мимо витрин прохожу: разобью, разнесу... Чем меньше ребеночек, тем страшней... В компании сижу — и вдруг: сейчас вскочу, заору, выругаюсь, ударю кого-нибудь, кинусь, сойду с ума... Даже не мысль, а будто уже... Страшно, а вдруг не выдержу....

— Сколько времени это уже? Все три года?..

— Да, все...

— И все три года боретесь?

— Все три года.

— И ничего не случилось? Страшного не наделали?

— Пока ничего, но...

— И ничего не сделаете. Никогда. Вы же понимаете.

— Но ведь...

Всегда таинствен прорыв темных сил патологии — из каких-то глубин — в, казалось бы, несокрушимую норму. Зловредный бунт подсознания... Интересно понять, почему не возникло ровным счетом никаких страхов, связанных с улицей и автомобилем, с фабулой психотравмы... У патологии своя патологика.

— На людях — тяжелей или легче?

— Смотря с кем. Хуже с ребенком. С женой легче.

(Меж тем с женой отношения так себе, уже давно, как он говорит, нет искренности, преобладает взаимное недовольство... Тоже, увы, стандарт.)

— Было лучше, когда ходил к нашей терапевтихе... А потом она меня выгнала. «Больше не ходите ко мне со своими идиотизмами. Ложитесь в психиатрию».

Неслабая психотерапия...

Понятно: его детское «я» тянется к архетипной Любящей Матери — и не получает того, что ищет...

По контрасту гипноз, скорее всего, пойдет на отцовский лад — займем-ка внутреннюю вертикаль могучим мужским зарядом.

Приказательно-твердо:

— *Встать прямо. Опустить руки. Смотреть прямо перед собой... Смотреть мне в глаза...*

Все начинается с принятия взаимных ролей, включающих подсознательные программы. Уже один только врачебный осмотр — распахивание ворот для внушения. Мгновение может предопределить все...

— *Глаза закрыть!..* (Властно.) *Падать!..*

Это я с загипнотизированным. Массовый сеанс. 70-е годы.

Пошатнулся назад и влево, поддерживаю:

— *Все в порядке. Теперь — сесть.*

Внушаемость налицо, транс уже начался, не мешкать... Пациент в кресле. Наклоняюсь над ним. Приказываю смотреть мне в переносье. Жестко, с металлом:

— *Считаю до десяти. Во время счета будут тяжелеть веки. При счете десять закроются. Раз...*

Захлопал глазами на «четыре», закрыл на «девять»...

— *Все хорошо... Спокойно... Теперь — С П А Т Ь.*

Одно из рискованнейших мгновений. На «спать» чаще всего прокалываются, переоценивая степень внушаемости — и недооценивая сопротивление, которое и в глубоком трансе может быть самостоятельной переменной...

Легко ли в детстве уснуть, когда тебя ЗАСТАВЛЯЮТ спать?.. Раз семьдесят я тренировочно варьировал интонации этого гипнознака, прежде чем уловил *те самые...*

Проверим каталепсию... Рука П.Б. кажется почти невесомой, податлива, словно воск, а когда отпускаешь, застывает как ледяная... Колю руку иголкой — реакция нуль, можно было бы делать безнаркозную операцию...

— Глубже спать... Еще глубже... Спать детским сном... Все проходит... Уверен в себе, спокоен. Любая возникающая мысль принимается спокойно, легко... Любое представление рассматривается спокойно. Мысль и действие отличаются между собой. Представление и действие разделяются. Все хорошо... Полный мир с собой, полный мир... Спать глубоко, спать детским сном...

Для начала достаточно... Минут двадцать пускай укрепится, а я пока позвоню тебе...

...Пробуждаю.

— Что чувствовал в начале сеанса?

— Пошевелиться не мог... Глаза сами закрылись... Но слышал шумы... Был момент, хотелось смеяться... (Подсознательное сопротивление, но транс его перешиб.)

— Мысли?..

— Никаких... И навязчивых не было...

— Слушайте внимательно. Война с навязчивостями окончена. Запрещаю вам борьбу с мыслями и представлениями, какими бы они ни были. Только у кретинов внутри все чистенько и спокойненько. Поняли?

— Понял...

Этот случай сравним с боксерским боем, завершенным нокаутом в первом раунде. К следующему сеансу у П.Б. все прошло. Прожил много лет в добром здравии.

Врачебный гипноз есть пси-хирургия, да, психологическая хирургия. Если хирург телесный должен исчерпывающе знать анатомию и физиологию — строение и биодинамику организма, то пси-хирург обязан как в своих пяти пальцах разбираться в строении души и в ее жизни во времени, психодинамике. Это трудно, и это главное.

Во время приема
со мной что-то случается.
Не по заказу.
Не лучезарное обаяние
порющего душеспасительную ахинею папаши
или сочувствующего братца-кролика,
нет, но без моего ведома
то, что было только что мной,
увольняется —
остается лишь состояние пустоты
перед приступом
неизвестночегоможетсмерти...
Самоотмена, да,
и страница чистая для заполнения
Другим Существом.
А если сравнить это, допустим,
с подключкой разъема
от Мировой Сети Душепитания,
то вопрос в том, с какой стороны
Имярек доступен,
с какой может перегореть...

Я слабых люблю за то, что они живут.
Я сильных люблю за то, что они умрут.
А сам я ни слаб, ни силен,
я и то, и другое — вернее, мост
между силой и слабостью...

Как нас учили?.. Чтобы не болеть,
нам надобно себя преодолеть.
СЕБЯ?!?... вот-вот, привычная нелепость.
Как можно?
Осадить себя как крепость?
А кто внутри останется?.. Скребя
в затылке, снова задаюсь вопросом:
как может глаз увидеть сам себя
без зеркала?.. ЧЬИМ глазом?..
Даже с носом
не можем мы поделать ничего
без любопытства друга своего.

И как же, как гипнозу не поддаться,
когда очередной великий спец
дает набор простых рекомендаций
как жить – то бишь как оттянуть конец
и умереть красивым и здоровым?
Продашь и душу за такой гипноз,
и хоть интеллигент воротит нос,
и он непрочь найти обед готовым...

Сеанс с обменом сердец

Многие из нас с детства охотно лечатся, но неохотно вылечиваются. Когда ты здоров, надо идти в детский сад, надо в школу, надо делать зарядку, надо уроки, надо вести себя хорошо, надо иметь хорошее настроение... Потом надо в армию, надо замуж, надо работать, надо исполнять супружеские и родительские обязанности...

Сплошные «надо» — и все потому лишь, что ты здоров.

Мир Здоровья — это обязанности, со всей их скучищей, это ужас ответственности, это бесконечность труда, это риск, наконец. Здоровенькому умирать надо, вон вообще убираться, вот какие дела...

Когда болен, мир устроен иначе. Вроде и тот же, но наклонен к тебе совсем по-другому, как в самолете.

Почти все «надо» в Мире Болезни решительно отменяются; зато появляется множество симпатичных «нельзя» и «можно», напоминающих сладостный санаторий младенчества, где ценой некоторых ограничений достигается фантастическая свобода. Тебе ни в коем случае нельзя напрягаться, нельзя уставать, нельзя расстраиваться, огорчаться, нельзя беспокоиться.

Тебе можно — и даже должно — ужасно себя чувствовать, объявлять об этом во всеуслышание и всячески демонстрировать; можно капризничать, привередничать, требовать то и се; можно не выполнять обещанное и посылать всех на какое угодно количество букв; можно самовыражаться и нарушать приличия, можно писаться, какаться — все оправдает болезнь, все искупит, все грехи тяжкие на себя возьмет. Это ведь форсмажорина, посторонняя силища, воля ее — не твоя...

А что в Мире Болезни надо? Лечиться надо. И все. И ничего больше. Лечиться, лечиться и лечиться.

Расклад этот чересчур ясен, чтобы допускаться в добропорядочное сознание. Только Тайный Ребенок внутри взрослого способен признать, что болеть лучше, чем быть здоровым, что это вроде как даже шанс на бессмертие.

Инфантильная выигрышность болезни настолько умело прячется сама от себя и так искусно оседлывает глупопослушное тело, что кажется, будто эту бедную лошадку насилует тысяча бесов. Иной может и дуба дать лишь потому, что помереть проще, чем одолеть страх смерти.

...Олег Сергеевич входит непринужденно, садится, рассказывает о том о сем. Достал интересную книгу о Шаляпине. Скоро концерт в Доме культуры, ему выступать (самодеятельность, любительский баритон). Самочувствие лучше, значительно лучше. Правда, все же нет-нет да мелькнет мыслишка, а за ней и мандраж... Ничего-ничего, вот еще подлечимся...

Тридцатишестилетний высоченный красавец, главный инженер крупного предприятия. Немножко щеголь, нарцисс, множко любит себя... И классический фобик.

Полное вроде бы благополучие — до злосчастной командировки. Выпил лишнего с дамочкой и компаньоном, «ерша» намешал, закуска не приведи господь... Через час сильное сердцебиение, головокружение, дурнота... Пришлось беспокоить «скорую», промывать желудок. С тех пор страх смерти, за сердце страх — сердце совершенно здоровое, страх и открытых, и закрытых пространств... Чуть что — щупает пульс, ложится в постель. О командировках пришлось забыть. Побывал и в психиатрии, нейролептиками потравился — все выдержал, здоровяк, каких мало. Страх зацепился сам за себя, завяз, задубел...

Я практиковал шестой год — не новичок уже, но еще далеко не мастер, и по причине сей уповал более на пробойную мощь гипноза, нежели на кружевную проникновенность диалогических техник. Да и пациентура наша для психоанализа мало оборудована...

Первые два сеанса вел осторожной техникой ступенчатого усыпления. Отметил отменную анестезию и восковую каталепсию. (И то, и другое было известно еще древнеегипетским жрецам. Никто в мире так не владел техниками глубочайшей гипнотизации, как они.)

На третьем сеансе — полный сомнамбулизм.

— Олег Сергеевич, вы меня хорошо слышите и продолжаете глубоко спать. Вы можете свободно со мной разговаривать. Между нами полное взаимопонимание. Продолжая спать, вы можете двигаться, можете вспоминать и думать, все можете, продолжая спать... Сейчас вам хорошо, вы спокойны. Вам приятно будет сейчас подняться, подвигаться... Можно открыть глаза, можно встать — открывайте!.. Вставайте и открывайте!..

Открывает глаза. Садится... По выражению лица, по зрачкам — видно: глубокий транс. И спит, и не спит...

— Пожалуйста, наденьте свои ботинки, наденьте пиджак. Сейчас мы с вами пойдем на прогулку.

Четкими, уверенными движениями одевается. Беру его под руку. Начинаем расхаживать по кабинету.

Двигается свободно, и вместе с тем послушен каждому моему движению, как в отработанном танце, и даже, кажется, каждой мысли... Сейчас мы живем и действуем в мире внушенных предметных значений и гипнотических галлюцинаций.

— Давайте свернем сюда, за угол... Пройдем по этой улице. (Огибаем стул, делаем три шага по направлению к стенке.) Теперь подальше, на перекресток... Где мы сейчас находимся? Что за место?

— Таганская площадь...

Работа с сомнамбулом — фантастический полет в запредельном пространстве. Ощущение беспрепятственности, сверхлегкости, как во сне: оттолкнуться от мира — и полететь, то ускоряясь, то неподвижно паря, то исчезая за далекими звездами...

— Вот лыжи, Олег Сергеевич... Пройдемся вместе по зимнему лесу.

— Какой чудный снег... (Надевает галлюцилыжи.)

— Зайдем в лес подальше.

— Сейчас, крепление поправлю... Вот... Все, поправил... Поехали по этой лыжне?..

— Вы вперед, я за вами.

Пошел. Сильно, ловко отталкивается галлюцинаторными палками. У стены делает поворот, идет вдоль, опять поворот... Обходит диван. (Это поваленная ель.)

Пантомима в духе Марселя Марсо, с полной подлинностью переживания, той же, что в сновидении...

— Сердце ваше прекрасно работает.

— Да!

— Сердце ваше — сильная птица. Вы идете быстро, я отстаю... Вы идете один... Удаляетесь спокойно и смело... Я на какое-то время оставлю вас, в одиночестве вам легко, хорошо... Ну, до встречи!..

Молча кивает мне — идет дальше... Присаживаюсь на край кушетки... Интересно, сработает ли это последнее вставное внушение?.. Уйти вот так, на одинокую лыжную прогулку в своей реальной действительности мой Олег Сергеич пока и помыслить не может — панически боится за сердце, и оно тут же, с предательской послушностью, начинает выделывать антраша...

А в сомнамбулическом трансе получается все.

Я перевоплощал его в Наполеона, в Суворова, в Цезаря, в маленького ребенка, в столетнего старика, в чернокожего короля республики Верхняя Вольта, в его собственную дочь, в букву Д., в воздух, в Шаляпина...

К тому времени я еще не устал удивляться сомнамбулической перевоплощаемости и уже понял: личность живет в своей бытности, а душа — во Всебытии.

Транс — дорожка из одного в другое.

...Ну что, решаемся на импровизацию?

— Мы находимся в кабинете. Продолжаем работать вместе. В нашей работе возможно все... Сейчас мы с вами поменяемся душами, произведем пересадку психики... пересадку сердец... Вы станете мной, а я вами. Это будет происходить по мере моего счета на «ка» и совершится на слове «эн». Ка-один... ка-три... ка-восемь... ка-девять... ЭН.

(Почему «ка» и «эн»?.. ДЛЯ МЕНЯ они лично значимы, это буковки из моей сказки...)

О.С. приближается ко мне моей характерной походкой. Смотрит не мигая, слегка приподняв брови, как я.

Вижу себя в увеличивающем зеркале, это и страшновато и немножко смешно...

Он-я:

— Добрый день, О. С.

Я-он:

— Здравствуйте, В. Л.

Он-я:

— Ну, рассказывайте, как дела.

Я-он:

— Спасибо, лучше. Но еще не совсем...

Он-я:

— А что?

Я-он:

— Скованность еще... И тревожность. Начинаю вдруг думать о своем здоровье, в себя ухожу. Понимаю, ни к чему это, нет оснований, а внимание уже где-то внутри. Просто стыдно. А с вами все хорошо, прихожу — все проходит... (Вхожу в его бытность, вживаюсь... Не потерять бы контроль над происходящим...)

Он-я:

— Проведем наш четвертый сеанс гипноза... Сядьте, пожалуйста, в кресло. Удобней... Вот так... Расслабьтесь, пожалуйста... На счете «двадцать один» ваши глаза сами собой спокойно закроются...

Ощущение, будто видишь себя загримированным в кинофильме: и я, и не я... Нет более притягательного и более чужого существа, чем двойник...

Жаль, не могу отдаться переживанию целиком, я ведь сейчас и актер, и режиссер сразу... Расслабиться все же до какой-то степени можно... Гипнотизирует вполне грамотно, хорошие интонации, точный ритм...

Развивает по-своему, я так не делал с ним — надо бы запомнить, использовать, это ведь говорит его безотчетное самознание... Все, довольно, иначе совсем уплыву...

Я-я:

— Хватит, Володя... Хватит, О. С. Теперь вы — это вы, я — это я... Вы взяли от меня то, чего не хватало вам, а я у вас — нужное мне... Теперь в каждом из нас — я и мы... И теперь вы можете спокойно, как прежде, отправиться в рабочую командировку...

Поезд. Вокзал. Гостиница. Номер. Побрился. Позавтракал. Съездил на предприятие. Вышел гулять по незнакомому городу. Все в порядке. Идет по незнакомым улицам. Задержался...

— Что увидели, Олег Сергеич?.. Интересное что-то?

— Церковь. Семнадцатый век.

— Что там происходит?

— Неудобно заходить, я с портфелем. В окно посмотрю... Служба. Панихида... Нет, венчание.

Переживания, похожие на исполняемые сновидения... И как во сне — над реальностью царствует сверхреальный монтаж судьбы: все дробится и связывается как угодно, в любой последовательности, нестыковки не замечаются... А так ли уж мы заметливы к нестыковкам судьбы в нашей обыкновенской жизни?..

Беру его руку. Пальцем рисую на ладони квадрат.

— Это экран... Видите?

— Да... Вижу. Начинает светиться...

— Кого видите?

— Это я. У себя дома.

— Что делаете?

— Сижу в кресле. Читаю газету.

— А сейчас?

— Встаю. Подхожу к зеркалу. Причесываюсь. Одеваюсь. Подхожу к двери... На улицу выхожу... А вот навстречу идет моя жена... вот она... с хозяйственной сумкой...

— Выражение лица?

— Обычное... Озабоченное...

— Она о чем-то вас спрашивает...

— (Женским голосом.) Когда домой придешь? — Постараюсь вовремя... — Не опаздывай. — Постараюсь...

Экран с ладони убираем; рисуем другой — на стене.

— Опять себя вижу... В концертном зале. Сижу, слушаю... На сцене тоже я... Выступаю. Пою.

— Что поете?

— Гори, гори, моя звезда...

— Пожалуйста, пойте дальше. Хочу послушать.

Встает и прекрасно поет — как не пел ни до этого сеанса, ни после — я ведь слушал его без гипноза...

— Спасибо... Теперь поспите. Дышите ровно... К вам приходит уверенность...

Сеанс с душеобменом сработал: Олега Сергеевича

словно подменили, он стал придумывать для себя испытания, о сердце больше ни слова. Через три недели спокойно съездил в дальнюю командировку — после пятилетнего перерыва.

Я же все это время и потом еще с месяц чувствовал себя как кусок мыла, пропускаемый через мясорубку — что-то, может быть, на себя натянул или что-то отдал...

Касания чуда
ясновидение и гипноз

Когда врач лечит врача — ничего особенного нет. Если же два врача взаимно лечат друг друга, то это... Это уже по человечески. Да... Когда такое случается со мной и коллегами, всегда вспоминается восклицание библейского Давида, обращенное к Богу в ответ на непомерную его милость: «Это уже по-человечески, Господи мой!..»

Как трогательно: не нашел человек более подходящих слов для выражения благодарности и восторга перед Творцом: поступаешь по-человечески, Господи!..

Много лет моим доктором и пациенткой была Вера Александровна Фомина, стоматолог. Кудесница. Очаровательное существо. Я лечил ее душу. Она мне — зубы.

Уровни помощи кажутся карикатурно несопоставимыми, но на самом деле близки. На обоих требуются доверие, понимание, квалификация, интуиция, уйма терпения, деликатность, решительность, искусство внушения... На обоих давит стратегическая безнадежность: телу, рано ли, поздно ли, приходится расставаться с зубами, душе — с телом. И тем не менее...

На Веру Александровну было приятно смотреть. Не красавица, полная, даже очень полная женщина, она казалась не толстой, а просто крупной, хотя ростом была невелика — органичная полнота Синтонного Пикника, нежно-пышная, тонкотканая...

Легко двигалась, легко говорила, легко улыбалась, легко смотрела. И все возле нее становилось легким, уютным, знакомым, светлым, домашним.

Я называю таких людей гениями обыкновенности. Они цельны и гармоничны. Простые, понятные — состоят из множества тайн, удивительным образом согласованных...

По крови вполне русская, а в лице нечто восточное: черные волосы, темно-карие миндалевидные глаза, закругленный нос с небольшой горбинкой и четким вырезом ноздрей — что-то турецкое, половецкое?.. И за грузинку сошла бы, и за еврейку, и за испанку.

В глубоком гипнозе, в сомнамбулическом трансе лицо ее становилось лицом древнего сфинкса...

Восьмое следствие из Всемирного Закона Подлости составляет тот факт, что никакое здоровье не исключает болезни, никакая гармония — дисгармонии.

Вере Александровне было тридцать пять лет, когда сильнейшая депрессия с навязчивостями завалила ее в Кащенко. Попала в отделение академического института, где психиатры-шизофренологи...

В который раз приходится поминать лихом эту серую братию с ее диагнозоманией. Это они, во главе с мрачно-павианистым боссом Андреем Снежневским (ни в аду, ни в раю не забуду его содрогательный людоедский тик, имитирующий улыбку), сделали психиатрию дубиной для сокрушения неудобных голов. Это главным образом их стараниями ярлык «шизофреник», наряду с забытым уже «тунеядцем», а потом «диссидентом», — сделался в совковом сознании одним из ближайших родственников звания «враг народа». Судьбы, тела и души многих сотен тысяч людей были искалечены этим псевдодиагнозом.

Никакого другого они практически не употребляли — ветвили формы и стадии, лепили синдромы. Живой души с неадминистративной психикой и нестандартизованными страданиями для них попросту не существовало, а для их клинических потомков не существует и ныне.

Вере Александровне шэзе тоже клеили...

— Знаете, — сказал я ей лет шесть спустя, — если у вас шизофрения, то я Навуходоносор.

— Это кто, академик, да?..

Вера Александровна не страдала, выражаясь снежневски, шизофренически повышенной эрудицией, она была добрым и практичным земным существом с точно дозированной ограниченностью.

В пору нашей первой врачебной встречи я был еще юнцом-ординатором. Что с В.А. происходило, почти не понимал и даже не пытался анализировать, лишь принимал внутренним созвучием и смутно догадывался... Муж ее в наших беседах по молчаливому взаимосогласию всегда обходился стороной, как необозначенная запретная зона. Я видел его пару раз и слышал по телефону. Закрытый давящий типчик с фанерным голосом и оловянно-серыми сверлильными глазками, вероятней всего, мелкого пошиба гэбэшник. Жить с таким без упадов в депрессии могла только стерва, корова или святая.

В.А. не была ни той, ни другою, ни третьей — она была человеком с совестью, верной женой и преданной матерью двоих своих деток, сына и дочки. Условий для постоянного внутреннего конфликта более чем достаточно...

Вспоминая наш целомудренный врачебный роман, прихожу к подтверждению постоянного наблюдения.

Неуспех или успех, степень того и другого — в любых отношениях и делах, в лечении в том числе — некое устройство внутри нас (имя ему — душа), *предзнает* —

мгновенно, заранее, с полной ясностью. То самое шопен-гауэровское первое впечатление, то небоземное толстовское ясночувствие... Ничего для этого не надлежит делать, никак не напрягаться, наоборот вовсе.

Быть внутренне открытым — свободным, незаглушенным, — и, не размазываясь в рассуждениях, столь же мгновенно вверяться знаку, величаемому обычно «внутренним голосом», хотя чаще это вовсе не голос, не звукоречь, а некое чувствознание или мыследействие...

На просыпании из глубокого сна, в неуловимый миг срабатывания пружины сознания происходит иногда пронзительное озарение – вдруг вся жизнь твоя и всеобщая делается целостно-обозримой, прозрачно-объемной – все связи ясны, все пути видны, все возможности обозначены, все события предсказуемы – ибо там, в измерении высшей целостности, уже свершились сразу во всех возможностях, так что у тебя остается свобода выбора...

С Верой Александровной у нас именно такое, трудноописуемое взаимное озарение и случилось — словно знакомы были за тысячу жизней — мгновенно узнав друг друга, смагнитились.

(Именно с ней чаще всех и ясней мне ощущенчески вспоминались те мои первые, дурацкие, но в иномерное пространство чуть-чуть залетавшие школьные опыты парагипнотелепатического внушения...)

Говорили мало, хотя оба большие любители поболтать, а делали дело: попеременно друг у дружки лечились. Сперва вытащил ее я. Вытащил — не совсем то слово. Скорей, вышиб — из болезни в здоровье, из тьмы на свет. На одиннадцать лет. До следующего обострения, когда пришлось вылечить еще раз...

Действовал не по знанию, не по опыту, которого еще почти не было, а исключительно по наитию.

Первую же беседу завершил сеансом гипноза.

Сразу после сеанса — громадное улучшение!

Снежневские зубробизоны еще не успели, по счастью, назначить слоноубойные психотропные, и у заведующей отделением, доктора Анны Павловны Кондратюк, реликтовой представительницы русской интеллигентной психиатрической школы (рассказ впереди отдельный), хватило решительности доверить мне лечение Веры Александровны полностью.

Непонятно, откуда еще до начала явилась уверенность, что передо мною сомнамбула фантастической встречной чуткости...

Транс наступал без малейших задержек и был чрезвычайно глубоким; внушенные зрительные представления легко переходили в сюжетные переживания, так что требовалась особая осторожность.

Однажды, например, при внушении «вы видите яркий мигающий свет» на лице В.А. изобразился нарастающий ужас, она чуть не закричала — тут же отменяю внушение, бужу, спрашиваю:

— Что увидели?

— Машина ехала... Прямо на меня... фарами ослепила...

В другой раз внушил, что после просыпания левая рука будет в течение пяти минут нечувствительной.

Просыпается. Поднимается... Левая рука висит как мочалка: не только потеря чувствительности, но и двигательный паралич. В. А. озадачена, трясет руку другой рукой, пытается разболтать, размять: «Отлежала...»

Дополнительным внушением быстро все снял.

Однажды, погрузив В. А. в глубокий гипноз, я вышел из гипнотария и отправился в другой корпус.

Вызвали для административной нахлобучки — не сдал вовремя отчет по ночному дежурству... Покидая В.А., не сказал слов, обязательных в таких случаях: «Во все время моего отсутствия вы будете спать спокойно...»

Вернувшись, пробуждаю В.А. и вижу: чем-то загружена, огорчена. Смотрит на меня сочувственно.

— Что, влетело?.. Ничего, все уладится...

Откуда она узнала? Что-то словила?..

Спрашиваю осторожно — где, по ее мнению, я только что был?.. После некоторого колебания точно описывает корпус, этаж, комнату, обстановку...

И замолкает, прервавшись на полуслове. Я изумлен.

— Как вы узнали?..

— Все время вас слышала и видела... Потом во сне поняла, что сплю, хотела проснуться, но не могла.

— Что было там? Что я делал? С кем говорил?

— С двумя мужчинами разговаривали, с врачами... Потом с женщиной, пожилой, седой, на левой руке у нее палец указательный забинтован... Ругала вас...

Все абсолютно точно. Ну как после этого не уверовать в телепатию, в ясновидение, в ведьмовство?..

Обуял исследовательский азарт. Четырежды на последующих сеансах я намеренно уходил, оставляя В.А. в гипнотическом сне. Каждый раз направлялся в разные корпуса огромной больницы. И трижды В. А., пробуждаясь, легко, во многих подробностях описывала обстановку, людей, разговоры в местах моих посещений...

А в тот единственный раз, когда ей это не удалось, отмечались три сопутствующих обстоятельства.

Первое: новолуние с отвратительнейшей циклонной погодой. Второе: сеанс был последним перед выпиской из больницы, В.А. уже собиралась домой. И третье, стыдно признаться: похмелье мое, после дня рождения...

— Когда я ухожу, вы видите меня или только слышите?

— И то, и другое... Я в гипнозе будто сразу везде...

После выписки, когда В.А. вышла на работу, а я пошел к ней в пациенты, мы провели еще несколько гипнотелесеансов. Получалось и пространственное ясновидение, и временнОе — предсказательное, но все только в пределах нашего непосредственного общения.

— Сейчас видите своего сына... Где он, что делает?..

— На уроке в школе... Сидит за партой... Другие ребята заслоняют... Почти не видно... Не слышу, что говорит...

Слабее всего телепатия проявлялась по отношению к домашним В.А., и я чувствовал — почему...

Последний сеанс, на котором эксперименты решил навсегда прекратить, провели дома у моего старшего коллеги, Михаила Сергеевича Смирнова, известного биофизика и парапсихолога. Хотели опробовать самую что ни на есть банальщину: внушать *мысленно* — то есть без слов — зрительные представления.

В.А. понимает задачу и соглашается. Усыпляю.

...В чем дело? Куда девалась обычная легкость?.. Я задаю вопросы, но В.А. ни слова не может из себя выдавить, онемела. Ни о каких мысленных внушениях, понятно, не может и речи быть. Пробуждаю. Неважно себя чувствует, в голове тяжесть... Энергичные дополнительные внушения. Все проходит.

Неожиданное сопротивление — почему?.. Психоаналитически толкуя, перекрылся *трансфер* — а человечески говоря, утратилась необходимая полнота доверия, убавилась — на подсознании — вероготовность.

М.С., человек интеллигентный и деликатный, ни на чем не настаивал, не расспрашивал. Но вероятно, В.А. все же ощутила его научную холодноватость, преобладание интереса к ней как к исследовательскому объекту.

Я тоже на тот момент переместился в координаты науки, и В.А., возможно, подсознательно встревожилась, что потеряет во мне врача.

Дома у М.С., диссидента от науки и убежденного холостяка, витала какая-то алхимическая средневековость, среди бесчисленных книг на полках гнездились реторты, аптекарские весы, камни, старинные барометры, черепа, в углах пошевеливались некие тени...

...Началась новая пора наших врачебно-пациентских отношений. Большой подарок — лечиться у бывшего пациента!.. Обычно за сутки-двое перед моим появлением В.А. видит меня во сне и уже знает, что вот-вот нагряну с очередным коренным... Когда звоню — подходя к телефону, уже знает, что звоню именно я, и даже иногда сразу, опережая, здоровается. Когда сажусь в зубоврачебное кресло, чуть-чуть краснеет... Бормашина в ее руках мурлыкает, как котенок.

— Только не смотрите на меня, — твердо просит В. А., и я послушно закрываю глаза и открываю рот.

Соединяй и властвуй
психологемы массового гипноза

...Перед каждым сеансом продолжаю волноваться, как школьник перед экзаменом. Перед массовым — во столько же раз сильней, чем перед индивидуальным, во сколько огромная армия страшней одного маленького солдатика... Волнуюсь, дрожу-мандражу, хоть и понимаю — глупо это волнение, детски глупо: армией-то ведь управлять несравненно легче, чем одним человеком.

Чем больше народу, тем верней ОБЩИЙ успех!

...Шаг на сцену — не шаг, а бросок, как в волну океана (это лишь внутренне, а выхожу на вид совершенно спокойно, с вибрацией власти в каждом движении...) — шаг — и ты больше не ты, а учитель-волшебник, пришедший к детишкам, чтобы преподать им урок свободного бытия и слегка развлечь, никого при этом не раздавив...

Однажды в записке, присланной еще до начала сеанса, была высказана догадка: «Доктор, по-моему, вы уже начали нас гипнотизировать».

Ну конечно. Только не так, как вам кажется.

В раздевалке и в зале:

– *Давай подальше сядем, а то как гипнотизнет...*
– *А чего страшного?*
– *Не поддамся.*
– *Ты меня толкани, я тебя.*
– *Читал «Мастера и Маргариту»?*
– *Да ерунда, одни фокусы.*
– *Гипноз вреден, церковь не разрешает...*
– *В глаза ему не смотреть, и все...*

Знали б вы, как старательно мне помогаете, как успешно друг дружку гипнотизируете...

С больными трудней: болезнь погружает каждого в себя. Но и у большинства пациентов группа повышает внушаемость, масса — тем паче... Нередко успех или неуспех лечения определяется тем, кого встретит человек за дверьми кабинета, дома или в гостях: оптимиста или пессимиста; того, кому помогло или кому стало хуже.

...Кто окажется сегодня актером моего гипноспектакля?.. Кое-кого сразу вижу: вот почти уже готовенький... вот... вот... А вот здесь сидят черные дыры, здесь недоверие, здесь заряд завистливой злобы...

Сомнамбулы бывают и худенькие, и пухленькие, но в большинстве сложены гармонично, излучают здоровье. Интеллект может быть и высоким, и низким; обязательна лишь доверчивость — изначальная вероготовность хотя бы на половину от максимума.

Внутренне закрытые, тревожно-агрессивные, напряженно-подозрительные субъекты исключены. Не впадают в массовый транс и ярко выраженные лидерские натуры вроде помянутого Васи Банщикова (лоб широкий, подвижные брови, пронзительные глаза, решительность жестов...) — зато по отдельности, *с подходом* и таких можно загипнотизировать, и еще как!..

С молодыми проще: юность природно внушаема, ищет веры. И хотя сегодняшняя молодежь так старается быть недоверчивой и циничной, так успешно прикидывается, что открыта злу, а добру недоступна, — потребность следования авторитету, потребность в вере и самоотдаче все так же сильна...

Легко и приятно вести сеанс в школьной или студенческой аудитории, особенно если ты в добром здравии, излучаешь уверенность и веселое превосходство.

А вот среди тех, кому больше сорока — сорока пяти, уже тягомотина, будь ты и суперпупермен...

Нет, внушаемость и у пожилых не исчезает — даже растет, но становится узкой, растет в ужину.

Любому можно внушить что угодно, если попасть *в яблочко главного интереса, он же зависимость*.

Однажды, собрав в аудитории около трехсот пенсионеров, я прочел им лекцию о реальности здорового долголетия и способах поднятия тонуса; затем, не объявляя ни о каком гипнозе, начал обучать приемам самонастроя и самовнушения. Перешел к дыхательным упражнениям и расслаблению с закрытыми глазами...

Уже через пять минут после начала этих упражнений почти вся аудитория была в гипнотрансе. Старички и старушки перевоплощались на сцене не хуже молодых. Слабеньких, конечно, не шевелил. Некоторые, уснув, блаженно храпели до конца лекции уже без моей помощи...

Однородность аудитории повышает внушаемость: соединяй и властвуй. Простейший пример — рота солдат...

...Большой зал ДК МГУ. На сцене шестнадцать усыпленных студентов. Спят и в зале, там и тут поднимают руки, зовут... Подхожу, проверяю связь, углубляю...

— Контакт... Спать... (Восковая каталепсия.)

— Контакт...

(Этот будет хорошо двигаться, пластический тонус. А это что? — симулянт! — дрожат веки, руки вспотели...)

— Открыть глаза... Та-акс... Попрошу на место. Без глупостей, живее, живее... В следующий раз превращу в поросенка!..

На шутников не сержусь, но если уж притворяться, то знаючи и талантливо, как тот ученик знаменитого французского психиатра Эскироля, который изобразил эпилептический приступ. На предыдущем занятии учитель сказал, что припадок падучей симулировать невозможно. Когда ученик с внезапным страшным криком упал и изо рта его показалась пена, Эскироль не на шутку испугался, велел удерживать, стал говорить о том, как коварна болезнь, как не щадит никого, в том числе и врачей... И вдруг мнимобольной прекращает биться, встает, улыбается и обращается к Эскиролю: «Пардон, господин учитель, кажется, я вас укусил?»

— Все спящие меня слышат. Все слышат только меня... Все вы сейчас проснетесь и будете слышать только меня... Всем — открыть глаза!

Открыли тринадцать, двое не смогли — транс летаргический... Теперь действовать легко, все определилось и нужна только энергия до конца сеанса, импровизация...

Сажусь за рояль, играю. Все тринадцать сомнамбул с упоением танцуют под мою музыку, зрителям не верится, что эти веселые, возбужденные люди глубоко спят... А теперь страшновато: упоительный танец продолжается в мертвой тишине — музыка галлюцинаторная...

— Стоп! Так и остались!..

Все застыли в позах, в которых их застигло внушение, как на остановленной кинопленке: замороженный танец.

— Теперь каждый займется своим делом. Вы, девушка, вяжете сиреневую кофточку. Вы — чистите картошку. Вам три года, поиграйте в песочек... Соберите букет цветов вот на этой поляне. А вам в руки скрипка, вы великий скрипач Давид Ойстрах, играйте.

Молча, пластично... Какие точные, богатые, тонкие, изысканные движения... Невидимый смычок вдохновенен. А ведь парень, скорее всего, не держал никогда скрипки в руках. Но, конечно, скрипачей видел...

— Вы, девушка — дерево, вы раскидистое, ветвистое дерево... (Непередаваемое выражение лица... Руки раскинуты... Чуть покачивается.) — Идет сильный дождь... Ветер... Ветер...

(Что делается с ее руками!.. Трепещут листья...)

— Вы, юноша — неандерталец, пещерный человек. (Лицо принимает суровое выражение.) Возьмите эту дубину. Вон там — там саблезубый тигр... Он готовится к нападению... Будьте мужчиной!

Юноша бросается на невидимого тигра, замахивается на него галлюцинаторной дубиной, в ложе шарахаются...

— Все в порядке, с тигром покончено.

Тяжело дыша, победитель принимает позу горделивого торжества; потрясает дубиной, затем отбрасывает ее и ставит одну ногу на шею убитому галлюцинаторному тигру — ставит на воздух, чуть приподняв, — с таким подлинным переживанием, настолько естественно, что тигр становится почти видимым!..

— Теперь подойдите к своей жене... Вот она... (Белокурая подруга в джинсах довольно-таки индифферентна. Летаргическая жена.) Такая жена ни к чему, да? Лучше быть свободным охотником?.. Сейчас сделаем ее невидимой... («Неандерталец» пытается куда-то пройти сквозь «жену» — он уже не видит ее.

«Жена» не реагирует, спит. Надо подзавести...)

— Девушка, вы меня ОЧЕНЬ ХОРОШО СЛЫШИТЕ, будьте внимательны, вы — будильник!.. Я вас завожу... Завожу... Зазвонить ровно через восемь минут... Зазвонить через восемь минут!

Вижу по движению глазных яблок под закрытыми веками — контакт есть, внушение принято... Пора подключить вон того, черненького, усатенького — весь вибрирует, очень медиумичен...

— С вами особый разговор, молодой человек. Вы наделены незаурядным политическим дарованием и при слове ЧЕТВЕРГ немедленно станете Президентом Соединенных Штатов Америки.

Гул возбуждения...

— Тише... Внимание... Наступил ЧЕТВЕРГ!

— Юрка, проснись!! Юрка!!! — отчаянно, во всю глотку орет из зала перепуганный приятель, но бесполезно — Юрки уже нет...

Идет пресс-конференция. «Президент» с открытыми глазами легко и спокойно отвечает на вопросы «корреспондентов». Из зала несутся вопросы один другого каверзнее. «Президент» ловко выходит из положения.

— Как вас зовут?

— Вы за меня голосовали, неужели забыли? Или проверяете мою память? Я пока что еще не склеротик, меня зовут Линдон...

— Кого вы любите больше всего?

— Собак, детей, негров и женщин.

— Сколько расходуете на вооружение?

— Это вопрос к министру обороны.

— Сколько у вас детей?

— Спросите у моей жены, она точно помнит.

— Ваше любимое времяпрепровождение?

— Играю в гольф на моем ранчо в Техасе. (Газеты читает, но, похоже, перепутал с предыдущим президентом...)

— ДЗЗИНЬ! — ДЗИИИИИИИИИННННЬ!!!

Ага, зазвонил «будильник», на минутку раньше, не страшно, сейчас выключим...

— Спасибо, девушка, теперь вы — снова вы и проснулись совсем. Свободны. (Некоторых нужно отпускать со сцены пораньше, так веселее и больше подлинности впечатления.)

— Все остальные — все вместе — играем в футбол! Ворота здесь — и ворота здесь... Команда вот — и команда вот... Вратари на местах?.. Вы — судья. По свистку — начали с центра поля!

Игра с галлюцинаторным мячом — никакие мимы так не сыграют, фантастика! — люди носятся по сцене, толкаются, бьют «головой», забивают «голы»...

Вот судья почему-то хватает мяч сам...

А, вот в чем дело — он назначает пенальти, но наказываемая команда с этим не соглашается!..

Страсти, кажется, чересчур разгораются...

— Стоп! Игра окончена. Боевая ничья, отлично, спасибо всем... Все отдыхают, все спят... А вот вы проснитесь, и вы... Вы уже отдохнули, теперь можно сыграть и в настольный теннис...

Галлюцинаторный пинг-понг заставляет не просто вообразить, но и видеть — стол, сетку, ракетки и шарик... Отчаянно режется «Президент» с «Ойстрахом», закручивает подачу... Быстро бежит за «укатившимся» галлюцинаторным шариком...

— Стоп... Отдохните, поспите... А вы, ребята, садитесь на велосипеды! Поехали! Кто быстрее?!

Ух, как жмет на невидимые педали бывший неандерталец!.. В зале хохочут, про гипноз почти все забыли...

— Внимание, все меня слышат. Все стали самими собой. Скоро восьмое марта. Купим подарки женщинам. Сейчас мы откроем новый универсальный магазин, где вы сможете приобрести по умеренным ценам интересные вещи... Для себя и своих подруг...

Воспроизводим знаменитую сцену из «Мастера и Маргариты». Мессир Воланд концентрируется. Ассистент Гелла становится за галлюцинаторный прилавок.

— Подождите, еще не открыто... Народу много, займите очередь.

Опрометью бросаются, начинают толкаться.

Если бы дверь не была галлюцинаторной, а взоры слегка мутноватыми...

— Позвольте, я впереди вас...

— Вас здесь не стояло...

Как легко воспроизводится потребительская лихорадка, коллективный невроз. Мир делится на тех, кто стоит в очереди и кто не стоит: непримиримо враждебные партии. Время течет убийственно медленно. Кассиршу, опаздывающую на восемнадцать секунд, словесно линчуют, но лишь появляется, все забыто и прощено...

Гражданин Первый с бдительностью носорога охраняет свое место. Посматривает на часы.

— На ваших сколько?

— Без пяти.

— А на моих без двух. Открывали бы уж!.. Пора!.. (Стук в галлюцинаторную дверь.)

— Тише, минутку терпения... Сейчас, открываем... Считаю от буквы «ка» до девяти... Большой выбор — при слове «эн»... Открывать можно?

— Нужно!!!..

— Ка-девять... эн!

— Мне вон тот мохеровый шарф.

— Мне французские туфли.

— Коробку шоколадных конфет...

Галлюцинаторные французские туфли, матовые или лаковые, можно надеть тут же, оставив свои на сцене, — все по Булгакову... И конфеты можно сразу попробовать самому и угостить соседку — какая важность, что это сапожная щетка...

На научном симпозиуме по проблемам бессознательного в Тбилиси я частично рассказал о своих наблюдениях и экспериментах с загипнотизированными искусственными коллективами. Доклад назывался: «Гипноз как метод социального моделирования». Я продемонстрировал, что взаимодействующая группа сомнамбул, режиссируемая гипнотизером, — разъемная модель и метафора любой человеческой общности: от пары и семейной ячейки до нации, от религиозной секты до государства... Сегодня эти люди благожелательны, вежливо улыбаются, шутят, любят друг друга, сотрудничают. Завтра в их подсознание внедрится иная программа — и...

Почему завтра? — Через секунду!

Разница между экспериментальным гипнодурдомом и жизненным только в том, что на один мы с изумлением и ужасом, не веря глазам своим, взираем со стороны и аплодируем гипнотизеру или возмущаемся им, а в другом — участвуем, не ведая, что творится и что творим.

Массовые сеансы показывают крупным планом, как нами движет слепая вера, принимаемая за сознание.

Под конец каждого выступления почти обязательно приходит записка с вопросом: состоят ли гипнотизеры на особом учете? Обычный мой ответ: да.

Гипнотизеры состоят на учете у гипнотизеров.

***

Эти строки я пишу в 2004 году. Позади 40 лет психотерапевтической и гипнотической практики.

Пришла пора основательно свериться с тем единственным всесторонним учетом, на котором я состою, как и всякий, чем бы ни занимался.

Мы все на учете у Того, кому невозможно наврать и кто любит каждого больше всех.

Мне можно уже не проводить массовые сеансы — опыта и наблюдений достаточно, даже слишком.

Дело мое сейчас все это поглубже понять и, как мед в банки, запечатывать понимание в тексты.

Не могу избавиться от дурацкой надежды, что понимание даст прозрение, а прозрение переменит жизнь.

В безумном людском зоопарке
сгущаются мерзость и мрак.
Господь наш, как видно, в запарке,
помочь бы ему – да вот как?

Экранные львы и мессии,
банкиры, жрецы новостей
народу мозги замесили
и ссорятся из-за костей.

Иная ученая сука
горазда и Богу наврать.
Какая же к черту наука,
когда умирать, умирать...

Я выбрал планиду попроще:
с больными закончив дела,
шагаю в сосновую рощу
послушать, как плачет смола,
иголку осмыслить губами,
ладонью погладить кору...
А в сумке охапку бумаги
таскаю как кенгуру.

Живу – значит боль и неверность,
пишу – значит жив и не прав...
И снова исследую смертность
и вечности ветреный нрав,
а воздух лесной возвещает,
что смысл мирозданья смолист,
и тайну открыть обещает
еще не исписанный лист...

КОЛЬТ В ДЕКОЛЬТЕ

или жертва личностного роста

С давним моим собеседником, журналистом Георгием Игоревичем Дариным (ГИД) мы как-то прошлись по конкретике гипнопрактики, перелопатили прежние мои тексты, добавили новых...

ГИД спросил, можно ли подсчитать, сколько человек я загипнотизировал. Я ответил анекдотом. «Вы не знаете телефон Рабиновича?» – «Нет». – «Ну хотя бы приблизительно?..»

МОЖНО ЛИ УБИТЬ ПОД ГИПНОЗОМ?

ГИД— Как далеко может зайти гипнотическое овладение личностью? Реально ли преступное использование гипноза?

ВЛ — Вопрос этот пенился и кипел в Европе еще в позапрошлом веке, после нашумевших французских процессов об изнасилованиях под гипнозом. Выяснялось тогда, как правило, что одна из двух составляющих преступления прискорбно отсутствовала: либо гипноза не было, либо изнасилования.

Однако ни публику, ни гипнотизеров это не успокаивало. Последние стремились, естественно, доказать, что гипноз — безопаснейшее из чудес и не содержит в себе угрозы ничьей добродетели. Публика, как всегда, требовала сенсаций и соглашалась лишь с невозможным.

Вот эпизод из сеанса знаменитого французского гипнотизера Коке. (По записи очевидца.)

«Любая личность в гипнозе остается самою собой. Вы хотите доказательств?.. Смотрите: вот дама-сомнамбула. Она полностью подчиняется моей воле. Вот пузырек чернил. Я внушаю даме вылить чернила себе в декольте...

Смотрите: чернила уже льются, но мимо цели!.. И так будет всегда, она будет слушаться меня, но упорно промахиваться... Попробуйте теперь вы, молодой человек из зала, вылить остаток этих чернил на элегантное платье дамы, а я внушу ей, что это лучшие французские духи... Ха-ха-ха, пощечина, извините, все правильно!..»

...Дав той же даме в руку игральную карту и внушив: «Это нож», Коке приказывает: «Заколите меня». Внушение выполняется моментально: дама вонзает «нож» с яростью прямо в сердце гипнотизеру, и тот театрально падает. Дама стоит с каменным лицом. Коке поднимается и дает ей настоящий кинжал. Повторяет приказ. Дама замахивается и наносит удар, но кинжал выпадает у нее из руки. Дама падает, бьется в истерике.

— **Как это понимать?..**

— Для меня, проведшего не одну сотню гипносеансов, ясно, что эта дама была псевдосомнамбулой. Транс был поверхностным — расщепляющим сознание на две части: внушенную, «виртуальную» — и собственную. Такой подвид транса на массовых сеансах обычен для некоей части публики; как правило, впадают в него инфантильные истероиды. В гипнозе они получают искусственную свободу, как в детской игре, и всячески в ней разряжаются, отыгрываются, отрываются, что только не вытворяют, и иногда очень талантливо.

Одно дело убить понарошку, другое — всерьез. Настоящий транс захватывает психику целиком, до последних глубин. Сомнамбул все делает по-настоящему. Задача гипнотизера — только оформить внушение так, чтобы оно не показалось преступным; либо — произвести гипнотическое перевоплощение личности, вставить иное «я».

Германский врач Кауфман дал загипнотизированному пистолет, велел выйти на улицу и убить первого попавшегося полицейского. Внушение было выполнено немедленно. Патрон был холостым, полицейский не пострадал, но шуму поднялось много. Кауфмана привлекли к суду. Доктор настаивал, что его эксперимент имеет великое научно-историческое значение, ибо решает вопрос о возможности преступной гипнотизации положительно и служит предостережением для последующих поколений. Ему возражали: ваш эксперимент несерьезен, это просто психологическое хулиганство; у вашего испытуемого наверняка оставалась уверенность в том, что убийства произойти не может; его поступок диктовался верой в авторитет доктора, он не допускал мысли, что врач может толкнуть его на убийство.

«Вот именно, — отвечал Кауфман. — Мысли не допускал, а убийство совершить вполне мог».

Стоит иметь в виду и возможную примесь небезопасной телепатии... Сижу однажды в гостях в семье 14-летнего сомнамбула Шурика, которого я лечил гипнозом. У нас полный рапОрт... Напротив меня Шуриков папа, и я *молча* нечаянно замечаю, что лицом этот папа смахивает на козла. Вдруг Шурик громко, как бы ни с того ни с сего, изрекает: *«Пап! Ты козел!»*

В шоке все и сам Шурик. Один я знаю, кто виноват...

*К*ого можно загипнотизировать против воли?

— *Вы говорили, что внушение действует сильнее всего, когда оно незаметно, когда не воспринимается как внушение. И гипноз, говорили вы, может быть незаметным, и это гипноз сильнейший...*
А можно ли загипнотизировать человека против его воли, насильственно, когда человек знает, что его гипнотизируют и сопротивляется?..

— Да, но смотря кого, кто, когда... Среднего школьника, лет от семи до тринадцати, любой заурядный гипнотизер загипнотизирует запросто при любом первоначальном сопротивлении. Подростка — уже труднее. Студента еще труднее. Солдата или милиционера — полегче. Депутата Государственной Думы — смотря какого...

Внушаемость людей очень различна, и количественно, и качественно, очень колеблема, переменчива. Много значат и возраст, и интеллект, и развитие личности, и характер, и здоровье, и жизненное положение человека, и социально-психологическая ситуация, и погода...

В двадцатых годах двадцатого века доктор Гейденгайм экспериментально гипнотизировал роту немецких солдат. Под страхом наказания начальство запретило им засыпать. Некоторые из солдат, процентов тридцать, все же уснули. Можно догадаться: впали в гипноз те, на кого сам приказ «ни в коем случае не засыпать» оказал внушающее воздействие: раз так приказывают, значит, о-о...

Одни заснули с испугу, другие, быть может, из внутреннего противоречия или даже подсознательного желания наказания. Сработал закон, который я изучил в специальных опытах и именую Законом Психостатистики.

Закон этот, весьма широкий и очень важный для бизнеса, культуры, политики и иных сфер, обеспечивает возрастание малого в большом, а в пределе — превращение малого в великое.

Если бы Гейденгайм гипнотизировал не роту, а взвод, запрет начальства сработал бы более эффективно. Еще надежнее он подействовал бы, если бы солдат было не более пяти, а если бы только трое — почти наверняка стопроцентно, то есть у гипнотизера, скорее всего, ничего не вышло бы. Зато полк дал бы Гейденгайму результат уже порядка шестидесяти процентов в его пользу.

Объясняется это не только тем, что люди с повышенной внушаемостью (гипнабельностью, вероготовностью) всегда составляют определенный процент населения и обнаружение их в большой массе статистически вероятнее, чем в малом числе. Дело еще и в том, что каждый загипнотизированный (*и вовсе не обязательно спящий!*..) воздействует своим состоянием на еще не загипнотизированных и сам по себе становится мощным гипнотизером, проводником единой внушающей воли.

Все это подлежит точному математическому расчету. Чем больше таких рассеивающихся-сливающихся проводников на единицу времени и пространства и чем больше численная масса аудитории, тем быстрее и сильнее идет в ней цепная реакция повышения внушаемости.

Вот зачем шоу-бизнесмены притаскивают на концерты очередной своей раскручиваемой звезды оплачиваемые команды клакеров — аплодисментщиков-крикунов, возбуждающих зал, а опытные организаторы массовых продаж устраивают из них спектакли, где первоначально процесс запускается подставными лицами, а затем уж идет, с нарастающим ажиотажем, сам по себе.

То же, в целом, относимо к организации любого массового процесса; множество частностей, различные тонкости я сейчас раскрывать не буду...

Таран для госбезопасности

— Вам приходилось преодолевать сопротивление гипнотизируемых?

— Разумеется. Гипнотизация — это завоевание. Сопротивление, сознательное или подсознательное, почти всегда есть и вполне может сочетаться с желанием, даже сильным желанием быть загипнотизированным.

Двойственность, иногда и до степени внутреннего раздора, самоконфликта — для человека это обычно. Работая с пациентами, я стараюсь такую двойственность сперва разглядеть, увидеть ее составляющие и только затем, если этого требует лечение, нахожу способы обхода — не лобового переламывания, обращаю внимание — а *обхода* сопротивления. При врачевании — только так.

Но на массовых сеансах, которые проводил во времена оны, случалось и пробивать защиты таранно...

Припоминаю сеанс, проводившийся в стенах некоего секретного учреждения. Приглашение выступить *«где-то там»* мне устроил один вхожий приятель.

Прислали машину и не сказали, куда везут. Пообещали заплатить скромную, но очень нелишнюю на тот момент денежку. На проходной строгие люди долго и вдумчиво проверяли соответствие паспорта с физиономией и что-то еще, еще и еще... Я начал все более догадываться, куда попал... В зале вперемежку сидели военные офицерских чинов и очень серьезные товарищи в штатском. Атмосфера висела какая-то мыловаренная...

Сразу понял: товарищи в военном и штатском хотят как можно больше узнать о гипнозе, а то, что я великий и могучий гипнотизер, им известно даже лучше, чем мне. Товарищи не против, чтобы возможности гипноза мною продемонстрировались и на них самих. Но... отчасти.

Когда работаешь с залом, чувствуешь народ совокупно-раздельно, как водную поверхность с волнами, которые могут быть такими или эдакими, но в преобладающей массе более или менее соответствуют общему состоянию стихии, баллу волнения.

Озерцо этого зала ощущалось каким-то черно-дырявым, с зияющими воронками. Товарищи и хотели гипноза, и очень-очень боялись его. Чем больше хотели, тем больше боялись, чем больше боялись, тем больше хотели...

Еще во время предваряющего монолога я заловил пару-тройку таких физий в передних рядах, от одного взгляда которых ощущаешь себя уже в КПЗ. Были, конечно, и другие глаза, любопытные, благожелательные, нормальные; но эти, кэпэзэшные, уж очень взбодрили, почти до состояния шаровой молнии.

Сеанс повел жестко, голос гремел...

На сцене десятка два военштатских и штатсковоенных. Часть из них, уже затрансюканных, я выволок — именно так — из зала, а часть подвалила сама, я заранее оговорил такую возможность, чтобы добровольные или недобровольные наблюдатели могли нос к носу видеть, что происходит с остальными. (Впрочем, всегда и не в кагэбэшной аудитории находятся не желающие верить глазам своим. Даже если эти глаза по гипнотическому приказу закрываются сами и открыться не могут... Да, это была, можно уже раскрыть страшный секрет, аудитория Высшей школы КГБ. Наверное, правильно и хорошо вышло, что я не знал об этом заранее.)

Ни одного истероида, все очень тихо...

Двух резидентов-притворщиков с дрожащими веками и прерывистым дыханием выпроваживаю со сцены сразу и грозно. Спящие в зале пребывают в основном в так называемом летаргическом трансе: в теле неодолимая тяжесть, не двинуться, не шевельнуть ни веком, ни языком, но сознание происходящего теплится... А на сцене у всех поголовно каменная застылость мышц, судорожная зажимная скованность — в трансе все, но тревога явно зашкаливает и перевешивает.

Ага... Чтобы показать фокус-покусы, придется всех вас, голубчиков, подрастопить методом групповой инфантилизации и взаимоиндукции — нуте-ка!..

— *Взяться всем за руки! Как в детском саду!.. Марш гуськом!.. А теперь ползком... А теперь попрыгали, ребятки, попрыгали!.. Стоп — ВСЕМ СПАТЬ! А теперь ВНИМАНИЕ! — глазки остаются закрытыми! — построиться всем парами!..*

«Если этот жид загипнотизирует Васюка, х(..) он у меня подполковника получит». Эту фразу (за буквальную точность приведения основных параметров можно ручаться) сдержанно произнес сидевший рядом с моим приятелем офицер в чине полковника, обращаясь к соседу в таком же чине.

Я услышать этого не мог; приятелю же стало не по себе, спешно передал мне записку: «Ты там полегче, а то посодют». Но было поздно, ибо к моменту этому жид (пускай так, хотя и только отчасти) загипнотизировал Васюка уже окончательно, да и не понял, войдя в раж, от кого и о чем в записульке речь, возбудился и осерчал.

Товарищ Васюк, майор госбезопасности, после инфант-разминки проявил лучшие сомнабулические качества врожденного отличника боевой и политической подготовки. Открытыми немигающими глазами с неподвижно расширенными зрачками смотрел на жида как на всемогущего бога, начальника и отца в триединой ипостаси. Пустил Папа Жид мальчика Васюка поиграть в песочницу, потом на солнышке на морском бережку разрешил животик погреть. На солнышке стало жарко. Васюк снял свой майорский китель, хотел раздеваться дальше, но Папа Жид не позволил, внушение переменил, превратил в маленькую собачку. Васюк погавкал, хвостиком повилял и ножку поднял на другого майора госбезопасности.

Незатрансюканную часть зала это последнее событие привело в трепетный ужас. Собачке велели спать — свернулась калачиком. Когда разбудили и разрешили стать опять майором госбезопасности Васюком — ничегошеньки вспомнить не удалось.

Простите, товарищ майор, я ведь не знал, что гипнотизюкаю вас на глазах у начальства, знал бы — гипнотизюкнул бы и его, чтоб в чине повысил. А товарищ полковник пускай не обзывается и на букву «х» не ругается.

— *Были ли у вас после этого сеанса какие-либо неприятности или осложнения жизни?*

— Не то чтобы неприятности, но кое-какие знаковые явления... Установили прослушивание телефона. Дали негласное распоряжение не увеличивать тиражи книг. Активизировался один весьма внимательный и сердечный приятель из журналистов, пасший меня несколько лет подряд. Участились придирки со стороны милиции.

Но прямо не трогали. Как сообщил мне тот же Весьма Вхожий, в осведомленных кругах циркулировала информация, что Леви одним взглядом, без слов, может не только вылечить от импотенции, но и наоборот...

— *А на самом деле?..*

— Я эту информацию не опровергал. В жизни стараюсь следовать правилу: не все делай, но все умей.

Исправление будущего

— *Считается, что современный гипноз, эриксоновский, например, проводится без усыпления пациента и этим выигрышнее, чем «классический». Нужно ли для гипноза обязательно усыплять?*

— Слово «гипноз» — один из многих примеров укрепившейся неопределенности терминологии. Почти как «любовь» — каждый разумеет свое...

Гипноз, буквально, и есть сон — наведенный, внушенный сон, и ничто более. Термин обозначает одно из человеческих состояний. Достигается это состояние действием, которое называют внушением, или суггестией. Если следовать терминологической строгости, то «гипноз» эриксоновский — не гипноз, а лишь одна из техник внушения, наведения транса.

А что такое, спрашивается, есть транс?.. А это есть состояние, в котором внушаемость, с одной стороны, крайне повышена, а с других сторон крайне понижена...

— *Не очень понятно. Конкретнее можно?*

— В трансе находится музыкант и захваченные его музыкой слушатели. В трансе — актер, в трансе — зритель, если актер на него действует. В трансе — не надо и объяснять — целующиеся влюбленные, люди дерущиеся или яростно спорящие. Игроки, болельщики, возбужденная толпа... Шаман, производящий камлание...

В глубочайшем трансе несколько дней находился Альберт Эйнштейн — те самые несколько дней, когда он писал те шесть с половиной страниц, на которые уместилась новорожденная теория относительности. Но и вся остальная его жизнь была колоссальным творческим трансом... В транс впадают читатели, когда им передается тот транс, в котором работал автор...

Транс — состояние избирательно сосредоточенного внимания, которое удерживает себя на своем предмете без дополнительных усилий. Состояние избирательно повышенной внушаемости, ураганный ветер в одно окно.

Теперь отвечаю на вопрос, обязательно ли для гипнотизации усыплять. Как правило, для успешного внушения усыпление — то есть введение в гипнотическое состояние в *строгом* смысле слова — необязательно.

Но для некоторых видов и степеней внушения усыпление необходимо, и более и прежде всего — когда требуется отделить целостность души человека от частичности его личности и его тела. Иначе сказать: когда приходится освобождать человека от *самого себя*.

— Например?..

— Неврозы навязчивостей. Всевозможные страхи. Неуправляемые зависимости — от наркотических до любовных. Психотелесные заболевания: кожные, желудочно-кишечные, сердечно-сосудистые...

Некоторые случаи, имитирующие психозы и психопатии, особенно у детей, подростков и юношей. Некоторые депрессии, а именно ЗАВИСИМОСТНЫЕ, очень тяжкие...

— Правда ли, что в гипнотическом сне можно сделать доступными самые глубокие пласты подсознания, самые потаенные следы памяти? Увидеть забытые сны? Вспомнить давно забытое прошлое и даже прежние воплощения души, прошлые жизни?.. Что вы можете рассказать о гипнотической реинкарнации?

— Прежде всего: и в обыкновенном, естественном сне, и в бодрственных медитациях — все, что в нас есть, доступно, все двери открыты — умейте только входить...

Обратим внимание: наше представление о сне изначально сопряжено с метафорой вниз-схождения, спуска по вертикали — в некое потаенное, замкнутое или открытое — дальше, вовнутрь — пространство...

В сон мы по-гружаемся, про-валиваемся... Ассоциации с пещерой, с преисподней, с утробой...

Чем сон глубже, тем ближе мы к своему первобытному состоянию — к младенчеству, к эмбриональности.

На переходной лесенке, ведущей от бодрствования к засыпанию, много ступенек, где свет сознания неуловимо переходит в дремотные сумерки, во мглу забытья...

На каждой ступеньке можно подзадержаться...

Если же спускается туда вместе с нами Некто, да еще помогает, подталкивает, не давая, однако, проваливаться неуправляемо; если чья-то забота, властная или мягко-вкрадчивая, голосом или прикосновением решает за нас, где остановиться...

Тогда мы можем уснуть глубоко, но Некто будет держать нас на поводке и, если захочет, вытянет обратно на столько-то ступенек; можем уснуть дезинтегрированно, по частям — мышцы, например, обездвижены, а самосознание не отключено, работает. Или наоборот... Ясно, что в таком состоянии, доверив контроль над собой другому, мы себе уже почти не подвластны, хозяин положения — гипнотизер. Однако же и он может не понимать, что происходит, и чаще всего так оно и бывает.

В полуразъединенном состоянии мозг и тело всего охотнее вспоминают далекое видовое прошлое и родство с другими существами — с древесными ленивцами, например, для которых «восковая гибкость» мышц, каталепсия — нормальное состояние. Так, может быть, спали, легко сохраняя самые причудливые позы и не чувствуя боли и неудобств, и наши древесные пращуры...

Да, несомненно: в гипнотическом трансе и гипнотическом сне можно оживить и память лично-индивидуальную, нажитую, и память наследственную, генетическую, видовую. Ничего в этом сверхъестественного нет, такое возможно и не только в гипнозе, ибо мы целостны, и в каждый миг жизни в нас пребывает вся наша жизнь во всех ее измерениях.

Точно обставленным, многоступенчатым внушением можно пробудить такие глубокие пласты памяти, о которых не подозревает ни сам загипнотизированный, ни гипнотизер. Можно оживить сцены из далекого прошлого, казалось бы, безвозвратно забытые — как в случае, о котором в шестидесятые годы стало известно всему миру: житель Венгрии, 35-летний шахтер, мальчиком угнанный фашистами с Украины, с помощью врача-гипнолога вспомнил свое настоящее имя и фамилию, нашел родное село и мать...

Можно вернуть давно утраченные навыки и умения. Вот шестидесятилетняя женщина великолепно, легко танцует давно забытый танец ее юности...

Вот двадцатипятилетняя превращается в семилетнюю первоклассницу и старательно выводит буквы истинно детским почерком. Вот она, уже трехлетняя, говорит детским голоском и, сидя на голом полу, играет в песочек...

На одном моем сеансе человек средних лет, в детстве учившийся музыке, но за последующую жизнь позабывший даже «Чижика-пыжика», в трансе свободно заиграл на рояле пьесу Чайковского, и неплохо.

Истинное оживление памяти в подобных случаях приходится внимательно отличать от гениально-актерской имитации — от внушенной роли, исполняемой с запредельной подлинностью, вчистую по Станиславскому. Если внушить двадцатилетней сомнамбуле, что она столетняя старуха, мы увидим потрясающее вживание в образ, быть может, провидческое, но, конечно, не воссоздание прошлого, которого не было. Согнувшись, сомнамбула будет передвигаться мелкими шажками, кряхтеть, тяжело дышать, говорить скрипуче... Она будет чувствовать и затрудненность в движениях, характерную для глубокой старости, и сухость во рту...

У взрослых сомнамбул, которым внушается, что они дети, наблюдаются типично детские изменения электронцефалограммы и почерка. Никакой актер не сумеет так подыграть. Эти люди заново живут в своем детстве, вспоминают забытое, импровизируют...

Такое возможно лишь в сновидениях; но сновидения не управляемы (если этому не обучиться специально) — здесь же все руководится и контролируется гипнотизером. По ходу дела очень легко «исправлять прошлое», чем и пользуются — для *исправления будущего* — в тех случаях, когда вполне ясно, что какие-то конкретные детские переживания служат причиной последующих взрослых трудностей и страданий.

Это уже сочетание психоанализа и гипноза — мощная лечебная связка. Пользуясь ею, надо иметь в виду, что какая-то тонкая нить между гипнотическими переживаниями и текущей реальностью, между «тем» миром и «этим» все-таки сохраняется.

Внушая одиннадцати своим сомнамбулам, что они только что родившиеся младенчики, я наблюдал у них и сосательные движения, и особые рефлексы, которые бывают только у новорожденных, и характерное скрючивание пальцев рук и ног, и плавучесть глаз... Однако никто из них ни разу не заплакал как малый ребенок (правда, младенческое гуление и что-то вроде хрюканья у троих было) и, прошу прощения, не описался и не обкакался. Почему — догадаться, пожалуй, можно...

«Меня съел котозавр...»

Что же касается перевоплощения душ, прошлых жизней, реинкарнации... Нет дыма без огня, нет мифа без...

Вспоминаю даму, необъяснимо и дико всю жизнь боявшуюся котов (кошек тоже, но почему-то меньше). Она не просила вылечить ее от котофобии, наоборот, даже культивировала этот бзик. Но любопытства ради уговорила меня ввести ее в состояние «гипнореинкарнации».

По ритуальному сценарию я внушил ей — в уже достигнутом глубоком сомнамбулизме — что она заново живет в своем первом земном воплощении. Ни эпоху, ни бытность не обозначил. Все шло из нее самой...

Временем рождения оказался палеолит; дама наша была там юношей по имени Хик, собирателем плодов и кореньев. Сидит себе Хик на полянке мирно, под кустиком что-то раскапывает... Вдруг оглядывается и застывает в ужасе — в следующий миг дикий вопль, судороги, отключка... Быстро бужу, трясу, тру уши, ору — не слышит, едва дышит, не может подняться, пришлось давать нашатырный спирт... «Что с вами случилось, кто это был?» — «Меня съели... Меня съел... Котозавр...»

Я догадался еще до сеанса, что ее «там» кто-то слопал, не мог только предположить, что это чудовище так простенько называется.

Пришлось снова побыстрей усыпить и переиграть роковую сцену с дополнительным персонажем — Иегуагу, великим тотемным богом, который этого самого котозавра отменным образом укокошил.

После этой процедуры паническая котобоязнь у дамы, как и ожидалось, исчезла, хотя общее неприятие породы кошачьих осталось в силе. Есть, конечно, что рассказать об этом и посерьезнее, но чуть позже...

— *От каких факторов зависит гипнабельность?*

— Если вы способны нормально сосредоточиться, эмоциональны, впечатлительны и при этом достаточно легко засыпаете, ваша гипнабельность будет гарантированно высокой — при том, однако, условии, что она не заблокирована тревожностью, недоверием, скепсисом, болезненным самолюбием и чрезмерным интеллектуализмом. Искусство гипнотизера и состоит на 99% в снятии этих блокад. Людей здоровых, жизнерадостных и уверенных гипнотизировать — пустяшное дело.

А у невротиков с ущербной самооценкой особенно остры ножницы между стремлением вверить себя чьей-то превосходящей воле и страхом «потери себя».

Чем развитее сознание, чем интеллигентнее человек — тем избирательнее его внушаемость и тем меньше в ней иждивенчества. С такими пациентами лучше работать в жанре индивидуальных сеансов с аналитическим сопровождением, групповая практика не проходит...

Если вы доверяете гипнотизеру, нормально внушаемы, но по какой-то причине нелегко засыпаете (чересчур возбудимы, в детстве боялись темноты...), то ваше гипнотическое состояние, скорее всего, будет иметь форму бодрственного активного транса.

Сознание суживается, можно легко внушать роли, образы и т. д. — но подвижность и чувство бодрствования сохраняются. Запоминание — когда как...

Опытный гипнотизер, распознав такую натуру, сразу идет в обход усыпления, по-эриксоновски; неопытный или тупой упорствует в попытках усыпить — и тем разрушает связь. Некоторые из пациентов с помощью таких вот чародеев попадают ко мне, уже зачислив себя в разряд «неподдающихся». «Отлично, — говорю я, — поддаваться не надо, ни в коем случае. Спать не будем, будем работать».

Что же такое гипнотический взгляд?

— Почему многие животные не переносят человеческого взгляда?..

— По той же причине, по какой вам бывает не по себе, когда на вас молча, долго и неотрывно смотрит кто-нибудь незнакомый... В общении животных глаза сверхзначимы: это главнейшая составляющая совокупного био-психо-сигнального органа, именуемого физиономией, а в просторечии мордой.

Глаза, широко открытые и прямо обращенные на тебя, говорят: — «Ага! Это ты?!. А вот это я! Все мое внимание — на твоей персоне! Вся моя сила готова на тебя устремиться!.. Я тебя не боюсь! А если боюсь, то не отступаю, не уступаю... Я слежу за тобой, я тебя оцениваю, читаю твои намерения... Я сообщаю тебе о своем бесстрашии, об уверенности, о решимости... Ну посмотрим сейчас, кто кого, ну посмотрим, посмотрим... Моя морда глядит твердо! Морда — это звучит гордо!..»

Гориллы почти никогда не дерутся между собой. Для малочисленного племени этих чудовищных силачей драки взрослых самцов были бы видовым самоубийством. Разъяренный горилла одним рывком лапищи может свернуть голову льву. Посему и гневается лишь в исключительных случаях, предпочитая спускать пары безобидной разрядкой: пробежаться с воплем десяток метров, поколошматить себя по груди...

Поединки самцам-гориллам вполне заменяет игра в гляделки. Встречаясь, два соперника на расстоянии около полутора метров друг от друга останавливаются и принимают боевые стойки: ноги чуть согнуты и расставлены, крепко уперты в землю, шея набычена, плечи развернуто-напряжены и направлены вперед, руки слегка раздвинуты, как крылья у боевых петухов, пальцы веером, как у новых русских (манера заимствована у воров в законе, паханов-уголовников — преемственность натуральная). Чудовищные челюсти либо плотно сжаты, либо обнажены застывшим оскалом. Мощные мышцы надбровных дуг сведены внутрь и вниз — крайняя степень «нахмуривания» — а по наружным углам дугообразно, мефистофельски подняты...

Вот из этих двух вздыбленных вулканических мышечных гор стреляют друг в дружку прямою наводкой энерго-информационные пушки — красновато-агатовые маленькие глаза. Сверлят, давят, буравят насквозь и глубже, испепеляют, уничтожают.

Минут пять может так пройти, десять, пятнадцать — без единого звука и движения. Кто первым отводит взгляд — признает себя побежденным. Бойцы спокойно расходятся. Статус определен.

Тем же способом — внушительным взглядом — вожак призывает к порядку своих зарвавшихся подчиненных... Дерзкий прямой взгляд в глаза вожаку-горилле способен привести его в ярость, предупреждает Реми Шовен, и лучше не рисковать: одно небрежное движение лапы — и туловище в одном месте, а голова в другом...

Хорошо загипнотизированный крокодил

— **В своей первой книге вы описывали способы гипнотизации животных, рассказывали, как загипнотизировать крокодила...**

— Да — стремительно, ошеломительно! Перевернуть на спину, придержать! Отпустить... Так можно загипнотизировать лягушку, курицу, индюка, кролика, кошку, собаку, льва, осьминога, жука-богомола, само собой...

Но только не крокодила. Крокодила — не так.

— *А как?..*

— Рекомендуют: быстро вскочить симпатяге на спину, заглянуть в ясные очи и резко захлопнуть челюсти, если он их сам еще не успел захлопнуть на вашей ноге.

— *Хорошо загипнотизированный крокодил свои челюсти не разомкнет?..*

— Не проверял. Кстати, вашу собаку можно ввести в гипноз и спокойнее: крепко сжать морду руками и, глядя прямо в глаза, делать пальцами быстрые движения вдоль носа и щек, вокруг глаз... Уже через 15 — 30 секунд пес впадает в каталепсию. После чего ему можно сделать какое-нибудь полезное внушение...

Все животные, так ли, эдак ли, в той степени или иной, доступны манипуляциям, приводящим их в управляемое состояние. Возьмите за загривок котенка или даже взрослую кошку — достаточно резко, уверенно, — поднимите в воздух, слегка встряхните — и в руках ваших уже существо пассивное и покорное, признавшее вашу власть, вольную казнить или миловать... В XVII веке Атанасиус Кирхер опубликовал свой знаменитый труд «О силе воображения курицы», в котором описывался «экспериментум мирабиле»: курица кладется на бок, а перед носом у нее проводится меловая черта. Курица ни с места.

С помощью музыкально-ритмичных звуков и особых движений испокон века гипнотизируют змей, верблюдов, слонов, мангуст...

Во всех подобных случаях происходит одно: манипулирующий человек, словно компьютерный хакер, внедряется в коды той знаковой системы, которую эволюционно выработал данный вид животных для своего выживания и размножения. Со зверем говорят на его языке.

— *Какие животные наименее гипнабельны?*

— Считается, что обезьяны. Но я в этом не уверен.

— В какой степени биология взгляда действительна для человека? Действует ли она при гипнозе?

Видели ли вы, как маленькие дети, да и не только маленькие, и не только дети, боятся входить в общение, особенно с незнакомыми, как стесняются и смущаются, как опускают и отводят глаза, прячут лицо?..

Биопсихологические, инстинктивные механизмы у человека вовсю работают, но над ними надстраиваются более тонкие, более произвольные социально-знаковые регуляции. Когда вполне взрослый человек прячет от вас лицо, это уже что-то не то, правда?..

— На кого сильней действует взгляд — и как?

— Властный взгляд в глаза может пробуждать либо древний рефлекс подчинения, либо, наоборот, активное сопротивление — агрессивно-оборонительную реакцию.

Взглядом легче гипнотизируются дети, подростки и юноши, а среди взрослых — наивные, простодушные люди с признаками интеллектуальной инфантильности, привыкшие быть ведомыми или по роду службы приученные подчиняться старшим по званию — военные, милиционеры, мелкие служащие...

Императив — повелительный взгляд в глаза — плюс начальственно-уверенный, категоричный, твердый и мощный приказ словом и жестом — резко повышает у них и без того большую внушаемость; это если еще не гипнотический транс, то его начало...

На женщин действует то же самое, плюс некоторые знаки полового господства: либо самцовско-отцовское начало (типаж генерала Лебедя), либо материнское: образ владыки-матери, используемый сейчас некоторыми телевизионными шарлатанками типа «госпожи А.».

— Многовато сейчас этих госпожей развелось!..

Кто делает гипнотизеров?

— *Могли бы вы описать основные типы «гипнотической внешности»?*

— Типов столько, сколько на свете гипнотизеров. Речь идти может только о *стерео*-типах. О человеческих представлениях, о предрассудках, о мифах — то есть об *ожиданиях* людей. Ожидание подготавливает внушение.

Представления о том, какими бывают гипнотизеры, какими им должно быть, претерпели определенную историческую эволюцию. За ними — древнейшие, закрепленные в массовом сознании (скорей, в подсознании) архетипы, прообразы, рожденные всечеловеческим детством...

В восточной традиции гипнотичен образ Учителя — гуру, с физиономическими чертами солидной зрелости или, еще лучше, почтенной старости.

Учитель прошел путь посвящения, испытаний и подвигов, это дает ему право на психическую власть и умение ее употребить — ученик этого *ожидает*...

В ареале христианской цивилизации тоже сверхзначима вертикаль духовного авторитета, проходящая сквозь обычного человека в небеса, к Богу — а вниз, в минус-высоту — к князю мира сего, отцу лжи.

Существо, наделенное сверхсилой, должно, по народному разумению, иметь внешние признаки принадлежности к иерархии сверхсуществ — в сторону плюса или в сторону минуса. Белый маг или черный — для обывателя практически все равно, лишь бы помог...

Сейчас массовых магов-гипнотизеров делает телевидение, с его монтажными изворотами, поэтому внешность роль практически утеряла. В годы, когда я начинал, еще оставался в силе демонический образ. Гипнотизер-мужчина должен был иметь глаза восточного типа, необыкновенной черноты, густые брови, нависшие или делающие мощный мефистофельский взмах (и я эдаким взмахом, случалось, поигрывал); густую гриву или могучую лысину ленинского образца; усы, бороду или хотя бы бородку; нос желательно крючковатый или с энергично-хищным вырезом ноздрей...

К тому хорошо подверстывалась небольшая хромота с тросточкой, трубка, жилет, легкий тик вроде дергания щекою или плечом, картавость или небольшое заикание...

Котировалась и нордическая разновидность, тяготеющая к типажу северо-западного супермена: гляделки серо-стальные-непроницаемые, лицо каменисто-угловатое, движения роботные, голос чугунный...

Женщине-гипнотизерше предписывался остро-тяжелый, сверляще-парализующий взгляд (впечатление больше всего зависит от мимики и строения век, а также бровей); необычная величина или форма глаз, при которой над радужкой или под ней в большей степени, чем обычно, выступают белки... В мимике и пантомимике место обычных дамских ужимок должна была занимать некая бесполая обволакивающая тягомотина...

Помню, у нас в клинике был аспирант-якут, сильно гипнотизировавший явно не без помощи своей внешности. В те же годы гремел знаменитый гипнотизер Р., взявший манеру театрально орать на своих пациентов, делать страшные глаза, дико напрягаться, трястись, надувая жилы на лбу — словно что-то испуская, выдавливая из себя, и не что-то, а эту вот самую мифическую гипноэнергию... Над ним посмеивались, называли отбойным молотком, но он все же пробился, соорудил себе имя, круг паствы-клиентуры-пациентуры...

Затем пришел сезон Кашпировского, пришел громобойно, ушел всмятку...

— *Возможно ли заочное или виртуальное гипно-тизирование через посредство видео- или фотои-зображения гипнотизера?*

— Конечно, возможно и многажды применялось и применяется, что убедительно доказывает психороле-вой, информационный, а не «энергетический» в физиче-ском смысле характер процесса.

У меня хранился рисунок художницы-пациентки, сде-ланный с меня во время сеанса гипноза. Характерное вы-ражение глаз в нем хорошо схвачено и усилено. Этот ри-сунок сам по себе, без моего присутствия, вызывал гип-нотическое состояние у некоторых моих пациентов. Им казалось, что из портрета исходят «гипнотические лучи»...

Но конечно же, непременным условием возникновения гипнотранса была осведомленность: кто я такой, чем зани-маюсь, с каким успехом... Иными словами: *предваряю-щий ролевой настрой*. Все по науке, никак иначе!

*П*одсознание как будильник

— *Действительно ли в гипнозе можно заста-вить человека не только вспомнить, но и забыть все, что угодно?*

— В случаях глубокого транса — да, но забывание от-носительно. Внушенное забывание (гипноамнезия) — это блокирование вспоминания — не стирание памяти, а лишь программирование ее неиспользования.

Я много экспериментировал в этой области, чтобы по-нять, что происходит с нашей памятью не только и не столько в гипнозе, сколько в самой обычной жизни.

Одному пациенту внушил: на пятый день после нашей встречи, ровно в пять вечера вы позвоните мне и спра-витесь о моем здоровье. Вплоть до этого времени вы со-вершенно забудете о нашем сеансе и обо мне!..

В назначенный день в точное время раздается звонок:

— Здравствуйте, В. Л.! Как себя чувствуете?

— Спасибо, отлично. А вы?

— Теперь опять превосходно!

— Что значит «теперь опять»?

— Вот с этим звонком, прямо сейчас стало опять все прекрасно... И до того все было прекрасно. Только последние минут десять ужасное беспокойство... За вас, доктор, не знаю сам, почему... Казалось, с вами что-то случилось.

— Что же могло случиться? Я в полном порядке.

— Вот и слава богу... И я тоже все это время чувствовал себя отлично... Совершенно забыл и думать о вас, доктор... И вдруг сегодня где-то с полпятого вошла в голову мысль, что я давно вас не видел, что вы тоже человек, что переутомляетесь... А потом просто испугался, что с вами что-то может стрястись, и тогда что нам-то делать, вашим больным?.. Вот и решился снять трубку...

Замечательное *оправдывающее наполнение*.

В другой раз, в молодежном доме отдыха, одному чрезмерно застенчивому юноше (он обратился ко мне с просьбой о помощи) на массовом сеансе было внушено, что на следующий день во время обеда в столовой, перед тем, как начать есть второе блюдо, он встанет и громко, во всеуслышание произнесет фразу: «...Раз, два, три, четыре, пять, вышел зайчик погулять!»

Задание было выполнено, и после этого юноша сразу стал заметно более уверенным в себе и раскованным.

В том же доме отдыха двум юным сомнамбулам, Саше и Павлику, я внушил, что на следующий день, опять-таки во время обеда, они явятся вдвоем в столовую и споют отдыхающим песню «Пусть всегда будет солнце», после чего найдут меня и сообщат, что задание выполнено.

Полное забвение до исполнения.

Целый день ребята провели как обычн~~о~~ у всех, играли в пинг-понг, бадминтон, дурачил~~ись~~, минуту не разлучались... Нашлись, конечно, добро~~желате~~ли, рассказали им, как и что должны они сделать. ~~Ре~~бята смеялись, не верили. Раза два я случайно проходил мимо них. Со мною — ни слова, будто меня не знают...

Однако за час до срока уже вертелись возле столовой.

— Ну что, будете сейчас петь? — заговорщически спрашивали доброжелатели.

— Не, петь не будем... Чего это еще, зачем? — искренне недоумевали ребята.

Но последние пятнадцать минут вели себя уже странновато, словно обдумывали какое-то необычное предприятие... Когда совсем приспело время, Саша, более активный и самостоятельный, вдруг обращается к Павлику:

— Ну что, пошли?

— Пошли!

Дальнейшее было разыграно как по нотам. Произвело впечатление на многих, на меня тоже...

Я понял тогда, что в момент исполнения отсроченного внушения гипнотик опять возвращается в сомнамбулический транс. А еще подумалось, что некоторые наши необъяснимые чувства, поступки и мысли могут быть исполнением чьих-то отсроченных внушений, незамеченных или забытых — и это единственный реально возможный механизм пресловутой порчи...

Но если так — то и не только порчи, но и благословения, и молитвенного исцеления!

Подсознание как режиссер

— *Можно ли в глубоком гипнозе так запрограммировать состояние и поведение человека, чтобы он сам об этом ничего не узнал и не догадался?*

— Да, при определенной технологии можно, и состояние глубокого гипноса для этого необязательно... Отсроченное внушение пробивает себе дорогу, не просто «цепляясь» за имеющиеся обстоятельства, но и создавая их.

Одной пациентке я внушил, что через десять минут после сеанса она наденет мой пиджак. Всего-навсего. После сеанса мы, как обычно, говорили о ее самочувствии. Вдруг дама зябко поежилась, хотя в комнате было очень тепло. На руках появились мурашки.

— Что-то холодно... Я озябла, — виновато сказала она, и взгляд ее, блуждая по комнате, остановился на стоящем в углу стуле. На стуле висел мой пиджак. — Извините, мне что-то так холодно, не могу согреться... Вы разрешите мне на минутку надеть ваш пиджак?

Мотивировка «холодно», и при этом истинное ощущение холода и настоящие мурашки!.. Программа реализовалась единственно-естественным в этой ситуации способом: сделано было то, чего *оправданно захотелось!*...

На одном из домашних сеансов двадцатичетырехлетней сомнамбуле Тане я внушил, что минут через пятнадцать после сеанса она поцелует брата ее подруги, молодого человека по имени Эдик.

Проснувшись, Таня чувствовала себя превосходно, шутила, смеялась, была в заметно приподнятом настроении. Никаких, разумеется, воспоминаний о происходившем во время сеанса: спала, и все...

Эдик находился на тот момент в другой комнате, играл в шахматы. Проходит минут десять — двенадцать, и Таня говорит: «Пойду посмотрю, что там делают мальчики». Подходит к компании играющих. Становится рядом с Эдиком, за его спиной, начинает следить за игрой: «болеть» за него, хотя ничего в игре не понимает...

...На какую-то долю секунды на лице проскальзывает смущение... Начинает подбадривать:

— Давай, Эдька... Выиграешь!.. Ну давай, объявляй мат в два хода...

Эдик недоуменно-отсутствующе косится... О том, что должно сейчас произойти, он, конечно, не знает.

— Шах...

Минута, другая... Эдик выигрывает. «Болельщица» страшно довольна.

— Ну, вот, молодец! — и шутливо, дружески-непринужденно чмокает его в синеватую щеку, чего Эдик, еще не отошедший от игры, даже не соизволил заметить.

И опять все естественно и оправданно, все логично, без тени натяжки. Режиссура подсознания гениальна!

Какую тайну скрывают спящие

— Я читал, что можно переводить обычный сон в гипнотический, это правда?

— Да, правда. Еще в детстве мне упорно казалось, что спящие скрывают какую-то тайну; что они слышат и знают больше, чем кажется...

Вот кто-то спит в шумной комнате. Хохочут, гремят, дым коромыслом, а человек спит себе. Устал, вырубился. Бывает... Но подойдите к спящему ближе, сосредоточьтесь — и очень внимательно на него посмотрите, а остальные пусть на минуту затихнут...

Держу пари: если спящий не пьян, он проснется. И может спросить, а чего вам от него, собственно, нужно...

Выработанный эволюцией механизм: внутренний сторож, следящий за изменениями среды. Гипнотизер этого сторожа подчиняет себе. Кто пришел, тот и вошел, приноси что угодно, уноси что угодно...

Мне рассказали о случае, когда два друга выведали таким образом у третьего, скрытного, куда и с кем он ходит на свидания, а потом шутили над ним. Тот, не представляя себе, откуда у друзей такие сведения, решил, что за ним шпионили, страшно обиделся.

А вот другой случай: аутогипнотический транс, в который я «влез» способом психического присоединения.

Было это в туалете-курилке Ленинской библиотеки. Я находился там по обычной надобности, дымил (в ту пору еще курил), с кем-то болтал...

Вдруг замечаю своего друга В., с которым вместе тогда работал. О чем-то глубоко задумавшись, В. расхаживает по курилке от стенки к стенке, из угла в угол, взад и вперед... Доходит до дальнего угла, поворачивает назад, идет на меня... Я, улыбаясь, гляжу на него, привстаю для приветствия... Что такое?

В. продолжает на меня надвигаться, глядит мне в лицо каким-то стеклянным чужим взглядом, насквозь... Совсем-совсем близко подходит, продолжая смотреть в упор, — и вдруг перед самым моим носом поворачивает обратно... Не узнает или не хочет узнавать?..

Я подождал, пока он снова повернет из угла и пойдет на меня... То же самое. В третий раз В. задумчиво сбрасывает на меня пепел от папиросы... И тут я понимаю, что он обдумывает что-то важное, что это транс, натуральный самогипноз. Ляг я у него под ногами, он через меня переступит, как через бревно, не заметив...

Решаюсь над ним слегка подшутить. В. приближается — я встаю и иду за ним, совсем рядышком, точно в ногу... Повторяю все его движения, встраиваюсь в ритм его дыхания... Он этого, конечно, не замечает. Тогда я в том же ритме начинаю как бы выдыхать из себя — тихим голосом, максимально приближенным по звучанию к его собственному — такие вот утверждения:

— Подойду к телефону-автомату... Позвоню Вике (нашей общей знакомой)... Спрошу, почему она дура... Позвоню Вике... спрошу, почему дура... звоню Вике... спрошу...

И вот В. направляется к телефону-автомату.

Ждет, пока кто-то отговорит. Набирает номер.

— Алло, Вика? Привет, это я... Слушай, ты уже сдала документы на перекомиссию?.. Еще нет?.. А ты знаешь, что очередность тоже имеет значение?.. Слушай, ну почему ты такая беспечная дура, скажи на милость?.. А?.. Я из Ленинки, с авторефератом застрял...

Так в микромасштабе воспроизвелась тайная работа судьбы: что не замечается, то внедряется и случается...

На следующий день я доложил В., что путем телепатии точно узнал, с кем и о чем он говорил вчера по телефону в Ленинской библиотеке.

Укрощение Голубого Дога
мой первый массовый гипносеанс

— Случались ли в вашей гипнотической практике неожиданные неудачи, курьезы?

— О да, особенно поначалу. Но они меня не слишком смущали. Наоборот, смущали неожиданные удачи.

Никогда не забуду случай, когда, казалось, безнадежное положение было спасено ролью Не-Самого-Себя, из которой не успел выйти... В одном из московских вузов я должен был выступить перед большой аудиторией в роли Лектора-Психотерапевта.

В гипнотическом сне здесь все, кроме меня.

Хотел рассказать кое-что о внушении, о гипнозе, о са-могипнозе, об аутотренинге...

Но я был еще малоопытен, рвался в воду, не зная бро-ду, плохо знал уголовный кодекс и именно по этим причи-нам решился сопроводить лекцию демонстрацией гипно-тического сеанса, то есть выступить в роли Гипнотизера.

Действительно, что за лекция без иллюстрации?..

К тому моменту я имел только опыт гипноза индиви-дуального, а массовые сеансы видел лишь в исполнении Васи Банщикова да читал о них кое-что в книгах.

По одной из техник начинают, прочел я, с решительно-го предложения всем присутствующим поднять руки вверх и скрестить пальцы. Далее следует уверенно объя-вить, что скрещенные пальцы, пока идет счет, допустим, до двадцати, будут сжиматься все крепче, одеревенеют, потом сожмутся так сильно, что разжать невозможно...

Нужно и самому железно в это поверить, а после сче-та с ехидным торжеством предложить разжать пальцы и опустить руки... («Пытайтесь!.. Пытайтесь...»)

Некоторым удастся, а некоторым — *не удастся*. Так и останутся с поднятыми руками. Эти-то и есть самые внушаемые, с ними можно поладить... Ну что же, решил я, так и поступлю, по этой технике. Дома порепетировал: громко считая, придавал голосу деревянное звучание...

Но я совершенно упустил из виду самое главное: к сеансу нужно готовить и аудиторию. Объявить, скажем, заранее победной афишей, что известный гипнотизер, телепат, экстрасенс, факир, йог, феномен, любимец Тагора, Владиндранат Левикананда будет превращать студентов в королей и богов, а преподавателей в лошадей и змей.

Дать объявление хотя бы по радиосети...

Говоря иначе: подготовить зал к принятию роли Гипнотизируемого, а себя соответственно ввести в поле ролевых ожиданий в качестве Гипнотизера.

Гипнотизировать я уже давно умел, а вот в ролевой психологии все еще ни шиша не смыслил. И когда со сцены вдруг объявил, что сейчас буду гипнотизировать, в зале начался шум, недоверчивый смех. «Бороду сперва отрасти!» — громко крикнул кто-то с заднего ряда.

Я растерялся и рассердился. «Сейчас вы уснете так крепко, как никогда, — пообещал я. — Если хотите выспаться, прошу тишины».

Часть зала насторожилась. Другие продолжали бубнить, ржать, хихикать, двигать стульями. Кто-то издал до крайности неприличный звук, его поддержали. Сердце билось так, что казалось, его слышит тот, с заднего ряда...

...И вот кто-то из чего-то, что было когда-то мной, скрипучим голосом приказывает всем присутствующим поднять руки вверх и скрестить пальцы. Все повинуются.

Над залом лес поднятых рук. Гробовая тишина.

— Пять... Пальцы сжимаются... Девять... Сжимаются все сильнее... Вы не можете их разнять... Четырнадцать...

Восемнадцать... Пальцы сжались... Как клещи! Никакая сила теперь не разожмет их!.. Двадцать! А ну-ка... Попробуйте разжать пальцы! Пытайтесь, пытайтесь...

...О ужас! Вся аудитория, как один, разжимает пальцы и опускает руки. Все разом!.. Ничего не получилось. Ни одного внушаемого! Полный кошмар... Провал...

Секунды две или три (мне они показались вечностью) я стоял на сцене почти без сознания. Как мне потом сказал один недозагипнотизированный из первого ряда, — стоял с побелевшим лицом и выпученными глазами, из которых струилась гипнотическая энергия.

На лбу холодный пот. Но в чем дело... Почему никто не смеется?.. По-прежнему гробовая тишина.

Господи, что же дальше-то?.. Что я натворил?..

Вдруг замечаю: в первом ряду — двое парней с какими-то остекленевшими глазами.... Чуть подальше — девушка, странно покачивающаяся...

И тут меня осенило — болван! Они ничего не поняли! Они же *не знают*, как должен проходить сеанс! С пальцами не удалось, но они думают, что так надо! Они **уже!**.. Да, уже многие в трансе... Продолжай же, несчастный!..

Судорожно сглотнув слюну, я исчез, а Владиндранат нудно досчитал до пятидесяти и к моменту окончания счета усыпил больше половины зала. Успех. Триумф.

Хороша была одна третьекурсница, Английская Королева, ловившая блох совместно с бородатым Голубым Догом, оставившим в зале свои очки. Проснувшись, симпатяга попросил у маэстро прощения. Оказывается, это он гавкнул с заднего ряда насчет бороды. Он клялся, что такое с ним случилось впервые, что он больше не будет...

Я тоже тогда сгоряча поклялся себе, что больше не буду гипнотизировать, брошу к чертовой матери. Но выполнить клятву не довелось, а насчет бороды учел...

В психиатрической глуши
я разохотил ум и руку,
проник в секрет ушной лапши
и бзикологию – науку
о заблуждениях души –
ввел в обиход широкой массы.
«Живи не отходя от кассы»,
советовал приятель мой.
Я кассу приволок домой.
Не тем я стал, кем был в начале,
когда народ кричал «атас»:
свои магические чары
держу как бомбу про запас –
жлобьё и так меня боится:
взгляну – у них в глазах двоится...
Да, Друг мой, я теперь мастак
прицельных мозговых атак –
я жив, я получил отсрочку...
И вновь ко мне приходит тот,
кто хочет сбросить оболочку
с души, но не умеет... Вот,
почти дотронулся до сути,
а СМЫСЛ опять не объяснить.
Любое слово только жгутик,
а не связующая нить –
живая Тайна ускользает,
и вновь молчание терзает,
и я учусь его хранить
и ждать, пока не грянут сроки...
Друг одинокий одиноких,
я добровольно обречен
быть участковейшим врачом
болящих душ...

О, сколько бледных фантазеров
меня о власти умоляет.
Какая тьма гипнотизеров
из телевизоров стреляет
по яйцам, маткам и мозгам
чувствительных господ и дам,
какое бешенство на рынке,
где и картинки, и дубинки,
и слон, и тигр, и мотылек
в виду имеют кошелек.

Я здесь дежурю неотлучно,
мой Друг, и это очень скучно,
но в пику злому естеству
с нездешней легкостью живу
и в нашем ведомстве хреновом
учусь свободным быть и новым.

Вхожу спросонья в кабинет,
как солнце в общество планет,
взирая ласково и строго...

– Вы первый заместитель Бога, –
заметил Игрек, новый русский, –
как переносите нагрузки?..
– Да так...

– Наверно, жить вам сложно,
нужна большая сила воли,
чтобы не екнуться... А можно
гипнозиком – от алкоголя?..

– Смотря кого... И суть какая...
Как вникнуть... Было бы желанье...

– Ага... (Решил, что я вникаю
в его карманов содержанье.)

– Вам проведу сеанс как брату,
на всю катушку, без подвоха,
за символическую плату,
но ПРИ РАЗВЯЗЕ будет плохо,
предупреждаю... А?.. Согласны?

– Э-э... Я подумаю... Нельзя ли
найти подход не столь опасный?
Вы сами так же завязали?..

– Я – по-другому. Алкоголик
бывает разный – нужно просто
найти свой жанр.
Мой жребий горек:
я жертва личностного роста
и свой це два аш пять о аш
задвинул на седьмой этаж...

Поверил: не туфта. Проникся.
Я вырубил его. Он спал,
разинув рот, как бегемот,
но не храпел. Сияла фикса.
В конце сеанса будто стригся
и пел... Сухой – девятый год.
Спасен. Алкаш был густопсовый.

А я в компании веселой,
как прежде, радостно грущу,
одну-другую пропущу,
и за дела...

11

КУ-КУ

путешествие из малого дурдома
в большой и обратно

**Треть своего врачебного стажа я там отслужил.
Ностальгирую: сумасшедший дом —
самое спокойное место на земле после кладбища.
Не шучу нисколько. В заведении сем
любая неожиданность ожидаема,
это и успокаивает, живешь будто в море...
А какие здесь интересные люди, бог мой,
где еще таких встретишь?
Кто-то (может, и я) сказал, что психоз — это сквозняк
в коридоре меж адом и раем, дует то туда, то сюда...**

Полет над гнездом старушки
экскурсия в непрошедшее прошлое

К стапятидесятилетию со дня рождения
гениального психиатра, исследователя и гуманиста
Сергея Сергеевича Корсакова

Богиня Афина покарала Аякса за непочтительность, лишив его разума. В ярости кидался герой на стада баранов, воображая, что перед ним враги. Потом, очнувшись, настолько был угнетен происшедшим, что покончил с собой, бросившись на собственный меч...

Человечество помнит о психических заболеваниях с тех пор, как помнит себя. Первые воспоминания относятся к царствующим особам. Вот вавилонский Навуходоносор, грозный завоеватель, бич древних израильтян, типичнейший шизофреник. Лишившись разума, вообразил себя жвачным животным: «скитался как вол, опустив голову, по пастбищам; одичал, весь оброс и питался травой».

Вот повелитель самих израильтян, громила и красавец Саул. Некий злой дух (возможно, разновидность эпилепсии) повергал его в страшную тоску и припадки беспамятства и безумного гнева. Швырял копье в кого попадя... Помогала лишь музыка — игра на кифаре с пением («Я говорю тебе: я слёз хочу, певец, Иль разорвется грудь от муки...») — а пел и играл ему в бытность пастухом царь будущий, скинувший его вскоре с трона — псалмопевец Давид, предок Иисуса Христа.

Музиатры эти неоднозначный народ...

Скажи мне, что ты пьешь, а я скажу тебе, куда у тебя крыша уедет

Царь спартанцев, звероподобный гигант Клеомен, после утомительного путешествия через горные перевалы вдруг помешался, начал вопить, что кругом враги, что боги погибли, что спасет родину только он, если съест печень своего брата... Его посадили в колодки. Спартанцы считали, что заболел он от пьянства.

Попытки естественнонаучного объяснения умопомешательства начались с тех же древних времен, когда причины его приписывались влияниям сверхъестественным — разным богам и духам, ангелам и чертям.

Отец медицины Гиппократ, не отрицая влияния духов, склонялся к мнению, что главное все же — состав тела и его перемены, происходящие от питания и питья, а также от настроений, создаваемых житейскими событиями и врожденными склонностями.

В одной из своих записок Гиппократ определил самый существенный признак психического расстройства: это то состояние, при котором очевидность на человека не действует, никакие здравые доводы не имеют силы.

А полумифический дедушка Эскулап утверждал, что для состояния духа, помимо благоволения богов, важно, чем человек дышит и на чем спит. Важно так же, с кем спит, с кем ест и проводит досуг.

Осторожнее с благотворительностью

Первая в мире больница с отделением для душевнобольных была открыта арабами в Каире в середине девятого века. Благочестивый эмир каждую субботу ездил туда навещать пациентов, кормил их с руки, как зверюшек.

Ни одно доброе дело безнаказанным не остается: некий больной, с виду тихий, попросил эмира подарить ему самое большое яблоко из своего сада. Эмир принес громадное яблоко величиной с человеческую голову. Больной взял яблоко и изо всех сил запустил им в голову своего покровителя. Тяжкое сотрясение мозга.

Больше эмир к пациентам не ездил.

Психотропные розги. Палочка-вырубалочка

В Европе первые заведения для поврежденных духом стали появляться с одиннадцатого века. Одним из древнейших был приют для горюющих в итальянском городе Салерно. Сюда собирались из разных мест люди вменяемые, но мучимые невыносимой тоской, — те, кто не мог забыть умерших близких.

Помогали им музыкой, песнопениями и молитвами, а также коронным лечебным блюдом — свиным сердцем, нафаршированным целебными травами.

Средства иного рода использовались для воздействия на менее управляемых.

Века с четырнадцатого по восемнадцатый чем только не лечили психотиков: помещение в темницу с голодными крысами, принудительное стояние по нескольку дней подряд, принудительная бессонница, кожаные маски с шипами, намордники, пропитанные солью, смолой и перцем; круговые качели и специальные вращательные машины по типу вестибулотренажеров для космонавтов — вращение в них люди здоровые выдерживали около двух минут, а психбольные — до десяти и более.

Сбрасывали с большой высоты в холодную воду, лили с такой же высоты воду на голову, по пятьдесят ведер сразу, давали огромные дозы рвотных и слабительных, окунали в кипяток, в нечистоты, в собственную мочу...

Не было границ полету фантазии и в изобретении разного рода смирительных рубашек, камзолов, жилетов,

смирительной обуви, смирительных кроватей, смирительных кальсон, смирительных стульев...

Ну и конечно, особо разгуливались садистические бла-
годетели (они всегда и повсюду находят себе социальные
ниши и общественно санкционируемых жертв) по части
усовершенствования пыточно-ударных орудий.

Палка для умалишенного, требовал высокопоставлен-
ный попечитель дурдома на юге Франции, должна быть
с утолщенным зазубренным наконечником, чтобы каждый удар поддевал кусок кожи — так быстрее наступит
долгожданное исцеление. Плетка — не какая-нибудь,
а с большим числом острых железных бляшек. Розги —
гибкие и свистящие, хорошо вымоченные.

«Палка заставляет помешанных снова почувствовать
связь с внешним миром, — писал известный немецкий
мыслитель и эссеист Георг Курт Лихтенберг, считающий-
ся и по сей день либералом и гуманистом, — или, по крайности, отключает от него так основательно, чтобы и мир,
и умалишенный смогли отдохнуть друг от друга...»

Палочка-вырубалочка. Роль таковой всего через век-
другой будут исполнять электрошоки, инсулин-шоки
и химия — нейролептики и транквилизаторы.

«Ее обугленная тушка наводит на прохожих страх»

Особо ревностно заботилась о душевнобольных церковь.
Католики и протестанты соревновались в гуманности.

«Все умалишенные повреждены в рассудке чертом, —
заявлял Мартин Лютер. — Если же врачи приписывают
такого рода болезни причинам естественным, то это потому, что они не понимают, до какой степени всемогущ
и коварен черт. Всех этих помешанных, не разбираясь
с ними попусту, необходимо без промедления казнить

страшной смертью; я сам бы, собственными руками, охотно сжигал их на кострах...»

Это и делалось в массовых масштабах во времена инквизиции. Как и до того, и потом, в других местах, во времена сущностно сходные, в сталинские, например, — психбольные активничали сразу с обеих сторон: и в качестве доносчиков-обвинителей, и в качестве жертв, и невольных, и добровольных.

Одна старушка в Германии покаялась в том, что, будучи ведьмой, наслала на своих мирных сограждан 1565 ураганов, 128 раз преднамеренно производила морозы, губившие урожаи, и в немеренном количестве — порчу на детей и скотину.

С большим аппетитом сограждане сожгли бабульку живьем; долго она дымилась на медленном огне, не переставая признаваться все в новых злодействах.

Очень многие в те времена объявляли, и не только под пытками, что находятся в деловых или половых отношениях с бесами, демонами, чертями или даже с самим дьяволом, сатаной. Казнили за это не всех — некоторых просто сажали в тюрьму или отпускали, взяв подписку о прекращении отношений. Монтень, современник инквизиции, писал о ведьмах и колдунах: «Эти люди представляются мне скорее сумасшедшими, чем виновными в чем-нибудь. Но до чего высоко нужно ставить собственное мнение, чтобы решиться сжечь человека живьем...»

Психотропный театр

В эпоху позднего Возрождения у лекарей взыграло воображение. В моду вошли врачебные инсценировки, психиатрические спектакли. Силами нанятых за недорогую плату актеров разыгрывались написанные к случаю лечебные пьесы — комедии, трагедии, мелодрамы, где фигурировали ангелы, привидения, черти, судьи, палачи, эшафоты, дикие звери и прочие, обычные в те времена, персонажи и атрибуты бреда больных.

Спектакли должны были убеждать пациентов, сидевших перед сценой в кандалах или смирительных рубашках, в ложности их убеждений, в нелепости бреда.

Результат получался, как правило, противоположный и более того: театральное действо оказывалось подчас настолько увлекательным, что с ума сходили и многие врачи, актеры и надзиратели.

Доктор-освободитель

Первый прорыв к далекому будущему, к еще и доныне несуществующей гуманной психиатрии был совершен в восемнадцатом веке во Франции.

Пинель, грузный рыжебородый человек с глазами усталой собаки, всю жизнь проработал главным врачом в предместье Парижа Бисетре, в огромной тюрьме, где вперемешку с преступниками, бродягами и проститутками жили в заточении многие душевнобольные.

Первое, что Пинелю с превеликим трудом удалось для них сделать, — создать отделение, где люди больные были отъединены от злодеев и шлюх и могли получать пищу и уход без ограблений, избиений и издевательств.

Увидев, с какой благодарностью многие из пациентов восприняли это нововведение, как сразу многим из них стало лучше, Пинель решил пойти дальше: снять с них цепи и кандалы, а тем, кто находится во вменяемом состоянии, разрешать выходить из отделения в город или совсем покинуть тюрьму.

О своих намерениях Пинель объявил руководителям города. Один из них, организатор революционных трибуналов Кутон, собственною персоной явился в Бисетр.

После посещения психиатрического отделения Кутон сказал Пинелю: «Сам ты, видно, помешанный, если собираешься спустить с них цепи. Ты и будешь первой жертвой своего сумасшествия, помяни мое слово».

Пинеля это не остановило.

Первый больной, освобожденный от кандалов, воскликнул, увидев солнце: «Как хорошо! Как давно я не видел его!..» Это был английский офицер, просидевший на цепи сорок лет и забывший свое имя. Второй — писатель, до такой степени одичавший, что при освобождении отбивался от Пинеля и его помощников, — через несколько недель был отпущен домой здоровым.

Третий — силач огромного роста по кличке Кувалда, бывший кузнец, проведший в Бисетре десяток лет, вскоре был сделан служителем в отделении и впоследствии спас Пинелю жизнь, когда на улице возбужденная, злобная толпа дикой черни окружила знаменитого доктора с криками: «На фонарь его!»

Никакого преступления ему не вменялось, просто Пинель был белой вороной, был слишком добр, революционный народ этого не прощает. Кутон оказался навыворот прав, и если бы не Кувалда...

«И ныне я, холоп твой, в уме исцелился„»

«Палату номер шесть» весь прошедший век справедливо считали символом русской жизни. Она и сейчас им остается, только неимоверно возрос масштаб. Психиатрия у нас развивалась как всюду, но не совсем...

К психбольным в России по народной традиции относились мягче и терпимее, чем на Западе: на кострах не жгли, чтили блаженных юродивых, видели в них одержимых не сатаною, а Богом; буйненьких отправляли в монастыри, где лечили молитвами, постом и трудом.

Сохранилось письмо одного больного царю Алексею Михайловичу, тишайшему папе Петра Великого:

«Царю-государю... бьет челом холоп твой, кашинец Якушка Федоров. В прошлом, государь, я, холоп твой, в уме порушился, и велено меня отдать в Клобуковский монастырь... И ныне я, холоп твой, сидя под началом, в уме исцелился. Вели меня, государь, ис-под начала освободить...»

Первая русская психушка была запроектирована указом Петра Третьего: «Безумных не в монастыри определять, а построить на то нарочитый дом».

Где был построен первый такой нарочитый дом и кто в нем начальствовал, мне пока выяснить не удалось.

Начальство у нас — это другой народ, другая его ипостась. В дурдомах наших обстановка была и остается как в лучших домах Европы: тюряжной, да и похлеще.

Смирительные рубашки, веревки, цепи и кандалы — все это было совсем недавно, как и надзиратели типа чеховского Никиты, которых и я застал в бытность врачом буйного отделения больницы имени Кащенко. Новыми поколениями и сейчас работают, и не только там.

И смирительные подштанники я увидать успел — экспонаты еще свеженькие и пригодные к употреблению.

Система безопасности везде в мире работает на основе избыточной перестраховки — отвратительной, унизительной, идиотической, но ничего взамен пока нет.

Как из-за вероятности прохода в самолет одного террориста многие миллионы пассажиров подвергают мерзкой процедуре тотального обыска — так и из-за вероятности разрушительного возбуждения у одного пациента понапрасну держат взаперти многие тысячи, с колоссальным вредом для души и для тела.

Исключения из гнусного правила редки.

Почерк жизни: Сергей Корсаков

Вот одно из них, мною изученное в наивозможном приближении. Сергей Сергеевич Корсаков, русский и мировой психиатр номер один по значению — Психиатр от Бога, величайший из величайших. Создатель и воплотитель Системы Нестеснения и Открытых Дверей и Системы Морального Влияния — двух столпов гуманистической психиатрии — психиатрии *психологичной*.

Если вы москвич или будете часом в Москве — найдите эту улочку: Россолимо, дом № 11, зайдите во двор...

Там, за воротами, в дальней глубине длинного подъездного двора вас встретит Сергей Сергеевич.

Я не только о большелобом бородатом бюсте на постаменте с цветочной клумбой — не только...

У Корсакова и в самом деле была такая скульптурная, дивная, патриархально-величественная голова, и бюст сам по себе хорош, на нем четырехлапое добавление к имени: УЧЕНЫЙ, МЫСЛИТЕЛЬ, ПСИХИАТР, ГУМАНИСТ — все правильно и далеко, далеко не полно...

Как определить того, кто одним молчаливым взглядом мог успокоить самого буйного психотика, одной краткой беседой снять безумную тоску, душевную боль?..

Того единственного, при ком в сумасшедшем доме двери и окна оставались круглые сутки открытыми, и никто не убегал, не буянил, ничего скверного не случалось?.. Того, кто в *своем* лице сделал психиатрию психологичной, а психологию психотерапевтичной?..

Этого и поныне еще нет нигде в мире как действующей системы — видно, не тиражируемо.

Душа этого гения человечности в тонкой физической ощутимости витает в подвижном пульсирующем пространстве, образуемом открыванием двери Его клиники — подчеркиваю: его, Корсакова, а не имени.

Дверь, важно заметить, входная и выходная, выход там же, где вход, что характерно для положений, кажущихся безвыходными.

В саму клинику психиатрии Московской Медицинской академии (в мое студенческое и аспирантское время — 1-го мединститута, а в корсаковское, оно же чеховское и толстовское — Московского университета) я вас, понятно, не приглашаю, хотя, если бы меня лично спросили, куда бы ты предпочел поместиться в случае катаклизменного съезда крыши или просто так, маленько отдохнуть от себя, я бы не раздумывая назвал это место.

Не потому, что как-то особенно тут хорошо лечат или лучше относятся к пациентам, чем в прочих подобных заведениях, — если это и так, то ныне, увы, только на малую долю, и все, как и всюду, зависит от того, к какому конкретно доктору и какой смене сестринской попадешь.

И не потому, что стены здесь еще той, старинной кирпичной кладки благородно-утемненного цвета; не потому — хотя это очень важно — что смотрят на все стороны крупные красивые окна итальянского типа, а над просторными кроватями пациентов — высокие потолки с угловыми закруглениями и бордюрной лепниной.

Не потому даже, что есть у клиники свой прекрасный сад, отъединенный от городского снованья и шума, а на втором этаже — библиотека с остатками старых книг на множестве языков и аудитория с превосходным древним роялем, за коим провел я немало импровизационных часов долгими дежурственными вечерами...

А потому, что Он живет здесь и ныне, прямо сейчас.

Настоящий хозяин, отец дела.

Доказать это, конечно, нельзя. Только догадываться и чувствовать: есть надпространственная и сквозьвременная связь личности и ее обиталища, дома и духа.

Тем более если дух обладал мощнейшей нравственно-творческой энергией и вовсю ее развивал, вкладывал себя целиком в каждое прожитое мгновение.

Дом хранит и воспроизводит эти плодоносные импульсы даже и в ту пору, когда давно заселен чужеродьем, разворован, загажен...

**

Что такое 150 лет на историческом циферблате? — Какие-нибудь полторы минутки. Люди, жившие хронологически дольше этого срока, есть и на моей памяти.

Корсакову на вселенский взлет могучего мозга было отпущено всего 46, на год меньше другого его гениального соотечественника, современника и почти ровесника Владимира Соловьева, ушедшего в том же 1900-м.

Племя духовных богатырей населяло в то время культуру российскую («Богатыри — не вы»...), целые выводки их гнездились нередко буквально на одном пятачке.

Соседом корсаковской обители был Лев Толстой, чья графская московская усадьба на улице, носящей сейчас его имя, располагалась вплотную к саду психиатрической клиники, с общим забором из вот этого самого благородного кирпича, он там и ныне...

Случалось, на забор этот, не очень высокий, взбирались толстовские детишки, числом немалые, а с другой стороны подходили больные, происходило общение.

Сумасшедшие — самые интересные собеседники, это знают и взрослые, а уж дети подавно.

Сам граф хаживал в гости в клинику, беседовал с Корсаковым и пациентами, посещал концерты, устраивавшиеся в аудитории для больных и врачей, присутствовал на лечебных сеансах гипноза.

После наблюдения одного из сеансов записал в дневнике, что гипнотическое состояние у взрослого — как раз то, в котором обычно, нормально пребывает ребенок: полное, безграничное доверие к жизни и другому человеку, совершенная, абсолютная вера...

А доктору Корсакову, заметил Толстой, его пациенты так верят и без гипноза, потому что особо хороший он человек, умеет всецело проникнуться душой своего собеседника и вселить в нее мир и покой, даже если тот пребывает в бреду и болезненно возбужден...

Эта же клиника навела Льва Николаевича на определение сущности всякой психолечебницы: «место, где больные общераспространенными видами сумасшествия держат больных с более редкими формами». Малый дурдом в большом — вот так припечатал, — но и себя самого из числа «общераспространенных» не исключил...

**

О Корсакове знают что-то и помнят очень немногие. Это закономерно и несправедливо. Две дополнительные причины, кроме исторически и психологически общепонятной — неблагодарность потомства, — еще вот какие.

Первая: психиатрия — один из отрицательных заповедников человечества, тема-табу.

Область жизни, огромная по значению, но закрытая.

В каждом роду кто-нибудь, а то и несколько человек или даже все, проявленно или скрыто отклоняются от социально-психической нормы. В каждой семье алкаш или шизофреник, невротик или психопат, дебил или гений...

Но, наподобие смерти, эта реальность всеми правдами и неправдами вытесняется из общественного сознания, из области хотя бы относительного здравомыслия.

Нет, не то чтоб запрет (хотя попробовал бы кто-нибудь в сталинские времена отнести слово «паранойя» к чему-нибудь хоть отдаленно намекающему на политику и идеологию!) — нет, даже наоборот — непрестанный источник «жареного» для искусства, сенсаций и скандалов для желтой журналистики, но...

Смотрите выше определение психушки Толстым.

Вторая: сам Корсаков, при всей своей наружной живописности и вездесущей деятельности, был человеком феноменально скромным, совершенно не показушным.

Целомудренный аскет, бессеребреник. Жизнь простая, прямая, стремительная, как стрела. Все, что делал доброго, а это было огромно, делать старался не называя себя, скрываясь от публичности.

И хотя все равно попал в знаменитости, даже и жизнь-на-виду сумел отмагнитить от «я», от самости — стал лишь тихой, безгласной тенью своих звучных дел.

В послежизнии люди такого склада живут малозаметно, почти неуследимо, зато вечно.

Сравнимая фигура — святой доктор Гааз, чья просьба СПЕШИТЕ ДЕЛАТЬ ДОБРО написана на скромном надгробии, где всегда есть живые цветы...

**

В недавней еще, кажется, студенческой юности впервые подошел я к корсаковской клинике с группой сокурсников. Болтовня, молодая возня, смешки-шуточки...

У подъезда что-то заставило нас притихнуть.

С каменного постамента смотрел Человек. Прямо сквозь нас... Случись художник или искусствовед — заметил бы, может быть, что скульптура так себе: о том, что это изображен мыслитель, догадаться слишком легко.

Но мы почувствовали другое, чему камень служил лишь точкой опоры...

И в голову не могло прийти, что несколько лет спустя мне предстоит коснуться его книг, бумаг, личных вещей, ночевать на диванчике, на котором он спал...

После трех лет службы в Кащенке я поступил в аспирантуру кафедры психиатрии 1-го мединститута. Заведовал кафедрой упомянутый Вася Банщиков. Он и допустил меня в святая святых... Да, циничный, жуликоватый, развратный Васюта Банщиков религиозно чтил Корсакова, душу проняло... Когда о Корсакове говорил, что-то в нем вспыхивало...

Года полтора я проработал в корсаковском кабинете. Читал написанные рукою Сергея Сергеевича истории болезней, рукописи научных трудов, учебников, писем... Строчки, продолжающие двигаться и дышать, с запинками, как в естественной речи...

Сердце живое прогревало все это, теперь называемое бескровным словом «архив», — и тепло сохранилось. Свободный, упругий ритм почерка вызывал физическое удовольствие: свежий, будто только что из-под пальцев...

Корсакова называли русским Пинелем — да, сравнить вполне можно. Но был он еще и великим ученым. Потрясающее открытие в области патологии памяти — всему врачебному миру известный корсаковский синдром. Концепция направляющей силы ума, далеко опередившая свое время, и многое-многое другое....

Дальше всех видел — был ближе всех к человеку.

Был великим организатором: создал первое в России Психологическое общество, Общество невропатологов и психиатров, журнал невропатологии и психиатрии. Был председателем правления Общества русских врачей — во главе всей тогдашней медицинской общественности.

Плюс к тому — деятельность, граничившая с политической, на левом фланге университетской профессуры — против сановного мракобесия. Писал протесты, помогал опальным профессорам.

А еще был Сергей Сергеевич студенческим божеством. Был председателем Общества вспомоществования нуждающимся студентам. Помнил в лицо всех, к нему обращавшихся — а обращаться не уставали, зная, что в беде не оставит, выхлопочет, поможет. Там, в архиве, и сейчас лежат груды просьб за того-то и того-то, написанные его рукой. Расчеты, записки, распоряжения о выдаче ссуд...

Первый взлет Психиатрии Любви

В то время еще не было нейролептиков, не было транквилизаторов и антидепрессантов — никакой химии, кроме старушки валерьянки и ей подобных снадобий. А ведь в клинику поступали самые тяжелые, уличные психбольные, возбужденные и агрессивные, депрессивные, суицидальные, шизофреники, эпилептики — шла потоком непрофильтрованная психиатрия. И вот, во вполне натуральном доме для умалишенных, где каждую секунду может случиться все что угодно, рождается и успешно действует Система Нестеснения и Открытых Дверей.

Нам, почти уже не знакомым с откровенной, не замазанной химией психиатрической реальностью (но еще хорошо знакомым с замками), такое кажется сказкой.

При Корсакове число побегов, попыток самоубийства и прочих чрезвычайных происшествий в клинике сошло к минимуму, который не достигался ни ранее, ни в последующие времена. Никаких привязываний, никаких замков. Пациенты свободно входили и выходили. Персонала было меньше, чем сейчас. Никакой особой страховки — только внимательность...

Вовлечение в деятельность и общение. Одоление страшнейших врагов души — скуки и одиночества. Игры, концерты, всевозможные затеи и праздники в стиле непринужденной домашности... В научных писаниях Корсаков обозначал это сухо: «Система морального влияния».

Ни до, ни после него не было психиатра, который бы проводил столько времени со своими больными. Дневал и ночевал в клинике, жил в ней без выходных. Каби-нетных приемов почти не вел — беседовал с пациен-тами где попало, то усажи-ваясь на койку, то где-ни-будь в уголке за шахмата-ми, в домашней одежде.

Как о чудесах рассказы-вали, что стоило ему только подойти и глянуть, чтобы самый возбужденный боль-ной успокоился. Это был не гипноз, нет. Это была лю-бовь, не объявляющая себя. Такая любовь влиятельна.

Лики духовности история писала со многих. Можно было бы и с него одного.

Я собрал корсаковские портреты. Их мало: всего два рисованных, слабых, да несколько фотографий...

Среднего роста, большеголовый и грузный. Припадаю-щая походка, с частыми остановками из-за одышки. (Порок сердца, в последние годы отечность.) Оживленная, но не резкая мимика, преимущественно вокруг глаз; отсутствие смеха и внезапность улыбки. Плавные движения рук. Глу-хватый высокий голос. Застенчивый и целомудренный, легко заливался краской, которую не могли скрыть ни по-этическая шевелюра, ни академическая борода.

Из тяжело располневшего сорокалетнего мужчины смотрит жаждущий служения инок.

Озаренный лоб с несравненной чистотой линий. Про-зрачная сталь взгляда, просвечивающего насквозь. Под взглядом этим невозможно скрыть от себя ничего...

Психиатрия как знак общественной шизофрении

Что сказал бы великий сосед Корсакова, побывав в нынешних наших психушках, каких пруд пруди, где возбужденных больных по старинке привязывают, придушивают и колотят; где психиатры и с самыми тихими и интеллигентными пациентами, за редкими исключениями, не разговаривают, а только «опрашивают», ставят диагнозы, оглушают таблетками, пришибают шоками?..

Как такое возможно в век, когда уже и с компьютерами люди научились разговаривать по-человечески?..

Понимание душевных страданий и необычных переживаний лишь как «отклонения» и ничего сверх того — есть знак тяжкой духовной болезни общества: невменяемой ограниченности, присвоившей себе звание нормы.

В отличие от стоматологов и хирургов, осуществляющих свое ремесло в рамках установленной предсказуемости результатов, психиатры узаконенно ловят рыбку в мутной воде. Диагнозы — «шизофрения», «невроз» и прочая — только разные способы обзывания, бирочки, загораживающие от заинтригованной публики, словно мантия фокусника, простое, как мычание, непонимание.

Профессиональные обыватели, наделенные экспертными полномочиями, привыкают врать не только пациентам и их родным, но и себе.

Если есть среди нас люди добросовестные и искусные, действительно помогающие — то потому лишь, что не оставляет Добро без попечителей своих ни одного уголка на земле, и работают приставники его как в правительстве, так и в тюрьмах, церквах и общественных туалетах.

Да, имеется довольно обширный разряд случаев, когда нет пока что иного способа спасти человека от самого себя или спастись от него, кроме как поместить в дурдом и заколоть химией до посинения.

Да, бывает иногда, что на химии крыша, съехавшая набекрень, перемещается на другой бекрень, в так называемую ремиссию. Да, случается и так, словами Толстого, что, несмотря на лечение, больной выздоравливает.

Настоящей психиатрии еще нет в нашем большом дурдоме; она только посверкивает как обещание то в лице какого-нибудь духовно одаренного человека, то в хорошем театре или кино, то в хорошей музыке и поэзии...

Бедный Доктор! Устал притворяться!
Я вступаю охотно в игру,
помогаю вам — рад стараться —
зарабатывать на икру.
Вот опять психотворное средство
возбуждает химический смех...
Вы привыкли насиловать детство.
Вас привыкла насиловать смерть.

Как вы лжете и ржете довольно,
как козлите в присутствии дам...
Доктор, Доктор! Мне больно! — мне больно,
только я эту боль не отдам.

Я ваш верный больной, Шизофреник
божьей милостью, ну, а вы —
Страж Здоровья, блюститель Ступенек,
надзиратель моей головы
и ума моего парикмахер.
Я ломаюсь под вашим клише,
но могу отослать вас и на х..,
что и делаю, только в душе.
Затеваю то жмурки, то прятки,
то свой пенис пасу на лугу,
и бредочки мои, как лошадки,
спотыкаются на бегу...
(Вольный перевод улыбки одного пациента.)

ЧАСТЬ ТЕЛА ИЗ ЧЕТЫРЕХ БУКВ

(рассказ того же пациента)

Поместил объявление: ОТДАЮ ЖИЗНЬ БЕСПЛАТНО
кому угодно, любым заезжим гостям. Условия:
1) не выводить пятна, 2) брать всю, а не по частям.
Телефон, адрес, имя.

> *И что ж?.. Телефон молчит.*
> *В дверь никто не звонит, не стучит.*
> *Так все тихо кругом, такая стоит благодать,*
> *что и имя свое начал я забывать...*
> *В мозгу догадка шевелилась — злая,*
> *пустая, как кремлевская казна:*
> *никто на свете никого не знает,*
> *а главное, никто не хочет знать...*

Дал еще объявление: ПРОДАЕТСЯ ДУША
очень дорого, хоть и не хороша, для любого использования
на тонком плане при условии исполнения всех желаний
душепродавца на плане толстом.
Депозит фонда «Благая весть».
Лицензия номер 666/90.

> *Просыпаюсь утречком, а мой дом*
> *шестизначным обвит хвостом:*
> *человеческие сыны и дочери*
> *набежали в очередь*
> *за душой.*
> *Вскочил быстро — не будь лапшой —*
> *и привычным своим маневром*
> *встал первым.*
> *Стоим. Тары-бары...*
> *И тут подъехали санитары,*
> *запихивают в психовоз.*

Одному в челюсть, другому в нос –
нокаут есть, есть нокдаун,
но третьему волкодаву
за горло меня ухватить удалось,
и сознание прервалось...
Еду связанный. Спрашиваю:
– Ребята, вы знаете, что такое душа?
– Знаем, знаем. Из-за тебя
все соседи стоят на ушах,
вот в чем дело.
Хотел взять нас на испуг?
Душа – это, парень, часть тела
из четырех букв.

КОГДА (*интербредация файла, полученного от этого же пациента после лечения нейролептиками*)

когда зажгутся лампочки
в неоновых дворцах
и стоптанные тапочки
сверкнут на мертвецах
когда фронтон опаловый
скользя коснется лун
и вылезет на палубу
оскаленный Нептун

тогда проснутся карлики
и весь нечистый люд
и красные фонарики
по улицам зажгут
и роскошью сиреневой
ударит по кустам
и в тишине шагреневой
вздохнет гиппопотам

конец информации

~~Н~~игде кроме, как в Росдурдоме

сказ о том, откуда и куда у России крыша поехала

беседа с Георгием Дариным

> *Забывающие свою историю*
> *обречены на ее повторение.*
>
> Сантаяна

...Рядом с моим домом — светофорный перекресток с оживленным движением, пешеходная «зебра».

Дорога, как это обычно для московских спальных районов, разгуляй-широченная, а зеленый свет для пешеходов сменяется на красный так торопливо, что, не имея спринтерской подготовки, перебежать не успеешь — где-то на третьей четверти пути тебя начинают давить, обдавать выхлопными газами, раздраженными гудками и матом — че болтаешься под колесами, трамтарарам!..

И это при том, что по действующим правилам движения переход типа «зебра» преимуществен для пешеходов — водители даже при зеленом свете для себя обязаны пропустить человека, уже находящегося на переходе.

Куда там... Последний год-два опасно стало и на зеленый переходить. Идешь — он горит, а на тебя едут, едут себе на свой красный, внаглую, никаких правил уже вовсе не признавая. А зачем правила, когда постового нет, «мерседесы» с мигалками наперерез не движутся, а какого-то там пешехода можно и шугануть, пусть шарахнется — жить-то хотца небось!..

На моих глазах молодая дама с ребенком не выдержала и пульнула в наезжавший на нее джип детскими санками. Джип проехал несколько метров, остановился. Джиповодила вылез, осмотрел микроцарапинку от санок, после чего развернулся и поехал даму додавливать.

Та едва успела забежать в подъезд...

Интересно, правда? — хоть с гранатометом ходи...

Еще год назад на этом нашем перекрестке психотренинговая ситуация, когда тебя давят при переходе на зеленый, случалась раз, ну два в месяц.

Теперь — каждый день. Каждый час, минуту...

Вы поняли: это мое лирическое отступление от темы психиатрии. А может, вступление... Ну, поехали дальше.

ГИД — О нравственно-психологическом кризисе у нас говорят сегодня гораздо меньше, чем об экономических бедах. А между тем массовое явление — потеря людьми смысла жизни, невозможность найти опору для веры, источник оптимизма...

ВЛ — С этим явлением и ко мне, психотерапевту и психологу, люди обращаются от млада до стара, хотя чаще не напрямую, а через посредство какой-нибудь конкретной житейской проблемы, зависимости, депрессии...

— **Ни старые, ни молодые сегодня у нас не могут с собой разобраться, не понимают, как сказал первый и последний президент СССР, кто есть ху.**

Старые ценности разрушены, «новые» дискредитированы. Не отсюда ли и разгул преступности, наступление наркомании и душевных болезней?

Только за последнюю неделю я раз десять слышал от разных людей: «дурдом», »бардак», «страна дураков» — по поводу собственной родной и великой державы... Это еще в пределах, так сказать, нормативной лексики... Что же с нами происходит?

Всякий народ по-своему идиот

— Есть такое медицинское понятие — «история болезни». Если слова поменять местами, получится — «болезнь истории». Это как раз то, в чем мы живем. Начиная не с пресловутого семнадцатого августа и даже не семнадцатого года. Не в первый уже раз Россия переживает мучительное время идейного разброда, духовного опустошения и нравственного одичания. Смысловой кризис нации продолжается долгие века, хотя уже в несколько иной фазе, чем даже всего лишь года три-четыре назад.

— *Откуда он идет, этот кризис? Истоки?..*

— Если болеет человек, то, прежде чем поставить диагноз и определить средство лечения, врач изучает его наследственность. Социально-психологическая наследственность — как язык, на котором мы говорим — реальность, так или иначе проникающая в каждый дом и в каждую душу.

То, как чувствовали и мыслили наши ближние и дальние предки, то, как и чем они жили и дышали, — продолжается в нас, продолжается и развивается — в том числе и путем отрицания или видимого отрицания.

— *Значит, в нас живет до сих пор и татаро-монгольское иго, и петровские реформы, и пугачевский бунт, и крепостное право, и культ Сталина...*

— Ну конечно. Смотрю фильмы о предвоенных годах и чувствую, узнаю: все это во мне, все это я... А я тогда только-только родился или был лишь в проекте...

Крепостное право на Руси отменили всего полтора века назад, и во многих еще неосознанно живет раб, ждущий указаний и воли барина... Почти в каждом не изжит Берия, ежовщина... Расплачиваемся за то, что нас воспитывали «винтиками» социализма без ощущения самости и настоящей душевной ответственности.

Наблюдаю за своей маленькой дочкой — вижу, как многое из хамской нашей среды передается уже и ей, через воздух общения... История развития страны всегда сказывается непосредственно в каждом человеке.

— От нашей страны много лет шарахались, как от прокаженной — называли еще совсем недавно «империей зла», помните?.. И до сих пор это в немалой степени так... Больная нация среди здоровых?

— Ну нет, это не так. Я поездил по свету немало и скажу так: всякий народ по-своему идиот. И по-своему гений, и по-своему здоровая посредственность...

В историческом масштабе больна духовно вся человеческая семья, весь вид Гомо Сапиенс, и БОЛЕЗНЬ ИСТОРИИ пережила и переживает не одна только Россия.

Просто время у каждой страны для кризисов и обострений свое, и каждая страна их по-своему выражает.

Вспомним хотя бы Германию, ныне лишь только что выздоровевшую, да и то не совсем, от той страшной болезни, которая называется «нацизм» и «фашизм». Ведь эта страна чуть было не погубила себя со всем миром впридачу. Такие же периоды были у процветающей мирной Японии: серия войн, нападений, дикий кризис, кошмар Нагасаки и Хиросимы...

Даже в незыблемой, спокойной и сытой Швейцарии можно и сейчас найти свои болевые точки и чувствительные рубцы. А триста с небольшим лет назад — по исторической шкале времени очень недавно — в Швейцарии свирепствовала гражданская война и террор, издавались зверские указы, на каждом углу убивали людей...

Для каждого народа, как и для каждого человека, до чрезвычайности важно — досконально понять особенности своей исторической социально-душевной болезни.

Самопонимание — начало самоизлечивания.

Кто заразил нас шизофренией?

— Наша Россия, кажется, всю свою историю только и делает, что переходит из одного экстремального состояния в другое... Каков ваш диагноз?

— С медицинскими определениями будем поосторожней: тут могут быть лишь аналогии.

Любой человек, знакомый с нашей действительностью и сведущий в психиатрии, скажет уверенно: то, что происходит с Россией, напоминает одну из форм шизофрении — так называемую параноидную. Бред преследования, бред величия...

Обычно на более поздней стадии этой болезни наступает состояние шизофренического распада — расщепление психики, рассогласовка разных ее сторон. Общая неадекватность и непоследовательность поведения, до нелепости, эмоциональная тупость...

Нечто подобное ныне и наблюдается у нас в социальном масштабе. Активные бреды и мании уже миновали, но излечения общественной психики, ее ОЦЕЛЬНЕНИЯ, к сожалению, не произошло — наступила фаза разорванности, психической расчлененки, распада.

Хаос общественного сознания, кто во что горазд. Утрата критериев объективного мышления. По телевизору наблюдаем «диалоги глухих». Даже о погоде по одному каналу ТВ врут так, а по другому — иначе: одни обещают мороз и солнце, день чудесный, другие — тепло и дождь, а на самом деле — туман и слякоть...

Магистры мокрых наук

— Вы употребили слова «эмоциональная тупость» — это термин клинический?

— Да, это состояние, характерное для остаточного шизофренического дефекта.

— А нравственное одичание общества этому как-то родственно?.. Откуда у нас столько садистов, дегенератов, почему они так плодятся?..

Самое страшное, труднопостижимое — психология этих киллеров. Раскольников зарубил старушку, и его душевные муки достигли вселенских размеров. Сегодня это уже просто смешно. Каждый день теледикторы вяло-привычно сообщают о парочке очередных заказных убийств — то по бизнесовым разборкам, то в связи с очередной избирательной кампанией какого-нибудь губернатора. Исполнители заказа спокойно, цинично расстреливают своих жертв. И мы все к этому уже так же спокойно и цинично привыкли...

— Что выражает, кстати, и само слово «киллер». Ну почему не сказать по-русски — наемный палач, душегуб, убийца. Как будто боимся назвать злодея его настоящим именем. «Киллер» — словно бы бакалавр или профессор, магистр мокрых наук...

Недавно и в моем доме средь бела дня состоялось заказное убийство. Убийцы поджидали бизнесмена на лестничной площадке, заодно расправились и с невинными свидетелями — парой пенсионеров. До сих пор с содроганием хожу мимо этого места, хранящего следы крови...

— Как же выходит — что вот этот конкретный человек становится палачом, убивает другого человека за деньги?.. Какая здесь психология или психопатология — можете объяснить?

— Посидите вечерочек у телевизора и поймете. А в профессиональной своей практике я это наблюдаю, занимаясь психотерапией детей, подростков и юношей.

Вот один из примеров.

Что ведет человека к психологии пса?

Не так давно ко мне на прием пришел Андрей Н., без пяти минут этот самый киллер. С детства был слабый, сверстники били, унижали... Пробудилось мучительное желание утвердить себя. Подростком начал фанатично заниматься спортом, нарастил мускулы, стал здоровенным малым. Но чувство неполноценности и постоянной униженности, как обычно бывает в таких случаях, продолжало его преследовать и даже усилилось.

В армии по полной хлебнул дедовщины.

Вуз закончил, а работал банковским охранником.

Психологические потроха охранника — представьте себя чуть-чуть в этой шкуре... Стоишь каждый день по восемь—десять часов и тихо озвереваешь. Волей-неволей нарастает в тебе состояние сторожевого пса, так и хочется кого-нибудь разорвать на клочки...

Тысячи молодых здоровых парней и сильных мужчин оказались сегодня в этих собачьих шкурах, потому что больше им негде себя применить, заработать негде.

Первая же девушка, в которую Андрей влюбился, бросила его накануне свадьбы. Бросила из-за финансовой несостоятельности, в чем откровенно призналась. Предпочла кого-то деньгастого.

Пошлая, банальнейшая история — но представьте себе, как почувствовал себя этот парень с высшим образованием, сын профессора, оказавшегося в нищете...

Тут же Андрей припомнил, что один из его школьных приятелей живет на широкую ногу, ездит на иномарке, потому что обретается в одном из подразделений так называемой организованной преступности — в банде по угону автомобилей — и там уже не шестерка...

Приятеля разыскал, попросил пристроить.

Одним из первых испытаний была разборка с человеком, которого похитили для выколачивания долга. Долго преследовало изуродованное лицо «объекта»...

А следующим заданием должно было стать уже устранение конкурента, заказное убийство.

В это время Андрею попалась одна из моих книг.

Позвонил, попросился на прием.

Он находился как раз на грани, переступив которую обратно не возвращаются...

— *Вы приняли его сразу? Вне очереди?*

— Да, сразу. Сверх всякого расписания.

— *Он прямо сказал вам о причине своего обращения по телефону или вы догадались?..*

— По голосу почувствовал.

Слава Богу, удалось подхватить и вытащить. Мобилизовав всю силу убеждения и внушения, я объяснил ему — на языке, максимально приближенном к его уровню и понятиям, — что корень его ущербности, как и у множества других, — внутренняя несвобода: одномерная психологическая зависимость от оценок окружающих, от материального положения, от так называемого успеха, понимаемого не своим умом, а навязанными стереотипами.

Психология раба, психология пса.

Мы не просто вместе осознали этот его комплекс — но и нашли, что ему противопоставить. Парень пошёл учиться, освоил компьютер, увлекся, нашел нормальную работу. Заработок пока скромный, но теперь он по этому поводу не чувствует себя неполноценным.

И девушка новая появилась. Хорошая девушка...

Убийца с ликом апостола

— *Вы описали почти идиллическую историю спасения души. Неужели и в иных случаях могло бы быть так?.. Тот, кто убил Александра Меня, Владис-*

*лава Листьева, Галину Старовойтову, тоже мог бы
быть в свое время повернут на другую дорогу?*

— Не берусь утверждать. Но уверен, что в девяноста
пяти случаях из ста убийцами не рождаются, а становят-
ся. Рождаются ко всему способными. Ко всему.

— *А состоявшиеся киллеры, простите, убийцы,
к вам, случаем, не заглядывали?*

— Заглядывали. Но не в качестве пациентов...

— *Вы живы — визиты, значит, заканчивались
не в их пользу?*

— Как видите. Об этом подробнее как-нибудь потом...

Когда-то Ломброзо описал характерный преступный
типаж: низкий лоб, сильная челюсть, что-то от обезьяны...
Будучи физиономистом по долгу службы и изучая сегод-
няшние криминальные лица, я нахожу, что современный
преступник выглядит чаще всего как самый обычный
и даже с претензией на интеллект человек. Один из се-
рийных убийц, например, ликом — ну просто библейский
апостол. Этот нарастающий диссонанс говорит об очень
опасной фазе болезни истории...

Энергия заблуждения оплачивается по счетам

— *Страна может выздороветь? Вы в это верите?*

— Верю. Может. И верю не только по психотерапевти-
ческому долгу быть оптимистом. При всех потерях в качестве души и количестве интеллекта в стране еще много свежих здоровых сил.

— *Где они? Кто?..*

— Люди. Хорошие люди, добрые люди, живущие не
только ради себя. Люди, умеющие улыбаться. Люди тру-
дящиеся и детей растящие. И не только своих...

— *Чего же им не хватает, чтобы оздоровить
страну? Только не отвечайте, что денег.*

— Но денег на оздоровление страны действительно нет. Вернее, по анекдоту — есть-то они есть, да кто же их дасьть. Деньги и власть, как и прежде, в руках тех, кому на здоровье страны глубоко плевать, кому даже выгодно, чтобы люди были больными, ущербными... А вот виновны в таком положении как раз люди хорошие.

— *Это почему же?*

— Не хищник же виноват в том, что он хищник, и не дурак — в том, что дурак. Ежели ты врач и взялся лечить болезнь по своим рецептам, обещал больному здоровье, а ему все худшает, — ты виноват: не справился.

Ответственность взял — бери и вину.

— *Похоже, история катастрофически повторяется, и светлые силы у нас то и дело оказываются жертвами своей темноты...*

— Страстную веру без достаточных знаний и волю к действию с непредсказуемыми результатами Лев Толстой назвал «энергией заблуждения».

Эта энергия двигала декабристами, двигала народовольцами, убившими царя-освободителя. Эта энергия произвела революцию, потом год тридцать седьмой...

Хорошие люди в России — за редкими исключениями вроде Корсакова и Чехова — до сей поры были слишком наивны, порывисты, самоупоены, как токующие глухари, эмоции шли далеко впереди познания и расчета.

Теперь почти никого из них не видно и не слышно...

Блажен покой, когда, закрыв окно,
в ненастный день мы остаемся дома.
В ком нет металла, тем и суждено
пожаловать на склад металлолома,
тех гнут, и мнут, и плавят как хотят,
пока не отольют искомой формы.
О, сколько нас, уступчивых котят,
пошло на шапки за доступность корма...

Другие с детских лет входили в роль
Живущих Вроде, Якобы и Какбы,
неся себя как знамя и пароль,
дабы пройти сквозь строй абракадабры,
и научились, подавляя боль,
ругаться матом, кушать алкоголь,
пока самим себе не надоели...
Блатные васьки слушали да ели:
 «Умри сегодня ты, а завтра я», –
а в темноте неслышимо звенели
невидимые струны бытия...

Искусники элиты и богемы
ко мне приходят, как торговцы в храм,
неся свои расхристанные гены
и детский срам.

Все на виду: и судорога страха,
и стыд, как лихорадка на губе,
и горько-сладкая, как пережженный сахар,
любовь к себе.

О злоба змейская под маской лицедея,
о комплиментов ядовитый мед...
От зависти лысея и седея,
душа гниет.

Идут лечиться духомафиози –
из тех, кому приспичило позлей,
и душепроститутки – те, что в позе
учителей

не достигают полного оргазма.
Глаза у них молитвенно-пусты,
а речь проникновенно-безобразна.
У тошноты

семь степеней имеется в природе.
Я до шестой терпеть ее люблю,
а дальше, как червяк на бутерброде,
блюю...

Приходят записные вундеркинды
облаять власть, проблемки обсудить,
излиться всласть...

Решился хоть один бы
себя родить –
все в мире повернулось бы иначе,
заколосился бы духовный хлеб,
но моцарты сегодня души прячут
в могильный склеп,

и хоть мозги тончайшего помола
и гениально варит котелок,
потусторонний мир другого пола –
их потолок.

ВЕЧЕР ВЕКА (случай из многих)

Н.Н., бывший вундер и повар по хобби
(ему удавались котлеты и борщ)
ко мне приходил избавляться от фобий –
он лифта боялся и всяческих порч.
Был вежлив, подтянут и сух, как японец.
С поддержкой моей (гонорар – бутерброд)
от страхов избавился и от бессонниц,
а дальше наметился поворот...

Н.Н., биохимик, великий маэстро
кислот нуклеиновых эт сетера,
науку забросив, крестился и вместо
газеты молитву читает с утра.
Судьба обошлась с ним, пожалуй, не строже,
чем с преобладающим большинством:
жена надоела, любовницей брошен,
наука не кормит, проекты – на слом.
А жизнь коротка... В дополнение к нимбу
(расходы на женщин, детей и собак)

маэстро с приятелем делает фирму
и свой небольшой, но устойчивый банк.

Когда вещество торжествует над смыслом,
толкует маэстро, котлету жуя,
тогда и в соленом, и в сладком, и в кислом
единая горечь, и нет ни фуя.
Вот путь наш — стяжание духа святаго:
сперва попостись, а потом поговей.
Говядина есть несомненное благо,
но главное, благоговей...

Тот вечер, когда он сдался,
был Вечером Века.
Он знал, что в нем гибла библиотека
открытий, которых еще не сделали...

С котлетой покончив, и этим поступком
баланс обеспечив аминокислот,
маэстро к знакомым идет проституткам,
молитвы читает и псалмы поет.
А далее, выполнив все процедуры,
обряд завершив под изрядной балдой,
советует грешницам: »Дуры вы, дуры,
лечитесь от спида святою водой!»

Внезапно — цианистый калий... Оставил
записку:
    Ребята, я понял, как жить,
    но поздно. Простите.
    Задачу поставил.
Потомки, надеюсь, сумеют решить.

Чей дебил дебильнее — наш или американский?

— *Откуда у нас такая неадекватность, такое несоответствие желаемого и действительного? Почему не учитывается опыт исторических неудач, не накапливается здравый смысл?*

— Черчилль произнес как-то на этот счет: история учит только тому, что она ничему не учит.

Сказано обо всех народах.

— *Ну, а наша необучаемость, попахивающая патологией, не есть ли необучаемость в квадрате и в кубе?.. Откровенно — нация деградирует?*

— По некоторым показателям — по приросту процента олигофренов, алкоголиков, наркоманов — похоже, что да, увы, тенденция обозначилась. Но в целом утверждать это без обширной и многолетней многомерной статистики было бы несерьезно. Такой статистики у нас нет.

— *Ну а так, навскидку, на взгляд опытного многолетнего наблюдателя, каким являетесь вы?*

— Да и навскидку народ российский вовсе не состоит сплошь из шизофреников, алкашей или дебилов. Пропорция психопатизма на душу населения у нас остается в пределах средней общечеловеческой нормы — примерно такая же, как, скажем, во Франции.

«Свадебные песни наши похожи на вой похоронный»

— *А в чем особенность нашего национального психопатизма, его, так сказать, изюминка?*

— Российская общественная психопатология очень сильно укоренена на уровне межчеловеческих, межличностных отношений. Тут по множеству измерений давно плохо, преемственно плохо.

Еще первые западные путешественники в Московию отмечали, что жители этой страны — люди сильные, добрые, искренние, щедрые и веселые, но в то же время буйные и жестокие, непредсказуемые, неверные слову, и меж собою завистливы и недружны настолько, что к чужакам лучше относятся, чем к своим, ближним, родным.

С младых ногтей Россия живет в усобицах — старое это слово обозначает распри и тяжбы, разборки и войны именно между своими, недоверие и вражду вместо взаимовыручки и поддержки. Болезнь разобщенности, рассогласованности. Мы все давно в этом живем, все страдаем оттого, что в стране вот уж сколько веков никак не могут установиться если не искренние, то хотя бы культурные отношения между государством и населением, между сословиями, между национальностями, между дельцами, между продавцами и покупателями, между пешеходами и водителями, между политическими оппонентами, между полами, между соседями...

В социальной среде, особенно в больших городах, царит хамство. Агрессивность людей друг к другу, в определенной доле присущая всем народам и странам, у нас имеет варварские, брутальные формы, не уравновешиваемые системой общественных балансировок — культурой отношений. Всюду есть угнетение младших старшими, подчиненных — начальниками, но наша армейская дедовщина не имеет себе равных в мире.

Семейная жизнь пребывает в давнем кризисе, о котором еще Пушкин писал с горечью: «Несчастие в жизни семейной есть отличительная черта русского народа. Свадебные песни наши похожи на вой похоронный»...

— *Но почему же так, почему?..*

— Тяжкая судьба маргинала...

— *«Маргинал» — заглянем в словарь?..*

— Находящийся на границе между различными средами, обществами или мирами; находящийся на меже, на распутье, на грани, на переходе... Слишком широка страна моя родная. Слишком много в ней разнородных начал, не вошедших в гармонию, не оцельненных...

И вот поэтому-то, наверное, общественному организму нашему для пробуждения лучших его качеств нужны чрезвычайные положения, борьба не на жизнь, а на смерть. Здоровье и богатырская сила народа российского с наибольшим размахом проявлялись в отечественных народно-освободительных войнах, в авралах восстановления после разрух, под железной пятой психопатов-диктаторов... Труднее всего дается мирная, спокойная, нормальная жизнь, почему-то она неминуемо протухает. Дружить не «против», а «за» — не выходит...

Ген административной дебильности: старый совет профессионалам вранья

— *Как вам кажется, предстоят ли стране еще потрясения? Какова вероятность новых гражданских взрывов, переворотов?*

— Вероятность такая есть. Повышает ее наследственная для российских правителей и администрации болезнь: психологическая дебильность. Власть предержащие не понимают и не хотят понимать власть претерпящих и не находят нужным учитывать их состояние.

А одно из коварнейших свойств народа российского: выносливость и терпение, казалось бы, безграничные. Зато потом — год девятьсот пятый, год девятьсот семнадцатый... Когда будет вновь перейден предел, худо будет.

— *Самый страшный наследственный порок нашей власти — вранье. Солженицын еще при советской власти призвал народ «жить не по лжи»...*

— На свете еще не бывало власти, которая бы не врала. Но наша российская власть и врет топорно, врет глупо — как врала при царе, как врала при Сталине, при Хрущеве, при Брежневе, при Горбачеве, при Ельцине, так врет и сейчас — непрофессионально.

— *А в чем, позвольте узнать, заключается профессионализм в сфере вранья?*

— Не только в том, чтобы делать это с минимальным риском разоблачения, а на случай разоблачения заготавливать алиби. Главное правило сформулировано Макиавелли: «Государь, обманывай подданных ровно настолько, насколько они сами желают обманываться, но не более».

— *Ври в меру спроса, стало быть, но и только?.. А как вы думаете, величина желания народа быть обманутым, его масшабы с историческим развитием как-то меняются?*

— Медленно, но верно все общества помаленьку взрослеют. Эпохи дедов-морозов минуют, однако и взрослым тоже нужны сказки, нужны иллюзии...

Для развития главное — *возможность* знать правду, *доступность* истины. Для этого и предназначена демократия и свобода слова.

— *Насильно истиной не накормишь...*

— Никогда, никого и ни в коем случае.

— *Завершая основную тему нашей беседы — разрешите задать дурацкий вопрос. Говорят, дуракам везет и спокойно спится. А какому народу лучше живется — умному или глупому?..*

Будучи за границей, всюду я убеждался, что народ тамошний не умнее нашего, а, скорее, наоборот, и даже очень наоборот. Особенно это заметно как раз в самых богатых и благополучных странах: в США, Канаде, Швейцарии, Австралии...

Ей-богу, порой мне казалось, что основная масса населения там по уровню умственного развития приближается к учащимся наших вспомогательных школ — дебилам, олигофренам. Я преувеличиваю, конечно, но, право же, не намного...

Было жутко обидно: почему же эти самодовольные ограниченные тупари так хорошо устроены в экономическом и социальном плане, а наш талантливый народ с таким изобилием ярких индивидуальностей живет как дурак-бедняк?

В чем же тут фокус, разгадка парадокса?..

— Я сам над этим думаю постоянно. Ответа еще нет, есть только предположения... Видимо, построить эффективный, прочный, надежный социальный организм, как и хороший надежный дом, легче из незатейливых кирпичиков, чем из драгоценных камней разной формы.

— *Требуется гораздо больше труда и изобретательности для взаимной подгонки...*

— Вот-вот — и упомянутая болезнь нашей истории во многом связана именно с этими трудностями взаимоподгонки человеческих составляющих, со-единения единиц в со-общество. Если это удастся, а качество и разнообразие индивидуальностей не пострадают — получится потрясающий, небывалый человекодворец...

Прервемся на сладкой ноте мечты?..

Нам больше не на что пенять,
самих себя перехитрили.
Умом Россию не понять
без помощи психиатрии...

III

СКВОЗНЯК

главы из романа

Этот роман я писал урывками, по ночам, он был моею
отдушиной после работы с пациентами.
Полный текст нигде не публиковался.
Художественная реальность сама себя строила,
и я поражался, как свободно она включает в себя все,
что было и есть, что могло или может быть,
но ни в коем случае не позволяет себе быть просто
правдой, чтобы не умереть от пошлости.

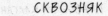

Колган

Нет человека, который (вне рамок своей профессии)
не был бы легковерным.
Х. Л. Борхес

Если вы обратили внимание на эпиграф, уважаемый читатель, то, возможно, заметили осторожные скобки, неуверенно помечающие в океане всеобщего легковерия островки, защищенные скалами знания или, скажем поосмотрительнее, рифами компетентности.

Я бы все же, пожалуй, скобки эти раскрыл и добавил: в своей профессии человек хоть и не легковерен, зато, как правило, суеверен. В литературе — особо.

Одно из проявлений суеверности — надоевшая всем игра в авторов и героев. Ходы ее, наперед известные и подчиненные маниакальной цели процедить сквозь вымысел нечто личное (убеждения, вожделения...), меня, в рамках моей врачебной профессии, раздражают.

Ну что ты там прячешься, — хочется прорычать автору, — ну вылазь, бреши напрямик! Наберись духу и возгласи, как Флобер: «Госпожа Бовари — это я»!

Разоблачайся, эксгибиционист, себе же во благо не затрудняй следствие. А если жаждешь непременно подсунуть Вечности свой портретик, делай это с умом.

Вы, наверное, знаете, досточтимый читатель, но на всякий случай напомню эту искусствоведческую сенсацию, для меня, правда, довольно сомнительную.

Якобы точными измерениями с применением фотоналожений и пр. установлено, что Джоконда являет собой изображение самого Леонардо, женскую его ипостась, один к одному. И вот почему будто бы он не хотел ее никому отдавать, ни за какие вознаграждения...

> Анонс!.. Читатели визжат,
> скрипят критические крючья,
> помоев теплится ушат,
> урчит науки пасть паучья,
> готовая переварить
> и выплюнуть остатки драмы,
> и зуд свой удовлетворить
> спешат седые нострадамы...
> Герой и автор налегке
> опохмелиться поспешают
> к той самой медленной реке.
> Но лодки нет... Соображают:
> Харон отправился в запой,
> а книга превратилась в чтиво.
> Все, все сметается слепой
> предвечной силой примитива...

Итак, уславливаемся. Я, до нитки знакомый ваш автор, чтобы не суетиться, беру на вооружение до изнеможения бородатый литературный прием: роль Публикатора. Представляю вам выдержки из некоего архива. Толстенная папка, набитая рукописями. Проза, стихи, письма, всевозможные документы...

Без начала и конца, беспорядочно, не всюду разборчиво... Вы, читатель, чтобы не затрудняться, внушаете себе, что все это правда истинная, и понимаете, что по условию игры хозяина архива в живых быть не может.

Наследников-правообладателей тоже нет. Папку мне, человеку литературно опытному, передал для обработки и публикации друг покойного, доктор Павлов, оговорив себе право выборочного изъятия и комментирования. Редкое везение — цензор-помощник.

Ну вот, собственно, и все, роман начат, процесс, как говорится, пошел. Кстати, кусочек стихотворения, приведенного выше — насчет визга, крючьев, помоев, запоев и их научного обоснования — взят из этой вот папки, и можно уже назвать имя ее настоящего, *уже настоящего* заполнителя.

Антон Юрьевич Лялин. Врач, психолог, писатель, ученый, поэт, музыкант... Он самый, вы уже вспомнили. Я его знал давно — психотерапевты и психиатры в некотором смысле все из одной деревни; мы даже одно время дружили и сотрудничали; кое-какие плоды нашего сотворчества просочились в мои книги, Антон Юрьевич был в них закамуфлирован под фамилией Кстонов, пришлось для правдоподобия этой странноватой фамилии сочинить небольшую легенду...

Внешность и здесь оставим ему все ту же, без выпендрясов: 176/69 — конституция, как выражаются собаководы, сухая и крепкая, лысоватый шатен, глаза цвета темно-бутылочного, лицо неприметное, но с богатой мимикой — типаж, ценимый нынешними режиссерами за пригодность практически для любых ролей.

Да, Антон Лялин — персона довольно известная: автор нескольких знаменитых книжек, как-то: «Молнии мозговых миров», «113 правил для утопающих», «0:0 в нашу пользу» (руководство по рукоприкладству для суперменов), «Самоучитель игры на нервах для самых маленьких») и т. д. — вы узнаете, да?

Дальнейшее просто. По праву Публикатора я привожу из лялинского архива разные материалы, иногда комментируя их вместе с доктором Павловым.

Этот вот стих в папке был чем-то вроде послесловия к мемуарному отрывку, далее следующему. Мне показалось, что лучше сделать его вступлением.

> *Кто уверил тебя, что память –*
> *собственность головного мозга?*
> *Вот картина – достать, обрамить.*
> *Кинопленка – пока не поздно,*
> *уничтожить, забыть... Ошибка.*
> *Память – это учреждение,*
> *создающее жизнь. Все зыбко,*
> *только память тверда. Рождение*
> *производится памятью. Снами*
> *вечность пишет свой многотомник.*
> *Смерти нет. Только жизнь и память,*
> *только память и жизнь, запомни.*
> *Наслаждаясь земною пищей,*
> *на портрет в орденах и румянах*
> *не надейся. Тебя отыщут,*
> *в одеялах твоих безымянных*
> *обнаружат остатки спермы,*
> *оживят засохшие гены.*
> *Ты проснешься. Сосуды, нервы,*
> *словно школьники с перемены,*
> *побегут на урок...*

Куинбус флестерин

— Мир не тесен — дорожки узкие, вот и встретились. Коллеги, значит. На третьем? Придешь ко мне практикантом. Гаудеамус!..

Психиатр из нашего мединститута. Вот уж не помышлял о знакомстве, да еще в питейном заведении, в этой стоячей рюмочной...

— Мечтал хирургом, да куда однолапому. Пришлось — где языком работают... Зато клиника наша всюду... Вон приятель с подбитым носом, видишь? Из депрессии вылазит посредством белой горячки. Через месячишко пожалует ко мне в буйное...

«Куинбус Флестрин, — вспомнилось из любимого «Гулливера». — Куинбус Флестрин, Человек-Гора».

— Там буду в халате, «вы» и «Борис Петрович Калган». Здесь — «ты» и «Боб», покороче.

— У нас во дворе кричали: как дам по калгану!

— Во-во, голова как котелок, голая — вот такая. А еще цветок, корень вроде жень-шеня, ото всех хворей. Батя, сапожник рязанский, болтал, поддамши, будто предки наши калгановый секрет знали, знахарствовали... Бокс ты вовремя бросил — мозги нокаутами не вставишь, а потерять пару извилин можно...

Как он узнал, что я занимался боксом?..

Правая рука этого громадного человека была ампутирована целиком, левая нога — от колена. Протез. Костыль. На лысом черепе вмятины, вместо правого глаза шрам. Голос низкий, золотистого тембра.

Через пару секунд я перестал замечать, что у Боба один глаз. Выпуклый, то серо-сиреневый, то карминно-оранжевый, глаз был чрезвычайно подвижен; не помню, чтобы хоть одно выражение повторилось.

В пространстве вокруг лучился мощный и ровный жар, будто топилась невидимая печь, и столь ощущалось, что серьезность и юмор не разграничиваются, что хотелось наглеть...

— Обаяние, — предупредил он, стрельнув глазом в рюмку. — Не поддавайся. А ты зачем сюда, а, коллега? Я тебя приметил. Зачем?..

— Ну... Затем же, зачем и...

— Я? Не угадал. Научная, брат, работа. По совместительству. Сегодня, кстати, дата одна... Это только глухим и слепым кажется, что за одним все сюда ходят. Этот, сзади, через стойку от нас — завсегдатай — знаешь, какой поэт!.. Помолчи, вслушайся... Голос выше других...

И вправду — над пьяным галдежом взлетали, как ласточки, теноровые рулады, полоскались у потолка, вязли в сизой какофонии: «...тут еще Семипядьев повадился... Художник, он всегда ко мне ходит. Ну знаешь, во-во, распятия и сперматозоиды на каждой картинке... Да видал я их выставки, подтереться нечем... Слушай, говорю, Семипядьев, поедем вместе в сожаление, ночной курорт на полпути в одно мое стихотворение, не помню, господи прости... Не одобряю, когда при мне ходят в обнимку со своей исключительностью, сам ею обладаю и другим не советую. Опять сперматозоидов своих притащил, а я ему, как всегда: а пошел ты, говорю... Мне, говорю, на твой секс-реализм... Ты послушай, говорю — резво, лазорево, розово резали зеркало озера весла, плескаясь в блеске... руны, буруны, бурлески... Убери от меня свою исключительность, я свою-то не знаю куда девать...»

— Слыхал? Экспромтами сыплет. Все врет, не ходит к нему никто...

— Он — ты что ж, Мася, лажаешь гения, история не простит. А я ему: а пошел, пошел со своей гениальностью, история, говорю, и не такое прощала...

— А ты фортепиано не забывай, виртуоз...

А это откуда?.. Как догадался, что я пианист?..

— Борис Петрович...

— Здесь Боб. Можно и БэПэ для почтительности.

— Боб... Если честно, БэПэ... Боб... Мне не совсем понятно... Есть многое на свете, друг Горацио...

— Не допивай. Оставь это дело.

— С-слушаюсь. Повинуюсь. Но если честно, Боб... Я могу, Боб. Силу воли имею. Гипнозу не поддаюсь. Могу сам гы...ипнотизнуть.

— Эк куда, эрудит. Сказал бы лучше, что живешь в коммуналке, отца слабо помнишь.

— Точно так, ваше благородие, у меня это на морде написано, психиатр видит насквозь... Но если честно, БэПэ, если честно... Я вас — с первого взгляда... Дорогой Фуинбус Клестринович... Извини, отец...

— Ну все, марш домой, медикус. Хватит. Таких, как ты, я отсюда за шкирку — и...

Человек-Гора вдруг прервался и посерел.

Пошатнулся.

— Доведи, — ткнул в бок кто-то опытный. — Отрубается.

...*Полутьма арбатского переулка, первый этаж некоего клоповника...*

Перевалившись через порог, БэПэ сразу потвердел, нашарил лампу, зажег, как-то оказался без протеза и рухнул на пол возле диванчика.

Костыль прильнул сбоку.

Я опустился на колено, попытался Боба поднять.

Никак — жутко тяжелый.

— Оставь меня так... Все в порядке... Посплю... Приходи, когда хочешь... Любую книгу... В любое время... Потом следующую...

Выпорхнуло седоватое облачко – глаз закрылся.

Светильник с зеленым абажуром на самодельном столике, заваленном книгами... Книги, сплошные книги, ничего, кроме книг: хребты, отроги, утесы на голом полу, острова, облака, уже где-то под потолком... Купол лба, мерно вздымающийся на всплывах дыхания... Что-то еще кроме книг... Стремянка... Телевизор первого выпуска с запыленной линзой... Облупленная двухпудовая гиря... Старенький метроном...

И сквозняк откуда-то. Непонятный сквозняк.

Мстительная физиология напомнила о себе сразу с двух сторон. В одном из межкнижных фьордов обнаружил проход в кухоньку.

На обратном пути произвел обвал: обрушилась скала фолиантов, завалила проход. Защекотало в носу, посыпалось что-то дальше, застучал метроном...

«Теория вероятностей»... Какой-то арабский трактат? — знаковая ткань, змеисто-летучая, гипнотизирующая... (Потом выяснил: Авиценна. «Трактат о любви».) «Теория излучений». Да-а... И он, который в отключке там, все это читает?.. На всех языках?..

У диванчика обнаружил последствие лавины; новый полуостров. Листанул — ноты: «Весна священная» Стравинского... Инвенции Баха... Соната Моцарта... А это что такое в сторонке, серенькое?..

«Здоровье и красота. Система совершенного физического развития доктора Мюллера».

С картинками, любопытно. Ух ты, какие трицепсы у мужика... Вот это и почитаем. Возьму домой.

На цыпочках подошел к лежащей громадине.

— Борис Петрович... БэПэ... Я пошел... Вы меня слышите?.. Я приду. Я приду к тебе, Боб...

Два больших профиля на полу: страдальческий, изуродованный — и безмятежный, светящийся — раздвинулись и слились. Сквозняк прекратился.

...Утром спешу на экзамен по патанатомии, лихорадочно дописываю шпаргалки... Шнурок на ботинке на три узла, была-а-а бы только тройка... Полотенце на пять узлов, это программа максимум... Ножницы на пол, ложку под шкаф, в карман два окурка, огрызок яблока, таблетку элениума, три раза через левое плечо, ну и все, мам, я бегу, ни пуха ни пера, к черту, по деревяшке...

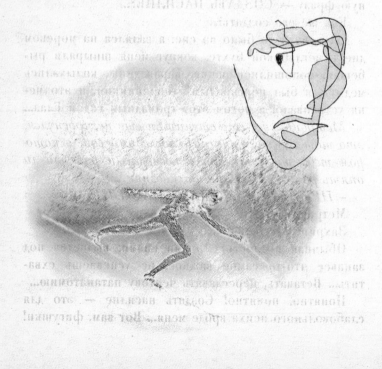

*В*озврат удивления

...как же узнать... откуда я... кто я... где на-
хожусь... куда дальше... зачем... колыхаюсь в теп-
ловатой водице... света не нужно... я давно уже
здесь, и что за проблема, меня просто нет, я не хо-
чу быть, не хочу, не надо, зачем – ПРИДЕТСЯ
СОЗДАТЬ НАСИЛИЕ – застучал метроном...

Я проснулся, не открывая еще глаз, исподтишка
вслушался. Нет, не будильник, с этим старым идио-
том я свел счеты два сна назад, он умолк навеки,
а стучит метроном в темпе модерато, стучит именно
так, как стучал...

Где? И кто это произнес надо мной такую неудобную фразу — СОЗДАТЬ НАСИЛИЕ?..

Как же его создать?..

...А-а, вот что было во сне: я валялся на морском
дне в неглубокой бухте, вокруг меня шныряли ры-
бешки, копошились рачки, каракатицы, колыхались
медузы, я был перезрелым утопленником, и это меня устраивало; а потом этот громадный седой Глаз...

Метроном все еще стучит, я еще не проснулся,
это тот самый дурацкий последний сон, в кото-
ром тебя то ли будят в несчетный раз, то ли
опять рожают ... Опять сквозняк...

– ПРИДЕТСЯ СОЗДАТЬ НАСИЛИЕ...

Метроном смолк.

Захрипел будильник.

Обычная подлость с этими снами: выдается под
занавес что-то самое важное, не успеваешь схватить... Вставать, пересдавать чертову патанатомию...

Понятно, понятно! Создать насилие — это для
слабовольного психа вроде меня... Вот вам, фигушки!

Прибор для измерения ограниченности

(...) Не все сразу, мой мальчик, ты не готов еще: тебе НЕЧЕМ видеть...

Мы встретились для осуществления жизни. Важно ли, кто есть кто. Мимолетностью мир творится и пишутся письма. Потихоньку веду историю твоей болезни, потом отдам, чтобы смог вглядеться в свое пространство.

Болезнь есть почерк жизни, способ движения, как видишь и на моем наглядном пособии. Будешь, как и я, мучиться тайной страдания, благо ли зло — не вычислишь. Цельнобытие даст ответ, полный ответ, но будет ли чем услышать?..

Я уже близок к своему маленькому итогу, и что же?.. Для уразумения потребовалось осиротение, две клинические смерти и сверх того множество мелочей. Не скрытничаю, но мой урок благодарности дан только мне, а для тебя пока абстракция...

Разум — только прибор для измерения собственной ограниченности, но как мало умеющих пользоваться... Посему занимаемся пока очистительными процедурами (...)

Из записей Бориса Калгана

Человека, вернувшего мне удивление, я слушал и озирал с восторгом, но при этом почти не видел, не слышал, почти не воспринимал...

Однорукости не заметил отчасти из-за величины его длани, которой с избытком хватило бы на двоих; но главное — из-за непринужденности, с какой совершались двуручные, по идее, действия.

Пробки из бутылок Борис Калган вышибал ударом дна о плечо. Спички, подбрасывая коробок, зажигал на лету, почти даже не глядя.

Писал стремительно, связнолетящими, как олимпийские бегуны, словами. (*Сейчас, рассматривая этот почерк, нахожу в нем признаки тремора.*)

Как бы независимо от могучего массива кисти струились пальцы двойной длины, без растительности, с голубоватой кожей; они бывали похожи то на пучок антенн, то на щупальца осьминога; казалось, что их не пять, а гораздо больше.

Сам стриг себе ногти. Я этот цирковой номер однажды увидел. Не удержался:

— Боб, ты левша, да?

— Спросил бы полегче, артист. Ты тоже однорукий и одноглазый, только этого не замечаешь. Вопрос на засыпку: гением хочешь стать?

— ?..

— Припаяй правую руку к заднице, доразовьется другая половина мозгов.

Рекомендацию сию я оценил как неудачную шутку, и зря. Потом сам многим то же советовал.

...Конурка Калгана была книгочейским клубом. Тусовался разношерстный народ: стар и млад, физики, шизики, алкаши, студенты, профессора. Кто пациент, кто стукач... *И всегда сквозило.*

Я обычно бывал самым поздним гостем. Рылся в книгах, читал. Боб, как и я, был «совой», спал очень мало; случалось, ночи напролет что-то строчил.

— Что пишешь, Боб? — обнаглел я однажды.

— Истории болезни. Твою в том числе. И свою.

Любопытствовать далее я не посмел.

Летающая бутылка

....Углубившись в систему Мюллера, я возликовал: то, что надо! Солнце, воздух, вода, физические упражнения. Никаких излишеств, строгий режим. Какой я дурак, что забросил спорт, с такими-то данными!.. Ничего, наверстаем!.. Уже на второй день занятий почувствовал себя сказочным богатырем.

Восходил буйный май. В парк — бегом! — в упоение ошалелых цветов, в сказку мускулистой земли!..

— Аве, Цезарь, император, моритури те салютант! — приветственно прорычал Боб.

Он воздымался, опершись на костыль, меж двух хануриков, на углу, неподалеку от того заведения, где мы познакомились.

— Браво, Антоха! Как самочувствие?

— Во! — на ходу, дыхания не сбивая. — А ты?..

— А я Царь Вселенной, Гробонапал Стотридцатьвторой, Жизнь, Здоровье, Сила. Не отвлекайся!..

Прошла первая неделя триумфа. Пошла вторая.

И вот как-то под вечер, во время одного из упражнений, которые делал как по священному писанию, ни на йоту не отступая, — почувствовал: что-то во мне возмущается... что-то не помещается...

Что-то смещается... Все. Больше не могу.

— БОЛЬШЕ НЕ МОГУ?.. А ГДЕ СИЛА ВОЛИ?!..

...Тьфу! Вот же что отвлекает! — этот бренчащий звук с улицы, эта гитара. Как мерзко, как низко жить на втором этаже!.. Ну?.. Кого же там принесло?..

В окно тихо вплывает Летающая Бутылка.

Винтообразно вращаясь, совершает мягкую посадку прямо на мой гимнастический коврик — и, сделав два оборота в положении на боку, — замирает.

Четвертинка. Пустая.

Так филигранно ее вбросить могла только вдохновенная рука, и я уже знал, чья...

— Лю-юк, привэээ! — послышался знакомый козлитон. — Кинь обратно, поймаю!.. Хва-а зубрить, пшшли лака-ать... Лю-юк!

Люк — это я, Антон Лялин, одна из моих старых дворовых кличек, не самая худшая. Козлитон, мастер вбрасывания стеклопосуды — Серега Макагонов по кличке Макак, он же Серый, он же Глиста Гондонная (это уже была не просто кликуха, а индивидуальная мордобойная провокация) — наш великий прикольщик и гитарист, тощий, прыщавый, длинный и ломкий как солитер, с девятого класса уже алкаш.

Под козлячий гогот я высунулся.

Наигрывая и приплясывая, внизу стояла компашка моих приятелей с двумя кисками, одну из которых я уже однажды примял пару раз, но потом она напрочь залегла под Каптелу, здоровущего хрипатого бугая, и он тоже был тут.

— Давай, Люк, слышь. Выхиливай. Не хватает.

— Чё не хватает?

— Чё, чё! Башлей и тебя-а-ага-га-а-а...

(Башли — по-тогдашнему деньги, сейчас это слово употребляется редко, бабки вместо него.)

— Ну ша, ладно...

Мама была на вечерней смене (она у меня авиадиспетчер), поэтому пришлось самовольно вскрыть ее припасной кошелек, положив привычную записку: МАМ, ВЗЯЛ ДО СТИПЕНДИИ — и с терпким чувством осознанной необходимости отправиться в маленький, а может быть, и большой запой.

Извините, герр Мюллер...

От хороших книг жизнь осложняется

...На восьмой день вышеозначенного мероприятия, прихватив «Систему Мюллера» и кое-что на последние, я потащился к Бобу.

Обложенный фолиантами, он сидел на своем диванчике. Пачки из-под «Беломора» кругом.

— Погоди чуток... (Я первым делом хотел вытащить подкрепление.) Садись, отдохни... Горим, да? Финансы поют романсы?

— Угу...

Я неловко присел, обвалив несколько книг.

— Покойник перед смертью потел?

— Потел.

— Это хорошо. На что жалуется?

— Скучища.

Боб поднял на меня свой фонарный глаз, задержал — и я почувствовал во лбу горячее уплотнение, словно вспух волдырь.

— Не в коня корм? Желаем и рыбку съесть, и на ... сесть, а?..

— Ну почему... Небольшой загул, отход от программы. Неужели нормальному парню нельзя...

— Нормальных нет, коллега, пора эту пошлость из мозгов вывинтить. Разные степени временной приспособленности. Возьми шефа. (*Речь шла о ныне покойном профессоре Верещанникове.*) Шестьдесят восемь, выглядит на сорок пять, дымит крепкие, редко бывает трезвым. Расстройства настроения колоссальные. Если б клиникой не заведовал, вломали бы психопатию, не меньше. Ярко выраженный гипоманьяк, но суть тонуса усматривает не в этом.

— А в чем?

— Секрет Полишинеля. Ну, выставляй, что у тебя. Я выставил.

— Погоди... ТЫ МЕНЯ УВАЖАЕШЬ?.. Серьезно.

— Ну разуме...

— БэПэ Калган для тебя, значит, авторитет?

— Разуме...

— А зачем БэПэ пить с тобой эту дрянь?

— Ну...

— Этому покалеченному облезлому псу уже нечего терять, он одинок и устал от жизни. Что ему еще делать на этом свете, кроме как трепать языком, изображая наставника. Алкашей пользует, ну и сам... Примерно так, да?

— ...

— Будь добр, подойди вон к тому пригорку... Лихтенберг, «Афоризмы», в бело-голубом супере. Открой страницу 188. Первые три строки сверху. Прочти вслух. И погромче, БэПэ плохо слышит.

— КНИГА ОКАЗАЛА ВЛИЯНИЕ, ОБЫЧНОЕ ДЛЯ ХОРОШИХ КНИГ: ГЛУПЫЕ СТАЛИ ГЛУПЕЕ, УМНЫЕ УМНЕЕ, А ТЫСЯЧИ ПРОЧИХ НИ В ЧЕМ НЕ ИЗМЕНИЛИСЬ.

— Замечено, а? *(Голос понизил.)* А ведь это всерьез и для всех времен, для всего. И речь именно о хороших, заметь. Скажи, если это верно — а это верно, — какой смысл писать хорошие книги?..

— Если верно... Пожалуй, что никакого.

— С другой стороны: книги вроде бы и пишутся для того, чтобы глупые люди умнели хоть чуточку, а прочие изменялись. А?..

— Вроде бы для того.

— Дураки, для поумнения коих предназначены книги, от книг дуреют. Значит, дураки их и пишут?

— Логично, Боб, дураки. Ну, давай за них...

— Погоди. Умные — мы о них забыли. От хорошей книги умный умнеет. Это что-нибудь значит?

— Умнеет, значит. Все больше умнеет.

— А дураки все дуреют, все глубже дуреют. От хороших книг, стало быть, между умными и дураками все более увеличивается дистанция — так или нет?

— Выходит, что так, — промямлил я, уставясь на бутылку. Дистанция между мной и ею увеличивалась уже нестерпимо.

— Какой вывод?..

— От хороших книг жизнь осложняется.

— Емко мыслишь. Напишем с тобой вместе книгу «Как понимать дураков»?

— Да их нечего понимать.

— Ну ты просто гений, нобелевскую за такое. Теперь пора. Выпьем за дураков. Согласен?.. По-дурацки и выпьем. Возьми-ка, друг, сосуд счастья обеими лапками. Теперь встань. Смирно. Вольно. А теперь вылей. В Ы Л Е Й!

От внезапного громового рыка я едва не упал.

— Кр-р-ругом марш! В сортир-р-р! По назначению! Без промежуточной инстанции!.. Подержи немного вверх дном... За здравие дураков. Спускай воду. Брависсимо! Доброй ночи....

Никогда больше не видел у него дома спиртного.

Позже некто Забытыч, тоже фронтовой инвалид, рассказал мне, что Боба пьяным не видывали и в той завсегдайской рюмочной. Затмения, случавшиеся с ним, имели другую природу. Батя-Боб, объяснил Забытыч, держал разговоры, а к разговору штой-то должно быть промеж людёв, к чему прикладаться, ну?

О пошлости, она же инфекция обыкновенности

(...) Стыдно мне обращаться с тобой как со щенком, в эти моменты обнажается и моя слабость, но что же еще придумать?

Твое духовное тело еще не образовалось, а мое физическое уже не дает времени для размышлений. Иногда кажется, что у тебя вовсе нет кожи. Ты уже почти алкоголик... Болезнь выглядит как инфекция обыкновенности — пошлость, говоря проще; но язва глубже... (...)

Из записей Бориса Калгана

Космическое неудобство

— Винегрет в голове, бессмыслица. Не учеба, а мертвечина. Ну зачем, зачем, например, все эти мелкие кости стопы?.. *(Я осекся, но глаз Боба одобрительно потеплел.)* На пятке засыпался, представляешь? Все эти бороздки, бугорки, связки и все полатыни!.. Я бы стал педиатром или нейрохирургом, а ортопедом не буду. За одно медбратское дежурство узнал больше, чем за весь курс. А еще эта кретинская политэкономия, а еще...

— Выкладывай, выкладывай, протестант.

— Девяносто девять процентов ненужного! Стрелять надо за такое образование!..

— Подтверждаю. Шибильный кризис.

— Чего-чего?..

— Говорю: каким чудом еще появляются людики, что-то знающие и умеющие?.. Извини, антракт...

(Проплыл, как ледокол, сквозь книжный архипелаг. Туда и обратно. Под сквозняком.)

— Вон сколько насобирал консервов. (*Желтый глаз Боба бешено запрыгал с книги на книгу.*)

— Иногда думаю: а что, если это финальный матч на первенство вселенной между командой ангелов и бандой чертей?.. А может быть, хроника маленького космического сумасшедшего дома?.. Как еще можно понять судьбу нашей планетки?..

Почти все в этой библиотечке неупотребительно, почти все лишено ДЛЯ ТЕБЯ смысла. А я здесь живу, как видишь...

И для меня это храм, хоть и знаю, что все это понатворили такие же олухи, как и я. Все, что ты видишь здесь, на всех языках — люди, всего-навсего смертные, надеющиеся, что их кто-нибудь оживит. (*Длительное молчание.*)

— Вот о чем повезло догадаться... Если только нашел личный подход, смысл открывается. Меня это спасло...

Боб закрыл глаз... И тут я почувствовал какими-то внутренними мурашками меж лопаток, что он в этот миг вспоминает войну, о которой не говорил со мной никогда. Смысл только что сказанного оставался темным, но телепатия не обманула — Боб заговорил о себе — тихо, почти шепотом, словно продолжая рассказ, давно начатый...

— Пока не хватало документов, пришлось наняться уборщиком в общественный туалет. Одновременно учился. Мозги были еще не на месте, пришиб сгоряча одного, который писал на стене свои позывные. Мне этот фольклор отскребать приходилось... Может, тебе интересно узнать, как я выучил анатомию?

— Как?

— Вошел в образ боженьки. Тот — настоящий, *там* — такую игру любит...

...Вот, просыпаюсь, значит, однажды на облачке, блаженно потягиваюсь. Чувствую — что-то не то, дискомфорт. Вспоминаю: кого-то у меня не хватает на одном дальнем шарике. А вот на каком и кого — вспомнить, хоть убей, не могу. Повелеваю Гавриилу Архангелу: труби срочно, созывай совет ангелов.

Затрубил Гаврила. Не прошло и ста тысяч лет, как собрались. Предстаю во всемогуществе, молнией потрясаю. «Кого у нас не хватает на шарике... Этом, как его...» — «На З-земле...» — подсказывает змеиный голосок. — «Цыц! Кто мешает думать? На Земле моей голубой, спрашиваю, кого не хватает?» — «Всех хватает, Отче святый! Все прекрасно и благолепно! Солнышко светит, цветочки благоухают, зверюшки резвятся, птички поют — вечная тебе слава». — «Вы мне мозги не пудрите, овечки крылатые, а то всех к чертовой бабушке... Кого еще, спрашиваю, недосотворили? А ну дать сюда отчетную ведомость!»

Тут один, с крылышками потемней, низко кланяется, ухмыляется. «Человека собирался ты сотворить, Боже, на планете Земля, из обезьяны одной недоделанной, по образу своему и подобию. Но я лично не советовал бы». — «Что-о?! Мой образ и подобие тебя не устраивают?..» — «Не то я хотел сказать, Святый Отче, наоборот. Образ твой и подобие хороши до непостижимости. А вот обезьяна — материал неподходящий». — «Ка-а-ак!!! Обезьяна, лично мной сотворенная и подписанная — не подходящая?! Я, значит, по-твоему, халтурщик?! Лишаю слова, молчать, а то молнией промеж рог. Развели демагогию...

Пасть всем ниц, слушать мою команду!
(Голос Боба уже гремел, усиливая сквозняк.)
Да будет на Земле — Человек!

А тебя, Сатана, в наказание за богохульство назначаю руководителем проекта. Сам наберешь сотрудников. Даю вашей шарашке на это дело два миллиона лет, после чего представить на мое рассмотрение. Совет объявляю закрытым. Труби, Гаврила!»

...Просыпаюсь снова от какого-то космического неудобства. Смотрю — под облачную мою перину подсунута книга «Анатомия человека». На обложке отпечаток копыта. Понятно, проект готов.

Что ж, поглядим, насколько этот рогатый скот исказил мой вдохновенный замысел. Ну вот, первый ляп: хвост приделать забыл. Важнейшая часть тела, выражающая благоговение...

Ладно, черт с ним. Ну вот это, пожалуй, сойдет, передние лапы такие же, как у макаки, я это уже подписывал... Проверить, не напортачили ли с запястьем, а то будет потом жаловаться, что на четвереньках ходить удобнее. А почему так ограничена подвижность пальцев ноги?.. Вены прямой кишки при напряжениях будут выпадать — черт с ним, перебьется, да будет у каждого пятого геморрой.

А это что за довесок? В моем образе и подобии этого нет. Однако же у макаки...

Вот и мозги, уйма лишних, с ума сойти можно. Сколько извилин, зачем? Чтобы во мне сомневался? Добро же, пускай сходит с ума. Да будет височная доля горнилом галлюцинаций, да будет каждый шестой психопатом, каждый десятый шизиком, каждый второй невротиком, алкашей по надобности...

Маленькое резюме: анатомии нет, есть человек. А у человека — например, кости стопы...

БэПэ схватил свой протез и, уставившись на него, выпалил два десятка латинских названий.

Сценки из психопрактики

Вечерний обход с БэПэ на дежурстве в клинике, отделение беспокойное женское.

— *Эй, пирожок моржовый, куда пришел? Просверли лампочку.*

— **Избегнуть мешать тайным системам....**

— Вы Финляндия, да? Вы Финляндия?.. Огромная толстуха с растрепанными волосами вдруг подскочила, ухватила меня за шиворот и приподняла, как котенка.

— Вы Финляндия? Прекратить наркоз.

— Норвегия, деточка, он. — Доктор Борис Петрович Калган, он же БэПэ, он же Боб ласково обернулся. — Пожалуйста, отпусти.

Богатырша эта была преподавательницей в вузе, без очевидных причин вдруг стала слышать некие голоса... После слов Боба мгновенно обмякла, и я чуть не упал.

С коек неслись реплики одна другой веселее:

— Мальчик, покажи пальчик... Покажи пальчик, парнишка...

— **Избегнуть мешать тайным системам....**

— Ой-ей-еоооой, меня дьявол трахает, дьявол трахает, дьявол трахает!..

Сотни раз потом подтверждалось и в моей практике, что беспокойные женщины значительно беспокойнее беспокойных мужчин.

Курс психиатрии мы должны были проходить на пятом году, а с Бобом я начал его на третьем.

Кроме дежурств в клинике — амбулаторный прием, на котором Боб не позволял мне до времени вставить ни словечка, только смотреть и слушать.

Учебное чтение — в основном по старым пособиям, где больше всего живых описаний.

Боб научил меня радоваться моему невежеству жадной радостью, с какой выздоравливающий обнаруживает у себя аппетит.

Иногда устраивал что-то вроде зачетов.

— А ну: ступени врожденного слабоумия в нисходящем порядке.

— Дебил... Имбецил... Идиот...

— Умница. А кретина куда девать?

— Хм... Между дебилом и имбецилом.

— А куда потерял морона?..

— Морон?.. В учебнике нет.

— Дуракус обыкновенус. Между дебилом и нормой. Необычайно везуч. Назови свойства дебила.

— Память бывает хорошей. Способен ко многим навыкам. Может быть и злобным и добродушным. К обобщениям неспособен. Логика в зачаточном состоянии. Повышенно внушаем. Слабый самоконтроль... («*Автопортрет*», – *сказал внутренний голос, но очень тихо.*)

— Как воспринимает нормального человека?

— М-м-м... Как высшее существо.

— Не попал, двойка. Дебил тебе не собака. Нормальных держит за таких же, как он сам, только начальников или подчиненных.

— Ага... Ясно.

— Теперь назови три ступени умственной ограниченности здоровых людей в восходящем порядке.

— М-м-м...

— Не трудись вспоминать, в учебниках нет.

— Примитив...

— Другая шкала, не путай. Примитив — человек с относительно низким культурно-образовательным уровнем. Может быть гением.

— Бездарь... Тупарь... Бестолочь...

— На какое место претендует коллега?

— Вопрос не по программе.

— Тогда еще три ступени.

— ...Серость... Недалекость... Посредственность...

— Пять с плюсом. Как полагаете, коллега, существуют ли индивидуумы без ограниченности?.. Имеют ли они, я хотел спросить, право на существование?..

Урожай беседы был скромен: трагедия дурака не в глупости, а в притязании на ум. Легче признать в себе недостаток совести, чем недостаток ума: для осознания недостатка ума нужен его избыток.

Собаке хватает ума, чтобы радоваться существованию человека. Вера есть высший ум низшей природы. Этим умом низший с высшим не сравнивается, но соединяется и получает закваску развития.

Этот рисунок я нарисовал в четырехлетнем возрасте. — ВЛ.

Проспект боли

Можно ли при росте под два метра и богатырской комплекции казаться хрупким и маленьким?..

Так бывало всякий раз, когда Боб путешествовал с кем-нибудь из его пациентов в его детство.

Для бесед и сеансов ему не требовалось отдельного помещения — этим помещением был он сам.

Я видел его молодым, старым, хохочущим, плачущим, нежным, суровым, неистовым, безмятежным...

Океан перевоплощений, и не угадать было, каким станет — с каждым другой и непостижимо тот же.

Сеансы гипноза не выделял из общения как что-то особое. Пять, десять минут, полчаса и более беспрерывной речи, то набегающей, как морской прибой, то ручьистой, то громовой, то шепотной, то певучей, то рвано-прерывистой, то плавно-чеканной...

Не раз и я уходил в транс вместе с пациентами, продолжая бессознательно ловить каждый звук голоса и что-то еще, за звуками...

А бывали сеансы и вовсе без слов. Боб сидел возле пациента, упершись в костыль, закрыв глаз и слегка покачиваясь. Некоторые при этом спали, другие бормотали, смеялись, кричали, рыдали, производили странные телодвижения, разыгрывали целые сцены... Трудно было понять, управляет ли он этим или только дает совершиться.

Один раз я набрался дури спросить, не тяжело ли ему даются *профессиональные маски.*

— Что-что? — Глаз БэПэ усиленно заморгал. — Ближе подойди. Пароксизм глухоты. Не слышу.

Я придвинулся — и вдруг лапища Боба метнулась, как удав, сгребла мою физиономию и сдавила.

— Напяливаю... Потом снимаю... С одним сдерживаюсь. На другом разряжаюсь... Доза искренности стандартная. Разные упаковки.

Больше к этому не возвращались.

Приснившееся в ту ночь. Объявление:

ПРАЧЕЧНАЯ «КОМПЛИМЕНТ» ПРИГЛАШАЕТ НА РАБОТУ ПОЛОТЕРА. Адрес: Проспект Боли, дом номер 37.

Иду... Улица, знакомая по какому-то прошлому сну. Знойный день. Прохожие в простынях с наволочками на головах. Младенцы в автоколясках. Крошечный милиционер на перекрестке сидит на горшке. Крестообразный тупик.

Синий дом.

Надпись над дверью: КАЮК-КОМПАНИЯ.

Мне сюда. Узкий плоский эскалатор, движение в непонятную сторону. Рядом со мной некто.

Отворачивается, не показывает лица...

Пытаюсь узнать, кто это, а ОН не хочет, поворачивается ко мне спиной... Пробую забежать вперед, посмотреть в лицо – ОН меня не пускает, удерживает... Страшное нетерпение, я хватаю ЕГО за шею санитарским приемом, поворачиваю с силой голову – и...

Это я сам, другой я. *Взгляд узнавания...*

Я-первый говорю я-второму:

– Здравствуй. Сейчас все расскажу... Прости, пожалуйста, что ТЕБЯ НЕТ.

– Какая разница. УБЕРИ ОРГАНИЗМ.

Затемнение.

*С*частье требует дозировки

— Боб, а Боб. Что такое ШИБИЛ?

— Не что, а кто. Шизо-дебил. Шиз и дебил, вместе взятые.

— Помесь дебила и шизофреника? Излечимо?

— Вырастешь — узнаешь.

К его манере раздразнивать я уже приспособился.

— Боб, если честно: я шизофреник?

— Не знаю. Решай сам. Вспоминай по учебнику.

— Распад личности. Расщепление психики. В тяжелых случаях разорванность мышления, речи...

— То бишь нецельность, так?.. Хаотичность души. Лоскутность сознания. Разорванность жизни. Бессвязность существования.

— Не понимаю, почему я все еще не на койке...

— Степени относительны. У шизофреника разорванность сознания превышает среднестатистическую, как и у нас во сне. Зато нашей здоровой разорванности достаточно, чтобы перестала жить наша планетка... Бессвязная речь — патология, а бессвязная жизнь считается нормой. ШИБИЛ — обычный человек, кажущийся нормальным себе и шибилам своего уровня. Дебил и шизофреник по отношению к собственным возможностям, *к замыслу о Человеке*: частичный человек, разобщенный с Собой...

Иногда вместо рассказа о какой-нибудь болезни Боб принимал образ пациента, а меня заставлял входить в роль врача и вести беседу.

Позднее, когда я ближе познакомился с клиникой, наоборот, заставлял меня перевоплощаться в пациентов, требуя вживания на пределе душевных сил...

На этот раз он был кем-то вроде параноика.

БэПэ. — Учтите, доктор, я за себя не отвечаю. Я псих, я невменяем, и мне от этого хорошо.

Я. — Ничего, ничего, больной. Я вас слушаю. На что жалуетесь?

— Да зачем жаловаться?! Жизнь прекрасна и удивительна!!! Настроение расчудесное!!! Всех хочу обнимать, на руках носить!!!

— Больной, вы эйфоричны и некритичны.

— Имею право на хорошее настроение.

— Смотря по каким причинам, больной.

— Причины у меня очень даже веские! Науку придумал я для всемирно-исторического лечения. А вы на что жалуетесь?

— Вы забыли: я доктор, а вы больной. Как называется ваша придуманная в связи с болезнью наука?

— ИНТЕГРОНИКА — замечательная наука.

— Об интегралах?

— Обо всем, доктор. Наука обо ВСЕМ.

— Философия, значит?

— Извините, доктор, мне вас хочется обозвать. Можно?

— Можно, вы же больной. Обзывайте.

— Мне уже расхотелось. Хотите знать почему?

— Почему?

— Не люблю полочек, по которым вы все раскладываете, как в крематории. И папочек не люблю, в которые пишете отчетную галиматью, к живому глаз не поднимая. И обзывать не люблю. У вас, доктор, полочное зрение, папочное мышление и обзывательное настроение, по-научному диагнозомания. Для вас я только больной, а не человек, за что и присваиваю вам звание профессионального обывателя.

— Больной, успокойтесь. Никто вас не обзывает, больной. Это вам кажется, это ваш бред, больной. Я готов выслушать ваш любимый бред.

— Добро, начинаем бред. Жизнь, в основе своей, есть цельность, согласны?.. Взаимосвязь, единство, гармония. Или, другим словом, понаучнее — интеграция. Противоположность дезинтеграции — распаду, разложению — смерти. Понятно?

— Понятно.

— И это на всех уровнях: молекулярном, клеточном, организменном, психическом, социальном, духовном... Понятно, доктор?

— Понятно, больной, понятно.

— Это нехорошо, что понятно. Плохой, значит, бред. Надо, чтобы мозги лопнули, тогда дойдет... Внимание! Приготовились? Я открыл ИНТЕГРУМ... Точнее: ИНТЕГРУМ открыл меня. Сумма суммариум итэдэ в бесконечной степени... Синонимы: Мировой Разум, Смысловая Вселенная, Космическая Любовь, Одухотворенность Материи, Абсолют, Всеединство, Вселенская Совесть... Вы еще не опупели, доктор? Переживали хоть раз в жизни этот сладчайший праздник опупения перед Истиной?

— Ничего я не переживал. Я здоров, вы больны.

— Должен, правда, признать, что мой бред не оригинален. Все на свете несчастные, имевшие неосторожность додумать хотя бы одну мысль, к этому Интегруму с разных сторон прилипали, как мотыльки к лампе. Сквозит всюду... Ваш покорный больной претендует только на своеобразие интербредации.

— Больной, по причине эйфории вы перечислили несколько очень хороших несуществующих вещей. А Мировое Зло, больной, вы случайно не обнаружили?

— Толково спрашиваете, док. (*Высшая похвала, которой я когда-либо от БэПэ удостаивался.*) Представьте, не обнаружил. Нет мирового зла, отчего и пребываю в превосходнейшем вышеупомянутом настроении. Валяются всюду только неприкаянные куски добра — оторванные, вот, видите — и тут тоже один находился. (*Тряхнул пустым рукавом.*)

Такой кусок, если только с целым не воссоединяется, неизбежно уничтожается. А точнее — воссоединяется в нижнем уровне, в переплав идет. Иногда успевает и захватить кое-что вокруг, вроде раковой опухоли, гангрены или фашизма... Штуки эти могут расти, размножаться, маскироваться; но Интегрум с ними, в конце концов, управляется, даже вынуждает работать... Будь добр, принеси воды. (*Внезапные приступы жажды накатывали на него...*)

— А как вы представляете себе этот... Интегрум?

— Да его не представить, вот в чем история мировой болезни. На этом и разбрызгивается по шарику наш возмущенный шибильный разум. Как представить себе То, что не есть ничто, а притом есть, или Того, кто не есть никто, а все-таки существует? Головокружение, боженька на облачке чудится...

(*После нескольких глотков воды он всегда закрывал свой глаз...*) ...А вот примите, док, для наглядности, что Интегрум — это вы сами, маленькая модель. Вы ведь — тоже Целое, состоящее из частей, не так ли? Малый Интегрум. Может ли какая-либо ваша часть вас представить? Рука, нога, клетка?..

(*Пауза.*) ...Разве только частично как-нибудь, соответственно своему назначению, да?.. Ваши отдельности могут вам только служить или не служить, быть в гармонии с Целым — или не быть, отпадать.

И вы от этих отпадений страдаете, ведь страда- ние — это и есть сигнал угрожающего отпадения, разговор части с целым, взаимный вопрос — быть или не быть. Разрушение вашей целостности есть ва- ша смерть. На физическом уровне это разрушение неизбежно, и вся ваша свобода есть только возмож- ность выбора способа смерти.

— Как смерти? — возмутился я, уже забыв свою роль. — Почему?!..

— Додумайте сами, доктор. Помыслите о причинах исчезновения малых интегрумов другого порядка — групп, организаций, цивилизаций... Сколько их сги- нуло?.. Только Интегрум вселенский никуда не дева- ется и все малые присоединяет к себе путем смерти, а некоторые и путем бессмертия...

— Как, как вы сказали?

— Путем смерти. Путем бессмертия.

— ?!

— Подкрутите шарики, док, на том скучном фак- те, что вы сами — клеточка мирового Целого, пес- чинка Всебытия, частичка Интегрума. Чем же вам представить его?..

— У меня есть мозг.

— Вы серьезно, док?.. Тогда будьте любезны: представьте мне в кратком сообщении Мозг Беско- нечности, или Бесконечный Мозг, как угодно.

— Такого нет.

— Чем докажете?

— Если бы это было...

В этот самый момент у меня почему-то закружи- лась голова, слегка замутило... БэПэ это заметил и прервал психодраму знаком руки.

...Мы помолчали. Потом Боб спросил:

...ешенных существах,
...ысших цивилизациях?
...его этого нет. Не доказано.
...ано?.. Ну и прагматик ты, ну
...стань, прошу тебя... Подойди к окну.
...звезды... Необъятное небо. Мириады ми-
...мириады лет все это живет, движется, развива-
...ся. И ты можешь думать, что мы единственные во
всем этом, одни-одинешеньки? Что нигде, кроме?..

— Нет достоверных фактов.

— Если б ты жил во времена Шекспира, а я бы
вывалился из нашего и сказал: «Вот тебе, дружок, телевизор, попользуйся». А?.. *(Длинно посмотрел на
телевизор, по которому ползла муха.)* Стрептококк,
от которого у тебя ангины, тебя видит, о тебе знает?

— У стрептококка нет глаз. И нет мозга.

— Стрептококку НЕЧЕМ тебя увидеть, не так
ли?.. Для него ты не факт, тебя просто нет. А муха
эта тебя видит?

— Частично видит, фасетками. Мухе кажется, что
меня очень много.

— Совершенно правильно, но когда у тебя запор,
мухе кажется, что тебя мало. А в существование твое
муха вряд ли может поверить. Кто тебя доказал, какое ты насекомое?.. Фасетками своего мозга кое-что
прозреваешь, а мог бы, не сходя с этого места...

*(Посмотрел в сторону окна. Помолчал... У меня
опять закружилась голова...)*

...Знаешь, что такое Бог в строго научном понимании?.. Духовный Интегрум, Интегрум Интегрумов.
Соединение высших существ вселенной.

— Читал эти сказочки. Где же они, выс▮
го же им стоит... Почему нет всеобщего сча▮

— А ты спроси: почему всеобщее несчас▮
так велико, как могло бы быть? Почему мы ж▮
Почему можем сейчас сидеть тут в сытости и те▮
и даже пытаться мыслить?.. Не косись на мои дер▮
вяшки. Счастье требует дозировки.

Одну маленькую деталь мы с тобой забыли.

— ?..

— Три минуты назад были кистеперыми рыбами.

— ?..

— Три космические минуты. Сравни примерное
время существования на Земле людей и периоды обращения галактик, созидания звезд... По звездному
времени часы наши пущены только что, мы еще сол-
нечные сосунки... Настоящего мозга еще нет на земле... *(Взмахнул глазом – в небо, через окно.)*

Шибильный возраст у человечества. Мускулатура
обогнала сознание. Агрессивная ограниченность,
бессилие духа — кажется, ничего больше нет... Но
вглядись в историю или хоть в ребенка любого —
откроется: НАС ВЫРАЩИВАЮТ. Не получится —
в переплав... Счастье... Простой старый бред...

— А ты сам разве не хотел быть счастливым?

При воспоминании об этом вопросе я до сих пор
краснею, но тогда не успел: все вдруг уплыло, розо-
вая волна накрыла мой мозг...

*...Который тут Кистеперый? Наверх... Пригото-
вить жабры... Мягкие пощипывания, толчки, ще-
котка в спине – помогаю себе плавниками... Взнырь,
всплеск, свет, сквозняк, золотистый голос...*

— Очнулся, гипотоник?.. Давай заварим чайку.

О детских вопросах и встрече после прощания

Знаю, требую от тебя непомерного, но другого нет. Под любым наркотиком достанет тебя непосильность жизни без смысла. А смысл жизни непостигаем без постижения смысла смерти.

Идешь к людям не чудеса творить, а сопровождать переходы в жизни иные...

Не целитель, а спутник, разделяющий ношу.

Не спасатель, а провожатый.

Человеку мало знания Истины — человеку нужно найти в ней свое место, свой дом и свое участие. Как соединить с Беспредельным ничтожность собственного существования, мрак страданий, неизбежность исчезновения? — Вот о чем будут тебя спрашивать заблудившиеся дети, как ты сейчас спрашиваешь меня.

Ложь убивает, молчание предает. Если не дашь ответа, побегут за наркотиками. Если будешь учить только счастью, научишь самоубийству.

Когда успех возымеешь, особо поберегись — страшнейшее испытание. Навязывать станут рольку замбога и требовать ответов на все вопросы, лжи во спасение... Не поддайся.

Спасает не знание, но простая вера, что ответ есть. Самый трудный язык — обычные события. Голос Истины всегда тих, оглушительный жаргон суеты его забивает. Силы тьмы все делают, чтобы мы умирали слепыми, не узнавая друг друга, но встречи после прощания дают свет...

Пишу в недалекое время, когда догадаешься, что и я был твоим пациентом. (...)

Из записей Бориса Калгана

**

...Все эти записи я прочитал *потом*...

...Я спешил к Бобу, чтобы объявить о своем окончательном решении стать психиатром. Чего со мной ранее никогда не бывало, говорил с ним вслух.

«Все-таки не зря, Боб... Не зря со мной возишься... Я сумею... Я докажу тебе...»

У дверей слышался звук, похожий на храп...

«Странно, Боб... Так рано ты не ложишься...»

Он лежал на том самом месте, где я оставил его в первый раз — на полу возле дивана — рука подмята, голова запрокинута...

Борис Петрович Калган скончался от диабетической комы, не дожив сорока дней до того, как я получил врачебный диплом.

Все книги и барахло вывезли неизвестно откуда набежавшие родственники; мне был отдан маленький серый чемоданчик с наклейкой: "Антону Лялину".

Внутри — несколько зачитанных книг и историй болезни, тетради с записями, ноты, коробочка с орденами и записная книжка с телефонами и адресами.

На внутренней стороне обложки рукой Боба:

ты нужен

СЕДЬМАЯ ФУГА

Мое знание пессимистично,
моя вера оптимистична.
Альберт Швейцер*

Приснилось, что я рисую,
рисую себя на шуме,
на шуме... Провел косую
прямую – и вышел в джунгли.

На тропку глухую вышел
и двигаюсь дальше, дальше,
а шум за спиною дышит,
и плачет шакал, и кашель
пантеры, и смех гиены
рисуют меня, пришельца,
и шелест змеи...

МГНОВЕННЫЙ ОЗНОБ

На поляне Швейцер.
Узнал его сразу, раньше,
чем вспомнил, что сплю,
а вспомнив, забыл...
(Если кто-то нянчит
заблудшие души скромных
земных докторов, он должен
был сон мой прервать на этом.)

---

* Альберт Швейцер — великий врач, музыкант, философ, нрав-
ственный гений. Долго трудился в Африке, спасал людей и зверей.
В Европе концертировал на органе.
Исследователь и прекрасный интерпретатор творчества Баха.
Оба они, и Бах, и Швейцер, каждый по-своему, похожи на Бога...

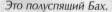

Это полуспящий Бах.

> ...узнал по внезапной дрожи
> и разнице с тем портретом,
> который забыл — а руки
> такие же, по-крестьянски
> мосластые, ткали звуки,
> рисующие в пространстве
> узор тишины...

— Подайте, прошу вас, скальпель...
Все, поздно... Стоять напрасно
не стоит, у нас не Альпы
швейцарские, здесь опасно,
пойдемте. Вы мне приснились,
я ждал, но вы опоздали. (Стемнело.)
Вы изменились, вы тоже кого-то ждали?..
Не надо, не отвечайте, я понял.
Во сне вольготней молчать... (Мы пошли.)
Зачатье мое было в день субботний,
когда Господь отдыхает. Обилие винограда

в тот год залило грехами
Эльзас мой. Природа рада
и солнцу, и тьме, но люди
чудовищ ночных боятся и выгоду ищут в чуде.
А я так любил смеяться сызмальства,
что чуть из школы не выгнали, и рубаху
порвал и купался голым...
Таким я приснился Баху,
         он спал в неудобной позе...
Пока меня не позвали,
я жил, как и вы, в гипнозе,
         с заклеенными глазами.
А здесь зажигаю лампу и вижу —
вижу сквозь стены слепые зрачки сомнамбул,
забытых детей Вселенной,
израненных, друг на друга рычащих,
веселых, страшных...
Пойдемте, Седьмая фуга
излечит от рукопашных...
Я равен любому зверю,
и знанье мое убого,
но, скальпель вонзая, верю,
что я заменяю Бога,
иначе нельзя, иначе
рука задрожит, и дьявол
меня мясником назначит,
и кровь из аорты — на пол...
         Стоп-кадр.
Две осы прогрызли две надписи на мольберте:

Швейцер со спасенным ребенком.

А истина – это жало, мы вынуть его не осмелились...
Скрывайте, прошу вас, жалость,
она порождает ненависть.
Безумие смертью лечится, когда сожжена личина...
Дитя мое, человечество,
неужто неизлечимо?

Провинция Гипноз

И эта глава, почти вся — повествование от лица психотерапевта Антона Лялина: подробные воспоминания о некоторых эпизодах его жизни, о детстве и о работе, выдержки из переписки...

Стволовая линия: история отношений с еще одним персонажем — можно сказать, антигероем, тоже гипнотизером, и очень сильным.

Появляется и Калган, мельком, но значимо...

Техника быстрого счастья

— Простите, можно? — запоздало постучал, ввалившись в кабинет и увидев, что мой друг не один.

— Да-да, вы назначены!..

С поспешной зверской гримасой Лар указал мне на стул в углу:

— Мы скоро закончим, а вы бай-бай, поспите. Приспуститесь чуть ниже... Мышцы расслабьте... Голову к спинке стула. Запрокиньте немного, вот так... Внимание. Я вас гипно... Закрыть глаза. Спать-спать-спа-аааать... Вам тепло-оо, вам хорошо-о-ооо... Засыпаете глубже... все глуууубже...

«Ага, — подумал я с грустным злорадством, принимая игру, — вот и до тебя добрались, коллега.

Вздремнем, пожалуй. Стул у тебя, однако ж, не по назначенью скрипуч...»

Ларион Павлов, Ларик.

Занимаемся мы, как и прежде, одним и тем же, но в разных точках и по несовпадающему расписанию. После приемов и сеансов приходится еще посидеть час-полтора, чтобы записать чепуху на медкарточках. Делать это при пациенте психотерапевту нельзя. На рабочем столе может быть что угодно: кукла, чайник, жираф, но никаких документов. А лучше и без стола.

Ларик немножко медведь, крупен не ростом, но статью; не догадаться, что под этой неброской уютной мягкостью сидит силища. Хорошо шел по вольной борьбе, еще новичком тушировал чемпиона Москвы. Однокурсник, но институт кончил на год позже: вдруг заболел, пришлось взять академотпуск. Нелады были с кровью нешуточные, и Лар, как признался потом, уже разработал во всех деталях сценарий самоотправки в отпуск иной, но там, куда собирался, распорядились иначе...

Я прозябал ординатором самого буйного отделения самой мрачной из городских психолечебниц, Лар распределился туда же. Старались дежурить вместе. В промежутках между приемами, обходами и психофилософскими диспутами устраивали всплески детства: боролись, боксировали, гоняли спущенный мяч в здоровенной луже позади морга, вели бесконечные шахматные сражения, поочередно бросали курить, вместе доламывали Лариков автомобиль, старенькую «Победу», гастролировали с лекциями-сеансами, гипнотизировали, был грех, опупелую публику каких-то дворцов культуры...

В периоды личных драм усиленно веселились; отсыпались на охоте, выжимали из себя дребедень для научных симпозиумов.

А потом как-то одновременно опомнились.

Хотел Ларушка прожить незаметно, да вот, поди, угораздило за один сеанс вылечить от импотенции аппаратчика, тот привел еще одного, тот упросил за дочку, дочка за мужа, муж за приятеля...

Ну, отдувайся. Запрокинув голову, как было указано, сквозь приспущенные ресницы разглядел гостя. Журналист, опытный репортер. Сидит в кресле все глубже. Заинтересованный взгляд в мою сторону:

— Это фаза каталепсизма?

— М-м... Уже глубже. Все глубже.

— Великолепно храпит. Трудный, видимо, пациент? И не проснется, хоть из пушки стреляй, пока вы не дадите команду?

— Ни в коем случае.

— Честно?.. Я видел таких у Оргаева, он их пачками превращал в Рафаэлей. По команде открывали глаза, хватали кисточки, рисовали как полоумные, то есть все художники в этом смысле... немножко того, да?.. Как рявкнет — засыпают опять. Взгляд у него, я вам скажу. Психополе кошмарной силы, пот прошибает. А сам как потеет... Я их спрашивал потом по собственной инициативе, ну, вы понимаете, хочется углубиться, мы, журналисты, народ настырный, дотошливый... Почему, одного спрашиваю, вы, уважаемый Рафаэль, не написали Мадонну? А зачем, говорит. Я, говорит, сантехник.

— Сообразительный Рафаэль.

— Вы страшно устаете, доктор, тратите столько энергии. Средний гипнотизер, мне сообщили, вынужден спать по двенадцать часов в сутки, питаться каждые пять минут. Оргаев все время что-то жует. А вы?

— Аппетит отсутствует. Страдаю бессонницей.

(Будет врать-то. Блины мои кто уписывал? Кто дрыхнет как сурок на всех семинарах?)

— Я вас понимаю, доктор. Скажите, в чем главная трудность поддержания психополя?

— В поддержании разговора.

— По...нимаю... Понимаю. У нас тоже вот, например, в редакцию зайдет какой-нибудь, извините, чайник. «Почему не ответили на мое письмо?» Профессия нервная, я вас понимаю. Ваш известный коллега Антон Лялин писал, что гипнотизерам свойственна повышенная самоутверждаемость, вы согласны?

— Всяк судит по себе.

Я не удержался и ерзнул. Дискредитирует, как заправский конкурентишка, вошел в роль.

— Если не секрет, в чем секрет гипноза?

— В отсутствии секрета.

— Замечательный парадокс, но потребуется комментарий. Психоэнергетические воздействия... (Щелчок, остановился магнитофон.) Извините... Порядок, пишем. Кстати сказать, упомянутый коллега считает, что психополе при темных глазах...

Я еще ерзнул. Шевельнул пальцем.

Лар понял знак:

— Простите... Пациент входит в фазу активного катастрофального сомнамбулизма... с непрогнозируемой спонтанностью и психомоторной диссоциацией...

Ну наконец. Непрогнозируемая спонтанность открыла глаза и вытаращила. Психомоторная диссоциация задрожала стеклянной дрожью, взревела и медленно, вместе со стулом, поехала на журналиста...

Мелькнули пятки...

— Магнитофон! Забыли магнитофон!..

Некий ох, звук падения... Неясное бормотание... Троекратное «извините»...

Лар возвращается, отирая пот.

— Черт бы тебя не взял! С твоими корреспондентами, книжками и вообще!..

— Ты что, старина, я-то при чем? Я же тебя и выручил, гипнозавр!..

— А если бы он тебя узнал? Жареный матерьяльчик? Перестарались. Шоковая реакция.

— Чем вывел?

— Обещанием встречи с коллегой Лялиным.

После разрядочного боя вспомнили, что пора возместить утраченные калории и продолжить выяснение шахматных отношений. Гипнозавр разучился проигрывать, давит психополем на е-два...

...Запираем кабинет. Пешком, не сговариваясь, топаем ко мне. Дорогой молчим. Это вот и соединяет — эта возможность молчать вдвоем, свободно молчать, — из этого и рождается телепатия...

Ощутил за порогом, что забежал к Лару не просто так, а по зову.

За теменем его колыхнулось сизоватое облачко...

В следующую секунду я думал о том, удастся ли сотворить яичницу и хватит ли кофе.

Ужин готов. Лар молчит, косится на шахматы отодвигающе. Я молча перевожу: есть сообщение.

Я. — Ну, давай, что ли. Ешь, что задумано.

Он. — Понимаешь. Такие дела. М-м-м...

Приморщивается: значит, серьезно.

Обычное начало: минут пять морщится и мычит, пока я не выйду из себя.

— Говори сразу. Сева самоубился?

(Наш общий пациент, алкоголик и депрессивник, талантливый переводчик. Было уже две попытки.)

— Что ты, господь с тобой. Сева сухой, работает. Все в порядке. Ерунда, м-м-м... Понимаешь, дела какие. Оргаев перешел границу.

— Давно перешел.

— Я не о том. Мы ведь тоже с тобой в какой-то степени шарлатаны, и в большой степени. От нас требуют чудотворства, ведь так, не меньше? А мы соглашаемся, принимаем роль. Да, соглашаемся? И чудеса происходят... А если не соглашаемся?..

— Не жуй жвачку, выкладывай. Что там Жорик? Подарил пациента?

— Нет, что ты, зачем. Пациентов никаких не дарил, все нормально. Зарезать пообещал.

— ?..

— Вчера. Только пообещал. И позавчера. Только пообещал. А третьего дня...

— Пообещал выполнить обещание?

— Ну, все нормально, ну... Подхожу к диспансеру, а у дверей вот такой громила. «Доктор Ларион Васильевич Павлов?» — «Доктор Ларион Васильевич Павлов». — «Здравствуйте». — «Здравствуйте». — «А у меня есть ножичек». — «Вот хорошо. Перочинный, да?» — «Да. Я вам покажу». — И показывает — из-за пазухи — вот такой тесак. И стоит. А зрачки расширенные, неподвижные. Психотик — первая мысль, но что-то не то, механичность какая-то.

«Ножичек-то, — говорю, — маловат у вас. Заходите, познакомимся». — А у него вдруг гримаса — я потом доосознал, чья: эхо-рефлекс, оргаевская гримаса. Глубокий транс. Развернулся — и шагом марш, деревянно. Внушение выполнено. А я на работу. Потом два звоночка. «Доктор Павлов, это опять я. Я вам скоро еще раз ножичек покажу».

— Стиль знакомый.

— Понимаешь, я сделал глупость. Поторопился и, кажется, все испортил. Пришли двое молоденьких — я коротенько, ладно?.. Иногородние. Жених и невеста. Редкость теперь такая стадия, архаизм, или как правильнее — анахронизм?.. Помолвка у них была. Она музыкальное училище заканчивала по классу скрипки. Не шло вибрато. В консерваторию очень хотелось. И вот увидала в кино эти самые Жориковы... Как их, забыл... Ну, рывки. Рывки?..

— «Шесть прыжков в беспредельность»?

— Вот-вот. Только, по-моему, пять. Или семь, не помню... Все эти чудеса... И приехала.

— Техника быстрого счастья?..

— О подробностях не допытывался. «Вам необходимо, прежде всего, сексуальное раскрепощение, только это даст вам возможность раскрыть ваше громадное музыкальное дарование». Вот эти его слова вспомнила. И какие-то манипуляции, понимаешь ли, какой-то особый массаж. Раза два выходила из транса и обнаруживала себя и доктора в странной позиции. Свои недоумения высказала жениху. Жених, сам понимаешь, вибрато. «Этот человек обладает большим влиянием, страшной властью...» Не решался даже фамилию Жоркину произнести...

— А ты?

— Я?.. Сказал, больше для него, что она молодец, контроль удержать сумела. Что никакой у него страшной власти... Что наверняка ничего такого он ей не сумел сделать, скотина, что он удостоверенный импотент... Что мы им сами займемся, что я лично... Уговорил поехать домой, забыть как можно быстрее. Влезать в процесс, давать показания — измарались бы, изломались, совсем зеленые оба...

— Дальше.

— Вот, дальше... Дальше я думал... Вспомнил еще нескольких, от него насилу уползших... Никиту своего вспомнил. Напоказ теплой компании Жорка его заставлял раз восемь рассказывать, как знаменитый секс-дрессировщик Мишка-казак... методом погружения... Мелькнула и такая мыслишка, что девочка эта может снова у него оказаться и отыграть назад, внушаема очень... И не придумал ничего лучше, как вломить, ну, ты знаешь мою дипломатию...

(Лар, волнуясь, всегда забавно нахохливается и подтарашивает глаза.)

...Конец рабочего дня, народу у него как всегда. Повезло: из двери навстречу мне собственной персоной Георгий Георгиевич в обнимочку с этой парой. Все трое сразу меня узнали.

Она — не видя в упор, жених — с выражением червяка, только что перееханного катком, а Жорка с улыбочкой уже лепит без передыху, запудривает: «Хе-хе-хо, чудесно, чудесно, что вы нас навестили, коллега, гора с горой сходится, мы как раз собирались дружески навестить вас, Нинулечка хотела вам кое-что объяснить, хе-хе-хо, маленькое недоразумение, вам понятно, перенос либидо и немножко фантазии на почве некоторого инфантилизма, это бывает, да, молодой человек, бывает и гораздо смешнее, наш уважаемый авторитетный коллега вам подтвердит, хе-хе-хо, мы не допускаем никакого вмешательства в сферу интима, Нинулечка, подтвердите». —

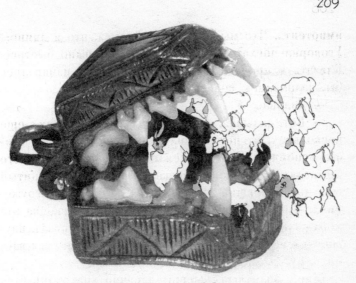

Помните овечек и гипнозавра? Овечки те самые...

«Да, все чудесно, чудесно... Я пошла к доктору Павлову в неясном сознании... Я чудесно себя чувствую, я хочу продолжать наши сеансы...»

Слов у меня не было. Плюнул целенаправленно Жорке в физиономию. Повернулся, пошел... Все.

— А дальше ножичек?

— Ну, ерунда. (Лар начинает жевать.)

— Ерунда, ага. Ешь. На той неделе Жорик выступает в ДК «Молодость», знаешь?

— Что-нибудь свеженькое?

(Лар жует с ускорением.)

— Сеанс гипносчастья по полной программе. Схожу, что ли, пожалуй... Как думаешь, Лар, сходить?

— Я с тобой. (Лар останавливается на полужёве.)

— А вот тебе не надо туда. Я тебя знаю: на сцену вылезешь и начнешь плеваться.

— Не буду больше.

Я ЙЦО ВСМЯТКУ С ВЫСОТНОГО ДОМА

Публикатор. — Предыдущий отрывок имел еще несколько рваных вариантов, путаных продолжений и никакой концовки. Сопоставив их с текстами, относящимися к другим временам и событиям, можно предположить, что Лялин начал писать что-то крупное, вроде романа-исповеди, но не справился.

Д-р Павлов. — Правильнее сказать, не успел. И никакой это не роман, а дневник, лабораторные, что ли, записи. Я не знал о них, свой загашник Антон держал от меня в секрете...

Публикатор. — Ваш литературный портрет, с вашей точки зрения, верен, похоже?

Д-р Павлов. — По фактам не очень врет. Насчет портрета не знаю, себя не видишь. Объективности у Антона никогда не было. Еще в нескольких книгах брал меня как модель и выводил на публику в разных видах: превращал то в счастливчика, легкомысленного брюнета, то в рокового меланхолического блондина, один раз убил, два раза заставил покончить с собой. Пришлось однажды за такую фривольность слегка помять ему ребра...

Публикатор. — Теперь представим выдержки из подборки писем, самим Лялиным озаглавленной: «Самодеятельные гипнотизеры».

Кое-где между письмами и копиями ответов — Лялинские заметки. В документальной части архива, в отличие от рукописной, царит порядок. Все обращения к Антону Юрьевичу сведем к его инициалам: АЮ, а концовки писем условимся обозначать измененным именем, как и я делаю в своих книгах.

Запись Лялина

Если бы гипноз был только гипнозом, все было бы очень просто...

Действие магнита когда-то безмерно удивляло людей, внушало восторг и мистический ужас. Изумило и маленького Альберта Эйнштейна, почуявшего в компасной стрелке тайну мироздания. Нынче и рядовой школьник может понять, что магнит обнажает ВСЕПРИРОДНУЮ суть: являет отпрепарированно вселенскую силу, соединяющую все на свете и заключенную в каждой частичке.

Нечто подобное должно произойти с отношением к феномену гипноза, к экстрасенсорике и всяческой эзотерике. Отношение к «феномену» должно смениться отношением к СУТИ всяческих отношений.

Когда человек моментально засыпает при взгляде или по слову; когда по мановению руки перестает ощущать боль, истекать кровью; когда выздоравливает от неизлечимой болезни — или, наоборот, умирает здоровым... Это производит слишком большое впечатление и самым естественным образом воспринимается как сверхъестественное.

И нет догадки. И до отупения трудно убедить всех этих пожизненно загипнотизированных, что таинственная, могучая сила — власть колдуна, экстрасенса, чудотворной иконы, гипнотизера и прочая — не извне действует, а изнутри — только изнутри тех, на ком являются чудеса.

Можно, вслед за Иисусом Христом, назвать эту силу верой — «по вере вашей да будет» — и тебе могут как бы поверить и как бы понять.

Только вот дальше... Что дальше?...

Не раз замечал, как при моих попытках объяснить чудеса гипноза, только что мною продемонстрированные, — всего лишь гипнабельностью, чудеса внушения — всего лишь внушаемостью, чудеса веры — всего лишь верой, не более, — люди как-то скучнеют. Перестают слышать.

Восприятие гаснет в тот самый миг, когда, кажется, понимание так близко уже и вот-вот вспыхнет чудо беспрепятственного самопознания.

...Может быть, так и надо?.. Может быть, так инстинктом охраняется тайна, равновеликая тайне зачатия, тайне смерти, судьбы?.. Тот же приказ из глубины неисповедимой: не знать, не ведать...

Не сметь и помыслить, как тебя вбрасывали в этот мир и как будут выбрасывать...

Может быть, в этом — высшее милосердие?..

Что заставляет меня продолжать попытки раскрыть глаза врожденно слепым?.. Если они поймут, КАК верят, не станет ли это пси-ядерной бомбой?..

В отличие от законов и сил первоприродных, осознание сил Природы Второй — Психики (а может быть, как раз САМОЙ первой?..) — меняет их действие. Создает другие законы. Другую психику.

Осознав себя, прежним остаться нельзя.

АЮ, я учусь во 2 классе. Я хочу стать гипозом. Я читал детскую энциклопею про гипоз что нада каждые дни сматреть в точку по I0 минут и слушать будилник а патом в глаза внематально усыплять.

Я уже делаю гипоз на бабущку но ана не хочит а с Варькой получаеца это наша собака тоже старая. Раскажите мне про гипоза я хочу все узнать как вы. А правда вы можите усыпить кракадила? *Антоша*

АЮ, я перешел в 7-й класс, учусь хорошо, здоровье мое нормальное.

Я хочу быть гипнотизером, а получается совсем другое. Каждый день утром я ложусь в неудобную позу опираясь на батарею и смотрю на далеко удаленную маленькую точку и так сижу по I0 минут. Так учит детская энциклопедия. Но у меня получается только дурацкий взгляд, так сказала мама, и ничего гипнотизерского.

Когда я ложусь спать, я расслабляюсь, закрываю глаза и представляю небо, так нас учила тренер по плаванию, она тоже знает гипноз. Но когда я вижу внутри себя небо, оно начинает качаться и куда-то меня уносит, я засыпаю и ничего больше не помню.

В книге «Из школы во Вселенную» я прочитал, что легче всего гипнотизировать курицу. Летом мы были у дедушки в деревне, там много кур, но ни одна не поддалась, все кудахчут и убегают. Я знаю, что сразу гипнотизером не станешь, но должны же быть хоть малейшие сдвиги? Досвидание. *Саша*

Запись Лялина на полях

Сдвиги кое-какие бывают, да...

АЮ, месяца три назад в нашей школе выступал гипнотизер Викторенков. Его выступление на меня очень сильно подействовало, я увлекся гипнозом. Начал проводить опыты в нашем классе, подражая ему.

Первые опыты были неудачными, но я не падал духом, и через неделю после выступления один мой товарищ, Гена, оказался в гипнозе. Я испугался и сразу же разбудил его.

На следующий день новый успех: второй товарищ оказался в гипнозе, Вовка. У него открылась сильная внушаемость, он глубоко уснул, но слышал и исполнял все, что я ему внушал, и во сне по моему приказу ходил.

Причем удивительно: не открывая глаз, Вовка все видел, ни на что не наткнулся.

Опыт я проводил в нашем школьном буфете, в толпе едящих ребят, и он не почувствовал даже, как кто-то запустил в него сзади булкой, попал в затылок, так что крошки разлетелись, а ему хоть бы что.

У Вовки до этого сильно дергался лоб и нос, он вообще нервный, а я внушил, что теперь он не будет дергаться. Разбудил. И вы представляете, лоб больше не дергается, только нос. Я поверил в свои силы и начал гипнотизировать всех подряд.

Но однажды я поступил неосмотрительно: показал свои опыты перед учительницей по зоологии. Разразился скандал, дошло до директора. Мне запретили проводить опыты. Я был страшно огорчен, даже плакал..

Несмотря ни на что, я буду продолжать развивать в себе способности к гипнозу.

Хотя я и не буду ни профессиональным гипнотизером, выступающим на сцене, ни психотерапевтом, как Вы, это умение потребуется везде, особенно в Космосе. Я хочу стать астрофизиком. Поэтому я очень хочу познакомиться с Вами лично и обучиться гипнозу на профессиональном уровне. Пожалуйста, примите меня в ученики.

Очень, очень прошу Вас!!! *Дима*

Запись Лялина

У нас в школе гипнотизеры не выступали. Время было темно-серое, мокрое... Доходили иногда только слухи о чудесах Вольфа Мессинга, о трамвайном гипнозе. Но мы с Жориком шли своими путями...

АЮ, однажды, это было сегодня, я шел домой и вдруг мне в голову пришла мысль.

Мне почему-то подумалось, что именно в этот момент на меня с высотного дома скинут яйцо всмятку. Я очень живо представил это событие и подумал, что яйцо упадет за шаг от меня. Я далее подумал, что это произойдет, когда я буду входить в подъезд. Представьте же мое удивление, когда действительно, лишь я вошел в подъезд, возле него шмякнулось оземь яйцо всмятку.

Я склонен думать, что возникли какие-то биотоки, потому что мысль о яйце пришла ко мне стихийно, а не в результате цепочки размышлений. Может быть, это была телепатия? Или гипноз? Ученик 9-го класса *Адик*

Запись Лялина

Ничего особенного, малое ясновидение. Яйца всмятку летят на всех, не все замечают.

АЮ, пишет Вам ученица 10 класса. Прочла недавно Вашу книгу. Попробовала заниматься аутотренингом, но не хватило терпения.

Я была удивлена вашими опытами по гипнозу. До этого я смотрела документальный фильм, там показали несколько сеансов лечения алкоголизма.

У меня у самой пьет мать. Отец тоже, но его сейчас нет.. Отца я не люблю, а маму очень люблю и боюсь потерять..

Предлагала лечиться, но она ни в какую, говорит, что сама может не пить. Как же!

Неделю-полторы вытерпит, и опять все по новой и еще хуже. На глазах опускается..

Вы знаете, доктор, я раньше мечтала стать врачом, но потом поняла, что стать им не смогу, потому что крови боюсь. От одного запаха эфира и то плохо делается.. Я, когда даже занозу кому-нибудь вытаскиваю, боюсь, не будет ли больно.

Но теперь, после десятого, твердо решила идти в медицинское училище. Хочу работать с наркологами. И не только лечить людей, которые идут добровольно, но и привлекать таких, которые не хотят, ходить к людям домой, убеждать лечиться..

А главное, спасать детей, у которых такие родители, а таких очень и очень много. Этому я хочу посвятить всю свою жизнь.

Вам, наверное, это кажется очень детским, наивным? В этой работе я возлагаю большие надежды на гипноз. Прошу Вас ответить: как стать гипнотизером?

Мне сказал один парень из нашего класса, что для этого нужно иметь особую форму бровей, лба, особое выражение глаз — как у Вас на обложке книги.

Но если нет ничего такого, может ли обыкновенный человек стать гипнотизером? Какой институт нужно кончить?

И еще: может ли женщина быть гипнотизером? Что главное для гипноза? *Татьяна*

Набросок ответа Лялина

...Все правильно ты задумала, Танечка, все получится, если захочешь по-настоящему. С мамой — крепись: не безнадежно... Гипнозом, Танечка, заниматься можно, только получив врачебную квалификацию. А главное... много главного... Трудно измерить, сколько всего нужно. Я начинал, мало понимая, имел уже и диплом и все равно делал ошибки и поступал не всегда по совести...

Главное: *вера в святость дела.*

(А не «в себя», как многие думают.) Внешность значима когда как... Гипнотизировать может и женщина, разумеется. Читала недавнюю сенсацию, обошедшую все газеты? Две миловидные девушки загипнотизировали банковского кассира и ограбили банк. Журналистам это очень понравилось.

И ребенок может гипнотизировать. И компьютер, и автомат, и автомобиль...

Не думай, прошу тебя, что гипноз — волшебная палочка-выручалочка. Как всякая сила, может работать и на великое благо, и на ужасное зло. Как всякое лекарство, может быть и спасительным, и бессильным, и вредным. Когда вникнешь — увидишь сама, что между таинственным гипнозом и обыкновенным общением нет границ: это разные разведения одного и того же.

Все мы управляем друг другом. А чтобы помогать людям, мало и знания, и влюбленности в дело, и сострадания к больным и несчастным — всего мало. Прежде всего надо глубоко понять того, с кем общаешься. Без этого понимания гипноз, как и все на свете большие силы, как и любовь, — страшная опасность, и заниматься им — преступная глупость.

Запись Лялина

...Бог мой, как же длинна всемирно-гипнотическая история и как коротка память человеческая. Как мы торопимся прописаться в Вечности, принимая искорки частичных уразумений за огни постижения...

Около века тому назад знаменитый парижский профессор Шарко объявил самыми внушаемыми существами на свете истериков, а в сверхпревосходной степени — истеричек. Как самозабвенно они впадали в гипноз, как застывали и как засыпали, что только не выделывали по воле блистательного корифея...

Демонстрировали и знаменитые «стигмы» — фигуры и надписи, возникающие на теле по мысленному приказанию, и телепатию, и видение насквозь, и черт знает что. Охотно вылечивались, еще охотней заболевали опять, чтобы еще раз показаться великому чудотворцу и толпам благоговейных учеников.

Наблюдения Шарко подтвердились, но лишь в пределах Франции; у немецких гипнотизеров с истеричками почему-то не клеилось, получалось бледно; у русских и вовсе наперекосяк: обострения, ухудшения и без того невыносимых характеров.

Англичане пришли к выводу, что самые внушаемые граждане — ни в коей мере не истерики, способные лишь на лживость и дешевую театральность, и не больные вовсе, а самые что ни на есть простые, здоровые, как лошади, фермеры. Немцы и австрийцы получали фантастические результаты с молодыми солдатами; русские — с дореволюционными алкоголиками, но потом и алкаш наш пошел не тот.

А феноменальные, лучшие в мире французские истерички ушли вместе с Шарко.

Внушаемость — дом, ждущий Хозяина...

Запись на полях письма рукой Лялина

Это письмо сперва показалось мне поддельным, от взрослого. Очень грамотное. Четкий, сложившийся почерк и, почудилось даже, знакомый...

АЮ, пишет Вам ученик 7-го класса. Заставило меня написать Вам, знаменитому врачу и психологу, то безвыходное положение, в которое я попал..

Сначала немного о себе: отличник, занимаю призовые места на городских олимпиадах, хороший спортсмен (был им), пользуюсь авторитетом среди одноклассников..

Такой я сейчас. В начальных классах я был совсем другим. Часто пропускал уроки, не выполнял домашние задания, имел лишь две четверки за учебный год.

К концу второго класса я понял, что учусь для себя. Чем настойчивее буду овладевать знаниями и прописными истинами, тем больше у меня будет шансов пробиться в люди в будущем. Понял, и вкоренную изменил свою жизнь, идеалы, цели.

С тех пор прошло уже много лет, но я по-прежнему остался верен своим идеалам..

Все было бы хорошо, и я бы вам не написал, если бы не сломал ногу.. Это стало причиной самой большой беды в моей жизни. Почти весь учебный год пролежал в больнице, сильно отстал по немецкому и ряду других предметов. С первых дней в школе учителя начали меня подготавливать к тому, что придется остаться на второй год.

Да, я и сам знаю: с такими знаниями за седьмой класс мне в восьмом делать нечего.

После выписки начал усиленно заниматься, но если даже и до конца года сохраню этот темп, то все равно не успею пройти программу. Что мне делать?! Смириться и остаться на второй год?! Но это для меня равносильно самоубийству! Целый год будет вычеркнут из моей жизни! Целый огромный год!

А где его потом взять?

Передо мной встала проблема: как ускорить обучение в несколько раз. Чтобы ее разрешить, я обратился к медицине, к гипнозу. Мне стоило большого труда подобрать соответствующую литературу. Но где достать человека, который смог бы мне помочь? Ведь таких людей очень мало! С этим вопросом я отправился к знакомому библиотекарю. К моему удивлению он принес из читального зала Вашу книгу.. Я не понял сначала, чем мне может помочь аутотренировка. Ведь ей надо долго заниматься, а времени у меня в обрез.

Размышляя так, я невольно перелистывал книгу, и вдруг.. На стр. 19 мой взгляд упал на следующие строки: «Один нечаянно загипнотизированный мною парнишка..»

Несколько секунд я сидел остолбенело, как вкопанный. Держать в руках ключ к решению самой большой в моей жизни проблемы и не видеть его!!!

Шесть часов потребовалось, чтобы прочитать книгу, и вот я уже пишу Вам, пишу, а сам волнуюсь, вдруг Вы откажетесь?

Я прошу вас, дорогой АЮ, сделать следующее: записать свой голос со всеми словами, паузами, расстановками, как во время Ваших сеансов. Только слова подберите, пожалуйста, с таким расчетом, чтобы они были употреблены с целью ускорения восприятия информации. Голос запишите на магнитофонную ленту и вышлите мне.

Я буду слушать вас, а ваши пассы и жесты мне заменит сила воли и настойчивость.

Я уверен, что они вместе с вашей записью будут представлять мощное оружие обучения. Заранее согласен о результатах этого опыта сообщать Вам ежемесячно; ведь после того, как я пройду программу седьмого класса, я и далее буду заниматься с помощью гипноза.

Поторопитесь, пожалуйста, с ответом, ведь от него будет зависеть дальнейшая моя судьба, и я, естественно, буду волноваться. Прежде чем мне ответить, подумайте. Ведь практически все, о чем я Вас прошу, Вы можете сделать. И пусть то, что написано здесь, останется строго между нами, об этом я не говорил даже с мамой. До свидания.

Деньги лежат в конверте.

С уважением, *Витя*.

Лялин, телеграмма

Квитанция перевода на ... р.

Копия телеграммы:

НЕМЕДЛЕННО ВЕРНИ ДЕНЬГИ КОГО ВЗЯЛ ЛЯЛИН

Запись Лялина по поводу письма Вити

Да, Жорик Оргаев номер какой-то, психологический двойничок. И почерк похож... И Жорик учился отменно и отличался именно в этом возрасте книжно-взрослыми оборотами речи. Такое же сочетание импульсивности, невероятной логичности и настырной последовательности.

Жорка, правда, был развитее и предусмотрительнее. Денег сразу не слал бы, а подкупать начал бы с замаскированных комплиментов, ими изящно бы и закончил. Разжалобить постарался бы сдержанно, скромнейше попросившись в спасаемые исключительно ради последующего самопожертвования.

Человечки такого типа обычно рано осознают свою цель: овладеть собой, чтобы овладеть другими.

Манипуляторы начинаются в колыбельках и раньше или позже приходят к необходимости самоусовершенствования. Можно их щелкать по носу, но такая острастка действует наоборот.

Не знаю, как с ними правильно поступать...

Этот полинезийский идол, согласно легенде, излучает могучую гипнотическую силу под названием «мана».

Вся суть в глазищах, а также в каменной нахлобучке на черепе.

Cергей Неронович Гулливер

АЮ, я работаю на стройке, мне 25 лет. Прочитал Вашу книгу, помогла выжить, спасибо. Но сейчас о другом..

Выступал у нас год и восемь месяцев назад гипнотизер Лапотков. Я был на пяти его сеансах, под гипнозом оказался три раза. Выходил вместе с другими загипнотизированными на сцену. Что там делалось со мной, почти не запомнил, но ребята, бывшие со мной и не уснувшие, рассказывали..

Удивительные дела! Превратил меня Лапотков в римского императора Нерона, сказал: «Приказывай, император».

И я произнес, оскалившись:

— Отрубить голову кариатиде!

Сам я этого абсолютно не помню. Про Нерона ничего не читал, только в школе по истории, кажется, проходил, а что за кариатида такая, вообще понятия не имел. Потом прочитал в словаре иностранных слов.

Был на этом же сеансе собакой, лаял из конуры, метался на цепи; был петухом, кукарекал и хлопал крыльями, то есть руками, себя по бокам, клевал, искал червяков..

Был Эйнштейном, принимал какую-то делегацию, произносил малопонятную чушь про мировые катаклизмы. И Гулливером был, разговаривал с лилипутами, поднимал на ладони, что-то там для них строил, корабли из моря вытаскивал. Ребята говорили: ходил на цыпочках, ноги поднимал, чтобы не раздавить..

..А вот это запомнил сам: когда Лапотков меня разбудил и спросил: «Как вас зовут?» — я сказал с полным убеждением: «Сергей Неронович Гулливер» (а я Сергей Петрович Конягин), и не мог долго понять, почему все мои лилипуты вдруг жутко выросли и так страшно смеются.

Решил больше гипнозу не поддаваться. Попросил Николая, напарника моего, щипать меня и толкать в следующий раз, если потянет в сон. И действительно, на четвертом сеансе опять куда-то поплыл, еще до начала счета. Только при одном взгляде на этого Лапоткова уже глаза заволакивает, особое у него лицо, хотя вроде бы неприметное..

Уже почти отключился, тут Николай мне изо всех сил начал уши крутить и тереть, как пьяному. Оклемался я, а Николай мой сам застывать начал, как свечной воск, минуты через две, я его тоже едва открутил..

На пятом сеансе держались за руки, слегка выпив для поднятия духа, щипали друг друга, продержались нормально.

После этих сеансов я так и хожу у нас в общежитии под прозвищем «Сергей Неронович Гулливер». Отшучиваюсь: «Смотрите у меня, кариатиды поотрубаю».

Вам все это наверняка мало интересно — наэкспериментировались, навидались и не такого. А вот я просто заболел, заболел гипнозом. Не в смысле плохого самочувствия, нет, все нормально, работаю, учусь в заочном политехническом, собираюсь жениться.

Но гипноз стал для меня просто какой-то
навязчивой идеей, дни и ночи думаю, не могу успокоиться, забросил даже любимую гитару.. Вошло в голову, что я должен сам овладеть гипнозом. Во что бы то ни стало! До
такой степени, как этот Лапотков, и даже
сильнее! — чтобы всякого мог погрузить
в гипноз не только по его желанию,
но и против его воли, вот так, да!..

(Кстати, потом мы узнали, что Лапотков
этот никакой не психолог, а то ли разжало-
ванный тренер, то ли сокращенный актер.
И будто бы его несколько раз выволакивали
вдребезину пьяным из ресторана нашего рай-
центра, а потом посадили..)

Уже больше года я занимаюсь гипнозом сам,
ищу литературу, изучаю.. Почти каждый день
провожу хоть какой-нибудь опыт над кем-то
из окружающих или над собой. Стою, например, у стены, смотрю в точку, пока не начинаю непроизвольно падать назад — одно из
моих упражнений, придумал сам.. Просто не
в своей тарелке себя чувствую, если не по-
гипнотизирую — вот подсел, а?..

Первое время ничего не получалось. Уса-
живал, укладывал моих испытуемых — ребят
с работы, из общежития, из соседних дво-
ров — так и эдак, ходил вокруг, делал пассы, гладил, бубнил, считал, приказывал,
глядя в глаза, и прочее — никакого толку,
одно ржанье — все начинали ржать, и я ржал,
как идиот, вместе со всеми.

А потом прорвалось.. Начало получаться!

Подчеркнуто Лялиным. Подколотая заметка

Вот, вот... «Получиться» у самодеятельника может и сразу — как выигрыш в лотерее, — а может лишь после изрядного числа неудачных попыток. Но если упрям, получится обязательно: сработает статистика, как на рынке: и самый залежалый товарец у захуда-ленького продавца кто-нибудь да возьмет...

При гипнозе удачи и неудачи оказывают удвоен-ное психологическое влияние: и на «субъекта», и на «объекты». Когда косяком неудачи, из круга «неве-рие-самоневерие» выбраться нелегко. Зато ежели вдруг «прорвется» — попробуй останови!

В этот миг, обалдев от восторга, доморощенный гипнотизер или экстрасенс полагает, что вот — «от-крыл свой дар», не подозревая, что всего-навсего вы-тянул долго не попадавшийся счастливый билетик...

..В первый раз испугался ужасно: вижу во время счета, что у одного из моих подопыт-ных глаза начинают мутнеть, лицо разглажи-вается, веки опускаются.. Едва досчитал, сразу же даю команду: «Проснуться», — а он не просыпается! Не шевелится!

Меняю внушение: «Проснешься при оконча-нии счета в обратном порядке и хлопке в ла-доши». Проснулся мой хлопец, но глаза еще минут пять были мутными..

В другой раз после рабочего дня посадил троих наших ребят на бетонную плиту с упо-ром ног в землю. Сам встал напротив. При-казал смотреть мне прямо в переносье не от-рываясь. Начал внушать жестко: «Сейчас те-ла ваши будут тяжелеть, будут деревенеть..

Ноги будут врастать в землю. Как корни, ноги начнут врастать в землю.. Вы одеревенеете, одеревенеете.. Вы не сможете оторвать ноги от земли.. Ноги врастают в землю..»

Закончил внушение. Велел попробовать подняться. Двое поднялись, один легко, другой тяжело. А третий не может.

Сидит, как прикованный. Продолжает на меня смотреть, не отрываясь. Я ему: «Ну все, хватит. Теперь вставай. Все, конец». — А он все сидит. Пытаюсь поднять.. Действительно, будто в землю врос! Невозможно оторвать, свинцовая тяжесть. Глаза стеклянные.. Втроем подняли его с ребятами — начали расталкивать, тормошить. А он не реагирует, как вкопанный стоит.

— «Витька, ты что?» — Ни звука. — «Кончай прикидываться». — Молчит. — «Ну, давай поговорим. Ты что сейчас чувствуешь?» — Молчит, только пытается промычать что-то. Речь отнялась. Целый час так простоял, крутились мы вокруг, так и эдак.. Я внушал: «Говори! Можешь говорить!» — никакого толку, ни слова. А ему домой идти, жена ждет, ребенка из садика забирать..

И тут осенило, вспомнилось: надо же его снова усыпить, как делал Лапотков, меняя программы внушений, сперва опять усыпить!

Посадил, дал команду «Закрыть глаза, спать. Спать. Спать глубоко, спокойно..» Смотрю — задышал ровнее, порозовел. Внушаю: «Сейчас сможешь легко говорить. Отвечай мне, как себя чувствуешь?» — «Нормально».

Тут ребята вздохнули, а с меня градом пот.. — «Теперь на счет десять проснешься. Говорить будешь легко».

Проснулся. Речь нормальная. О том, что с ним было, не помнит. Сколько времени прошло, не имеет понятия. Втроем домой проводили. Ничего не сказали..

После этого случая с месяц ни над кем никаких экспериментов не проводил, зарекся. А потом опять на чертов гипноз потянуло, не смог себя превозмочь.

Да и просили ребята — показать чудеса. Уже поняли: что-то есть и во мне.. Старался поосторожнее. Кое-что прочитал, кое-что понял.. Знаю, что не имею никакого права экспериментировать над людьми, но это сильнее меня. Я должен превзойти Лапоткова!

Однажды вечером у небольшого пруда за стройплощадкой собралось нас семеро, в том числе две девчонки, Люся и Вера, отделочницы, и одна женщина постарше, Анна Ивановна, бетонщица. Две бутылки имелось. Развели костерок, хотели уже начать обычное, как вдруг Вера мне: «Ты бы, Нероныч, бутылку заколдовал сперва». Николай: «Чтоб не горькая была». — «Нет. Чтоб не пить. А то все одно.. Нероныч может и без вина опьянить».

Анна Ивановна: «Да уже Гулливер наш колдуном заделался, это точно». Я: «Без вина напоить могу. А куда его девать потом?»

Люся: «В землю закопаем до праздников». Николай: «За нами не пропадет».

Сажаю их в круг.

Беру из костра обугленную палочку. Поднимаю вверх. Приказываю неотрывно смотреть. Слушать внимательно.. Начинаю счет..

И тут вдруг что-то со мной случилось. Почувствовал, что тело мое потеряло вес и, как бы приподнявшись над землей, начинает медленно покачиваться, совершать странно знакомые движения руками, ногами, шеей.. Будто танец какой-то.. А вместо обычных слов — другие начали вырываться, непонятные, но знакомые. Помню отчетливо, как ребята тоже начали в такт мне покачиваться и что-то произносить. Ритм стал убыстряться, каким-то жестом я поднял их, пошли вокруг костра, быстрее, быстрее — пляска и какая-то песня или заклинание, что ли, с совершенно особенным, непередаваемым ощущением..

Не переставая двигаться, подкладывали дрова в костер, обменивались жестами, восклицаниями, ели в движении.. Вдруг Николай хватает лопатку, встает на четвереньки и быстро-быстро начинает копать. Хвать бутылки — и в яму, забросал землей, завалил камнем. А глаза сверкают, как угли..

Заметка Лялина на полях

Пробуждение унаследованного магического архетипа, состояние первобытности, шаманское действо...

..Очнулись все разом после какого-то единого звука: «А-ха-ва-а-а-ах!..»

Друг на друга смотрим обалдело. Потом в хохот — все разом, и ну рассказывать наперебой, кто что пережил. У всех и разное и одно.. Николай сказал, что был негром африканского племени, у которого бог леопард, и плясал пляску леопарда, а закопанные бутылки — черепа двух казненных колдунов. Анна Ивановна была маленькой девочкой. В своей родной деревеньке под Костромой собирала землянику, грибы, козу домой загоняла. Люська была русалкой, Верка — лебедем..

А про меня все дружно сказали, что как только я встал напротив них, так начал светиться каким-то голубоватым светом: над головой и от рук вроде сияния, потом прибавилось золотистого. Вот в этот миг в них и вспыхнуло.. Подобное больше не удавалось.

Удается, правда, другое. Уже у троих ребят из нашего общежития снял тягу к куреву. Одного парня из моей бригады, вот этого самого Витю, освободил сразу и от головных болей и от пьянки. Очень сильно он поддавал, уже выгонять собирались. (Сам после трех сеансов не пью, но курить продолжаю.)

У одной женщины из поселка снял страх. (На нее напали вечером хулиганы, не могла после этого выходить из дома. Собирались уже в психиатрию класть.)

Ребятишкам-подросткам, над которыми издеваются, внушаю смелость, уверенность в своей силе. И представляете — один такой мой «пациент», Санька, хилый и вялый парнишка, «козел отпущения», после третьего сеанса пошел в секцию самбо. Теперь его побаивается и шпана.

С ним у меня, кстати сказать, в первый раз получился и опыт мысленного внушения.. У него очень быстро наступает расслабление всех мышц, «восковая гибкость» и полная нечувствительность к боли. Можно колоть руку иглой — никакой реакции, кровь почти не выходит. Но отключения памяти не происходит, все потом вспоминает, говорит «видел сон».

Погрузил в гипноз. Приказал открыть глаза и смотреть внимательно на меня. — «Сейчас я буду представлять цифры, буквы, слова, картины и передавать тебе, прямо в твой мозг. Ты тоже будешь все ярко видеть и называть..» Из восьми цифр: 3, 7, 1, 9, 2, 5, 0, 6 — он верно назвал все, кроме двойки и нуля — вместо него 10. Я хотел дать еще несколько, но почувствовал, что больше не смогу рисовать их в воображении, перешел на буквы. Из десяти семь, тоже неплохо, хотя может объясняться и случайностью..

Но самым убедительным (не для науки, для меня только) было внушение образов.

Сперва я представил себе вольно бредущую по прерии лошадь, мустанга-иноходца, помните эту повесть? Кажется, Сетон-Томпсон? — Как раз в возрасте Саньки я прочитал про этого мустанга и влюбился в него, пытался даже рисовать. И вот вспоминаю — рисую в себе, как бы сам делаюсь мустангом, забыл о Саньке.. А он вдруг улыбается и говорит: «Конь!» — меня даже дрожь взяла..

Маленький передых — велю опять закрыть глаза и расслабиться. Снова открыть..

Не знаю сам, почему, всплыло перед глазами лицо моей первой любви. Еще до армии..

Мы с Анютой вдвоем в парке, на скамейке. Теплая ночь.. Опять забываю про Саньку, смотрю в себя.. в нее.. А он начинает медленно отводить глаза, и гляжу — вспотел. «Что? Что увидел?» — «Там.. Сад.. Луна.. Лавка какая-то.. Целуются.. Папиросы.»

..Извините, на этом месте надолго остановился, не мог писать..

Прошло три с половиной месяца..

..Сейчас я гипнотизирую только тех, кто попросит меня об этом, и если чувствую, что могу помочь. (Уверенности нет никогда..) Достал копию старой книги «Черная магия». Отвратительный бред, сжег эту пакость. Уже нет желания гипнотизировать людей против воли, наоборот, понимаю: дикое это было желание, злобное. Тогда, после Лапоткова — хотелось доказать самому себе..

Думаю теперь, что способность гипнотизировать — свойство не исключительные, а присущие всем, только в разных степенях. На низших ступенях ничего не видишь, кроме привычного. А на высших — другие миры..

Скоро получу диплом инженера-строителя. К будущей специальности равнодушен, но.. Второе высшее образование? Я и этот-то диплом едва вытяну.

Если не найдется совета, то, может быть, Вам будут просто любопытны некоторые детали моей гипнотической болезни. Она прошла, но еще не совсем. *Сергей*

Копии ответа не сохранилось.

Запись Лялина на конверте

Гипнотическая болезнь общечеловечна и многолика, как человек. Я тоже переболел ею в довольно опасной форме... Ни врачебный диплом, ни даже особый гипнотизерский, будь и такой в природе, гарантии не дают, — нет вообще никаких гарантий от злоупотребления чем бы то ни было... *(Зачеркнуто.)*

Запись Лялина

Аллегорический монумент Внушаемости я бы воздвиг в виде колосса со страшной мускулатурой, обросшего со всех сторон шерстью, с крохотной головенкой, голенькой, как у новорожденного, с макушкой в виде горлышка откупоренной бутылки, она же — глаз. Рот открыт, навсегда открыт. У основания, под чудовищными стопами — развалины храмов, горы трупов, груды оружия, тела танцующие и совокупляющиеся, машины, игральные карты, книги, музыкальные инструменты, леса строящихся городов...

В символическое пространство следовало бы также ввести некоего Идола, он же Реальность, — то, на что смотрит глазок, какую-нибудь вращающуюся гипнотическую погремушку. В одной руке пылающее сердце, другую обвивает змея.

И еще один глаз, незрячий — на затылке, под пленкой — символ тайного сопротивления...

— Публичная демонстрация гипноза была запрещена в СССР еще в двадцатые годы. Я узнал об этом на собственном публичном сеансе, сорок восьмом по счету: кто-то прислал записку с указанием даты и номера соответствующего постановления.

Запрет не действует и забыт. Он и не мог подействовать. Гипноз растет из земли.

Один прошелыга в Гаграх назвал свою программу скромненько и со вкусом.

ЧУДЕСА БЕЗ ЧУДЕС
ПСИХОИНДУКЦИЯ БЕЗ ГИПНОЗА
УПРАВЛЕНИЕ ЧЕЛОВЕКОМ
ФЕНОМЕН СВЕРХВОЛИ
Помощь желающим увеличить свои возможности
и разрешить личные проблемы
Сеанс проводит
психоиндуктор Смертельный

Интересно, подумал я, — псевдоним это такой, нарочно убойный, или случайное совпадение с истиной, каких в жизни случается неслучайно много?..

Крупный мясницкого типа мужик, с колючими светлыми глазками, наголо бритый, в темно-сером костюме. Сочный снисходительный бас.

Опускаю повторы и утомительную безграмотность.

— Я не занимаюсь гипнозом, это медицинское дело, полезное для больных, известное всем, в нем нет ничего, кроме условных рефлексов.

Гипнозом пользоваться может каждый, после соответствующего обучения. Моя же задача — показать вам феноменальные возможности мозга, данные лишь единицам, особо одаренным природой. Психоиндукцией может владеть только человек, наделенной сверхразвитой волей.

Такие люди — перед вами один из них — способны управлять другими людьми взглядом, словом, движением, мыслью — на любом расстоянии и в любое время. Спокойно. Ничего сверхъестественного, никакой мистики.

Научно давно доказано, что человеческий мозг работает на биоэлектрических импульсах, передает информацию, управляет мышцами, органами. Каждому импульсу соответствует волна определенного диапазона и интенсивности.

А что такое сила воли? Способность концентрировать мозговые импульсы в одном направлении. При этом, соответственно, концентрируются и волны. Образуется психоиндукционное поле той или иной мощности.

Это уже доказано во множестве научных экспериментов. Психоиндукционное поле и является фактором воздействия на человека.

Однако у обычного человека способность концентрировать мозговые импульсы ограничена. Вы хорошо знаете по себе, как трудно сосредоточиться, какие усилия надо приложить, чтобы вам повиновались. Вы и себя-то не можете заставить сделать простейшие вещи — например, уснуть или проснуться, перестать бояться, полюбить или разлюбить, вылечиться от болезни — вам необходима чья-то помощь, не так ли?.. Если бы у вас была достаточно развита сила воли, никакой помощи вам бы не требовалось.

Но силу воли можно развить, только постигнув секрет концентрации мозговых импульсов. Это совсем не просто, хотя принципиально возможно, как, например, прыгнуть выше двух метров.

Можно, но не всякому. Тренируйся сколько угодно, но начиная с какого-то уровня решающую роль играют врожденные свойства.

В моем случае особые волевые данные выявились с раннего детства. Еще пятилетним мальчиком я заставлял бабочек садиться на мои ладони, сосредоточив взгляд, управляя их полетом. Я мог также без труда заставить соседскую собаку залаять или замолчать, будучи для нее невидимым, и на большом расстоянии командовал своим котом. Меня никогда не ужалила ни одна пчела. Своему дяде, любителю-рыболову, я приманивал к берегу рыбу и заставлял клевать.

Вскоре обнаружил, что могу управлять и людьми, сейчас вы это увидите... Уже в двенадцатилетнем возрасте мне ничего не стоило усыпить товарища одним взглядом, сделать абсолютно нечувствительным к боли, заставить увидеть сон или бесстрашно пройти по карнизу. Дальше начались опыты по увеличению мозговой энергии...

Никаких чудес, все материально. Меня освидетельствовали пять виднейших ученых, в том числе академик Копиркин, и признали выдающимся феноменом.

Сейчас во всем этом вы убедитесь на себе. Прошу сохранять спокойствие. Гарантируется безвредность, а при необходимости помощь. Полнейшая сосредоточенность, никаких отвлечений, все вопросы потом. Шутники и притворщики пусть пеняют на себя... Г-р-рмм... Внимание. Начинаем сеанс психоиндукции. Внимательно. Пристально. Внимательно. Пристально. Смотреть... В точку... Смотреть... В точку...

Смесь наукообразия и вранья, гипнотический винегрет. Такие вот дяденьки и провоцируют бред воздействия у склонных к тому натур.

Работал этот тип, надо признать, отменно, как сытый кот с дрессированными мышатами.

С брезгливой улыбочкой отделил от большой группы группку поменьше. (Освобожденных обнадежил: «У вас волны грязные, красного не пейте, все будет в порядке».) Из этой группки — еще поменьше, еще — и наконец, оставил на сцене троих: Курочку, Булочку и Медведика — паренька со стоячей шапкой рыжих волос, похожего на игрушечного медвежонка. Славная, простодушная мордаха...

Именно, именно! Сомнамбулы не безвольны, ни в коей мере. Они могут быть и гениальными существами. Дверь в тайная тайных — ВЕРОСПОСОБНОСТЬ — открыта у них настежь, они внушаемее других, потому что чище. (Пушкин: «Отелло не ревнив, он доверчив».) Таков до сих пор и мой Лар Павлов, во всем своем зрелом гипнотическом великолепии; таким, кажется, был и я...

Невзрачная Курочка, лет семнадцати, стала Курочкой на восьмой минуте после закрепления транса, а пышненькая Булочка превратилась в Семечко.

Еще миг — и...

Клюнуть не удалось: команда «стоп» превратила ее в Статую. А Семечко начало прорастать, пустило стебелек, развернуло листики (потрясающая пантомима, возможная только в таком состоянии) — выше, пышнее... А Статуя все стоит, ей все равно. Вот и Березка выросла, вот цветет сережками, вот трепещет под ветром. Тут и Медведик. Ему захотелось, так приказал Дядя, захотелось... Нет, нельзя Мишеньке лезть на Березку — тут самый смак вовремя остановить. «Стоп! — Так и остался. — Уснул. — Проснулся. — Забыл имя. — Уснул. — Проснулся. — Сейчас мы сделаем волшебный экранчик, а потом будем читать мысли... Дай-ка лапку. Смотри сюда, я рисую. Всматривайся, следи... Статуя, ты теперь вольная ласточка, летай тут вокруг, делай себе гнездышко, выводи птенчиков. Березка, уснуть. Проснуться. Ты тоже, Ласточка, вместе с ней поработай, а мы тут поглядим в экранчик... Что это там такое, а? Да это ж смешной мультфильм! Ну и смехота!..»

Медведик безудержно хохочет...

Уже не до шуточек, мистический ужас: внушенные галлюцинации. Показал и отнятие чувств — ослепление и полную глухоту: перед носом у Медведика хлопали в ладоши, кричали в ухо, толкали, бросали в лицо бумажки — хоть бы моргнул, нуль реакции. Пока Дядя не велит, ничего не будет.

Я ушел в этот момент, снова себя спрашивая, действительно ли такая власть абсолютна. Практически — да. При элементарной сообразительности легко обойти и инстинкт самосохранения, и стыд, и нравственные барьеры. В полном распоряжении органы чувств, память, весь организм.

За единый миг внушается любое самосознание.

Да, такую сверхпрограммируемую зомби-машину можно двинуть в любом направлении, можно сломать или заставить сломать что угодно. Умножив ее численно, можно собрать огромную армию, уничтожить планету. Да, всего-навсего младенческая невменяемость... Не попусти, Господи...

Душа теряться не может, но, как видно, перемещается, и пожалуй, слишком легко...

Принцип Протянутой Лапы
из дневника Лялина

...Слегка пританцовывая от нетерпения, еду на самой маневренной из домашних машин, на личном изобретении — колесной электростремянке.

На полках и стеллажах сияет математическая красота — лицо фанатика организованности, говорящее само за себя. Стройные ряды пронумерованных папок, картотеки, подборки по разделам, тематикам и т. д., статьи, литературные заготовки и разное прочее — все озирается мановением ока, как консерваторский орган, поющий о звездах.

То же самое — в небольшой, но отборной библиотеке и в маленькой художественной мастерской. Ничего лишнего, рациональнейшая расстановка. Идеальный порядок в фонотеке и нотах; в инструментарии — винтик к винтику, а в аптечке что делается, а на кухне! — фантастика, да и только.

Вот в чем секрет: по натуре я субъект немыслимо хаотичный. Припомнить — где, что, когда, положить вещь на место, вести регулярные записи, соблюдать режим — и во сне не снится. Непостижимо.

(А есть ведь счастливцы, у которых это в крови.) Мама билась со мной отчаянно, я был выдающейся бестолочью — но вот наконец и всходы. Компенсация врожденного порока — да, только лишь, но какая! Приравниваю организованность к добродетели и даже назвал одну из своих книжонок вот так, в лобовую: «Цена времени, или Как стать порядочным человеком». Наставляю себя и Лара Павлова (инвалид той же статьи): порядок — тот же авторитет: сначала ты работаешь на него, а потом он на тебя...

Вот, вот оно, творение закаленного духа, материализованная самодисциплина.

Въехав в новую квартиру, я девять месяцев в поте лица созидал из нее Дворец Целесообразности, где можно трудиться и веселиться по великому принципу Протянутой Лапы — единственному, по которому только и может выжить аристократ духа: протянул и взял, протянул и выкинул (мусорной корзиной для стихов служит форточка). Если только придерживаться самообслуживания, строгой умеренности (никаких припасов, ни одной лишней тряпки и миски, ложка деревянная одна на все случаи, по-солдатски); если — главнейший принцип — не допускаешь хозяйничать женщин (эксперименты закончены, пишу монографию), то можно помирать припеваючи.

Все было бы хорошо, если бы не мелочишки.

В царстве организованности происходят некоторые недоразумения. Не говорю о такой ерунде, как самоопределение посуды, одежды и обуви (мои болотные сапоги, с тех пор как я бросил охоту, нет-нет да выпрыгивают с антресолей; раз как-то и пустому холодильнику стало скучно, вышел погулять в коридор) — такие штуки знакомы всем, но как прикажете реагировать?..

По необъяснимым причинам исчезают то нужные, драгоценные именно в этот момент книги, то необходимейший из рукописных фрагментов, то письмо, требующее безотлагательного ответа, то рецептурный бланк, не говоря уже о позарезных справках и документах. Все находится, в конце-то концов, но не там, не тогда, не к тому...

Кой ляд засунул мою служебную характеристику с отмарафоненными подписями за туалетный бачок?

Из-за этого усвистнула ставка в Институте психологии, судьба пошла по-другому руслу.

(А может, оно и к лучшему?..)

Однажды перед самым отъездом — такси под окном — сгинул загранпаспорт, с досады запустил в дверь ботинком — из него рикошетом выпорхнул без вести пропавший...

Всерьез подозревал, что в доме орудуют барабашки. Наконец стукнуло: энтропия. Тварь гораздо более одухотворенная, чем принято думать («одухотворенная» следует читать, конечно, с обратным знаком).

Преследуемая, загоняемая в углы, энтропия ведет войну за существование, войну воистину не на жизнь, а на смерть. И конечно, пользуется наималейшей возможностью... Достаточно иной раз неловкого движения или отвода внимания, допустим, к дребезжащему телефону, легкого содрогания потолка от шагов соседей или незаметного сквознячка — ведь и такие микровозмущения способны подчас обвалить Иерихонскую стену или разрушить Рим...

Ну и самое главное: энтропия всегда находит укрывище в изначальной точке своего обитания — не где-нибудь, а в тебе самом. Здесь ее вечный, неразрушимый бастион с подземным ходом в глубину запредельную. Отсюда, отсюда...

Вот и сейчас: никак не могу отыскать в памяти историю одного своего... Не знаю... Если пациента, то главного... На его месте в соответствующем мозговом окошке оказывается какая-то допотопная расчетная книжка да две обмусоленные зубочистки.

Ага, слышится...

Файл «Чемпионы и рекордсмены», второй стел, стрим восьмой, номер двадцатъ четыре...

По ту сторону Чистых Прудов

На бульваре, в куче песка, белобрысый широкоголовый мальчик играет в солдатиков. Много-много солдатиков, целый дивизион.

— Тум-бара, пу-пум-бара!.. Ать-два! Огонь — пли!.. Пиф-ф-ф!.. Па-бааамс!

Я подхожу. Я в таком же возрасте.

Завязываю знакомство:

— А у меня спички есть.

— Нельзя. Бабушка. Тум-бурум-пум-пум-бвв-пх!..

— А у меня нет бабушки.

— Па-ба-а-ам! Дз-з-хп... И-у-и-у-у-др!.. Ты убит.

Падаю, как полагается, но я только ранен. Заползаю в окоп, отстреливаюсь:

— Ты-ты-ты-ты-ты!..

— Ты убит. Кому сказано?

— Никому. Убитому не говорят. Я только ранен. У меня зуб скоро выпадет.

— Покажи.

— Не покажу.

— Врешь. Не выпадет.

Нажимаю языком — трык! — готово: новенький молочненький клык. На ладони. Протягиваю.

— Хе-хо. Дай.

— Не дам.

— За солдата.

— Не дам.

— За лейтенанта.

— А кто лейтенант?

— Вот этот.

Что-то было нечистое в продаже зуба за лейтенанта, я это почувствовал.

Поиграл, но домой покупку не взял. У меня никогда не было своих солдатиков, ни одного.

А зачем Жорке понадобился мой клык?..

Пару раз в наших последующих драчках он меня укусил, не им же?..

Жорик Оргаев жил в переулке, похожем на мой, по другую сторону Чистых Прудов.

Мы оказались в одном классе, который потом разделили, потом снова соединили, опять разделили... Такая вот пересекающаяся параллельность и дальше сводила и разводила нас.

Шесть колов

Первые два года в школу его водила бабушка, Полина Геннадиевна, завуч соседней женской школы, плечистая дама с плакатными чертами лица и такими же интонациями. Ходила всегда в темно-синем, всей статью своей и походкой выражала организующее начало. Побаивались ее все, кроме Жорки, изучившего ее как часовой механизм.

Он и называл бабушку «мой будильник». «Пойду заведу будильник» означало «пойду есть», «пойду спать», «пойду делать уроки». Суть этих отношений осталась для меня не вполне ясной, но хорошо помню, что при обращениях к Жорке Полина Геннадиевна почему-то часто краснела, как девочка.

...Обедаем с мамой. Два звонка, это к нам, бегу открывать — и тут же назад, скорее — куда?.. Под стол, больше некуда.

Административное возмездие: Жорка, только что мной отлупцованный, явился в сопровождении бабушки для сообщения пренеприятнейшего известия.

— А Тоша сегодня получил кол.

— Шесть колов!!!!!! — ору я из-под стола с шестью знаками остервенения.

— Нет. Только один. — Жорка вопросительно смотрит на бабушку, та — на мою маму, с требованием реакции:

— Ваш Тоша дерется. Подает нехороший пример. На маму действует:

— Тоша! Вылезай сейчас же. Я кому говорю.

— Я не Тоша!

— А кто? — Жорка заинтригован.

— Не Тоша.

— А кто? Кто?

— Тоша! Вылезай сейчас же! (Попытка вытащить.)

— Ни за что!!!

— А он... меня один раз побил, а я его два. Он один кол получил, — катит бочки Жорка.

— Ни разу он меня не побил! Я получил шесть колов! Я не Тоша! Не Тоша!!

Я простил его только перед самым сном. У него нет деревянного пистолета. У него нет... не То...

Пустил козла в огород

Диплом доктора оккультных наук можно получить в детском саду. Если ты хоть чуточку наблюдателен, то заметишь, что при игре в гляделки затуманивается голова, расплываются мысли, перестаешь слышать, словно уплываешь куда-то...

Не знаешь и вряд ли узнаешь, что это первая фаза гипнотического состояния. Но ты можешь это запомнить и применить — например, смотреть в точку, чтобы уснуть или чтобы перестал болеть зуб.

Ты можешь заставить человека оглянуться, даже если кругом толпа, — ты ведь сам иногда ПОЧЕМУ-ТО оглядываешься, когда на тебя смотрят...

Ты понятия не имеешь, что означал для твоих дальних предков прямой немигающий взгляд в глаза (он и для обезьян много значит, и для собак) — но замечаешь, что такой взгляд ДЕЙСТВУЕТ. Как-то не по себе, когда на тебя смотрят так слишком долго.

А когда смотришь сам? — Каково?.. А если еще и гримасу скорчить?.. Здоровый мальчишка всегда естествоиспытатель: обязательно нужно полюбопытничать, все попробовать так, сяк, эдак, пощекотать природу, подергать за косичку судьбу...

Но Судьба — создание не безответное.

Однажды нашел я в куче мусора на задворках старенькую изгаженную книжонку «Внушение и гипнотизм», без начала и без конца. Пассы, пробы внушаемости... Повелительность, сосредоточенность... Интересно... Теперь знаю, как начинать поединки с превосходящим противником. Проверил на практике в школе и во дворе. От случая к случаю показывал штучки-дрючки. А потом надоело.

Влечения к власти у меня никогда не было, мне нужна была только разделенная радость.

Книжечку изрисовал карикатурами («Гипноз, гипноз... хвать за нос!»...) и со смехом и розыгрышем подарил на день рождения Жорке Оргаеву.

Я догадывался, что это ему понравится, но не мог догадаться, с какими последствиями.

А ведь кое-что можно было предвидеть...

В миг, когда книжечка эта оказалась у него в руках, он побледнел, потом покраснел, потом опять побледнел... И быстро, ловко спрятал ее куда-то.

Легенда о Жориковых родителях

Отец — крупный разведчик, засекреченный до не-узнаваемости; мать — артистка балета, всегда на гастролях; один дедушка был главным партизаном Северного Кавказа, а потом дрессировщиком, погиб в пасти разъяренного тигра; другой дедушка живет в Антарктиде, изредка пишет письма.

Лишь бабушку засекретить было нельзя.

На самом деле отец Жорика был инженером, мать стоматологом. Подались подзаработать на Север. Отец пошел в гору, споткнулся и накануне суда по-весился. Мать уехала с каким-то начальником поюж-нее. О дедушках ничего не известно.

Один летний сезон Жорик провел с матерью; пос-ле этого появился тик со вздергиванием головы, ко-торое он потом научился эффективно использовать.

Во втором классе перестал ябедничать, но еще частенько бывал битым, имел прозвище «говядина», почему — не помню.

С четвертого класса статус внезапно сменился на противоположный: изгой превратился в лидера, спо-собного по мановению ока собрать боевую дружину и вломить кому следует чужими руками.

Сам никогда не дрался.

Талант практического психолога проявляется очень рано, раньше всех остальных, ибо пробуждает-ся самыми что ни на есть жизненными потребностя-ми и упражняется непрестанно.

Жорка всегда превосходно просчитывал и обсчи-тывал *окружающих двуногих* (его термин); но вы-числения эти захватывали не все уровни.

И бывали проколы.

Клятва Ужасной Мести

— Готовы ли вы в знак преданности Главарю подписать Клятву Ужасной Мести собственной кровью?..

Джон Кровавый Меч и Билл Черная Кошка ответили утвердительно дважды: готовы! — готовы!..

Ричард Бешеный Гроб смерил нас проницательным взглядом. Объяснил, что к чему. Берется булавка. Протыкается палец. Из пальца течет кровь. Кровью подписывается бумага.

После чего сжигается, а зола закапывается на Трижды Проклятом Месте.

Так, сказал он, действуют все уважающие себя пираты и разбойники, с которыми он, Ричард Бешеный Гроб, лично знаком. Так работают Робин Гуд и Счастливчик Эйвери.

В назначенный день и час мы явились на Место. Он ждал нас, грозно наклонив голову. Двумя пальцами, растопырив остальные, Джон Кровавый Меч, он же Яська, нес орудие для добычи крови — булавку.

— Где клятва... этой... ужасной?..

— Вот.

Бешеный Гроб вынул из кармана измятую бумажку, картинно ею взмахнул.

СТРАШНОЕ там было написано, но Главарь почему-то заторопился и вникнуть в УЖАСНЫЙ текст нам не дал; мы были в трансе...

— Я уже подписал, вы видите, вот моя подпись. Теперь ваша очередь, собутыльники.

Джон хотел что-то еще спросить.

— А может...

— Хе-хо! Разговорчики!

Кровь хлынула сразу, залила весь мизинец.

— Молодец, Джонни. Пиши тут... Внизу. Под моей.

джон кровавый меч

Ого! Даже на мягкий знак хватило.

— Теперь ты, картежник, каторжная душа. — Одобрительно скалясь, Жорка хлопнул Яську по заднице и повернулся ко мне.

— Ну, каторжник, что замялся? Трусишь? Вот на кого равняйся. Нам такие нужны, отпетые.

Яська-Джон преданно шмыгает, протягивает окровавленную булавку. Но Тоша-Билли мнется, бледнеет... Колоть не страшно, но отчего-то кружится голова...

— Дай я твоей, Яськ, у тебя еще много.

— Хе-хе-хо и бутылка рома! — хрипит Бешеный Гроб. — Клятву Мести чужой кровью?! Щенок! Трус!

— Это я-то трус?..

Зажмурившись, надавил острием на мизинец.

Капля крови выползла нехотя, густая-густая.

бил

— У-у, вшивый каторжник... Крови ему жалко... Ладно, сойдет. Давай спички.

Я полез в карман. Тьфу, черт. Нету спичек, забыл.

— Сто тысяч чертей! Поищи получше, головорез!

— Щас домой сбегаю, погоди... Яськ, у тебя нету?

— Зачем? — Яська вдруг как бы очнулся, стряхнул транс. — Не хочу сжигать свою кровь.

— И я не хочу, — обрадовался я. — Закопаем, клятву вот тут прямо, и все...

— Тридцать тысяч привидений, будь по-вашему, висельники. Именем дьявола!

— Именем дьявола! — Именем дьявола!..

— Зарыть у этого камня. Живей, душегубы!..

Вечером палец мой начал вспухать, дергаться. Всю ночь провертелся. «Именем дьявола... Интересно, у Яськи тоже нарыв?.. А у Жорки?.. А что было написано в клятве?.. Даже не прочитали...»

К утру палец вздулся, мама заметила, сделала повязку с кусочком столетника.

Школу можно по этому случаю прогулять.

На пустырике уже ошивался Яська.

— Сто тысяч жареных дьяволов!

— И соленая ведьма! Покажи, у тебя нарвало?

— Не-ет.

— А у меня во-о-о.

— Уй-яа. Ну теперь умрешь, хахаха...

— Давай клятву раскопаем и сожжем, спички есть.

— Как там в «Острове сокровищ», помнишь?..

«...С ругательствами негодяи отшвырнули прочь посинелый скелет помощника капитана. С глухим стуком в покрасневшую от крови каменистую почву вонзились заступы...»

Бумажка оказалась сухой.

клятва ужасной мести

клянусь каждого кто попадется

на глаза в час жуткого убийцы

одним взглядом превратить

в пустое мокрое место

Ричард Бешеный Гроб и К°

— Ничего, а.

— Нормально. Пустое мокрое место — у-у!!

— Жорка-то расписался красивше всех. Какая за-гогулина, а?.. И не расплылось.

— У него кровь светлая.

— А у кого малокровие, синяя.

— Синяя у марсиан.

— Иди врать.

— А у японцев зеленая.

— А у муравьев вообше крови нет, спирт у них.

— Давай в футболешник?..

Подошла еще парочка прогульщиков с соседнего двора. Гоняли консервную банку, я и не заметил, как сунул ужасную клятву в карман.

Вечером, при стирке штанов, документ был обнаружен мамой, пришлось объясниться.

Мама смотрит на текст, вглядывается в наши подписи и вдруг говорит:

— А главарь-то ваш краской расписался.

— ?!?!

— Акварельной. Акварельная у него кровь.

— Акварельная кровь?!......

— Акварельная. Крап-лак называется.

...АКВАРЕЛЬНАЯ КРОВЬ!..

Ах, вот оно что. Ну, что делать будем?.. Вот это главарь... Побежать к Яське. Показать, как нас ОБВЕЛИ ВОКРУГ ПАЛЬЦА! Потом... Потом СТРАШНАЯ МЕСТЬ!! Заставить его... Что заставить?.. Проколоть палец! Той же самой булавкой, той самой! — и-и... И — написать! — Своей НА-СТО-Я-ЩЕЙ кровью! — написать вот что:

Я ПОДЛЕЦ! КАЗНИТЕ МЕНЯ!

Во сне мы с мамой рыли пещеру, бесконечно длинную, долбили светящийся красный камень, чтобы добыть ОГОНЬ СТРАШНОГО СЧАСТЬЯ.

Вдруг мама, проваливаясь, говорит: «Я за спичками», — и исчезает, понимаю, что навсегда, и чтобы догнать ее, ПЕРЕСТАЮ БЫТЬ, а это можно успеть только за вечность, которая бесконечно короче мига, коснуться только…

…Право чистой страницы, право детское, первое и последнее… Наутро сознание мое было омыто солнцем, новый день не желал сводить счеты.

Ни я, ни Яська ни звуком более не обмолвились об этой дурацкой клятве. А Жорка притих, помалкивал — может быть, что-то чувствовал…

Страница перевернулась; но что-то все-таки не попустило этой бумажке исчезнуть…

Двадцать четыре смертельных точки

Как бы я ни старался живописать Оргаева — ни самые многозвучные краски, ни тончайшая светотень не победят чертежа.

Я даже не верю, что он есть: все время, пока мы общались, не уходило затаенное подозрение, что его нет. А ведь в памяти целый фильм — от той первой встречи в песочнице…

Мешковатый мальчик, каких много. Зодиаковый скорпион, на четыре дня старше меня.

Бесцветный прыщеватый подросток, сохраняющий мешковатость, но уже какую-то многоугольную.

Со спины: оквадраченная голова на короткой шее, наплюснутые вперед уши. Профиль: круглая, почти дугообразная выпуклость лба, не слишком высокого, на котором потом обозначились зализы; оседающий книзу затылок и подскакивающий вверх подбородок с мясистым выпрыгом нижней губы, отчего нос кажется слегка вдавленным. Долго страдал хроническим насморком, сильно сопел, особенно когда рисовал: вспучивал ноздри, отодвигал вбок губу...

Это тоже вошло в гипнотическую гримасу, вместе с длинным выгибом правой брови и...

Вот и особенность глаз: поставлены довольно широко, с едва заметной косиной, с оттопыром нижних век, как бы перевернутые.

Когда такие глаза медленно, словно жерла пушек, наводятся на точку за вашим затылком; когда веки оттягиваются напряжением шечных брыл (напрягается шейно-лицевой мускул), — когда начинается усиливающаяся вибрация всей физиономии одновременно с движением вверх и вниз...

Вот оно, знаменитое оргеевское гипнотическое «облучение»: впечатление, будто находишься под напором пульсирующей энергии; всасываешься в эту судорогу, начинает больно рябить в глазах...

Этот иллюзионный трюк он отрабатывал еще в школе, но для эффекта не хватало репутации, большинство испытуемых заходилось хохотом.

Физически был средней силы, подвижен, но неважно координирован; по этой причине не любил футбола — через раз мазал мимо мяча.

В мальчишеской возне то и дело репетировал какие-то сногсшибательные приемчики, куда-то нажимал, что-то выкручивал; уверял, что знает двадцать четыре смертельных точки...

В восьмом классе из личинки моей подростковой застенчивости вылупился хмельной мотылек.

На небосклоне школьной популярности засияла звезда ТОНИЗАР — портретист, стихоплет, танцор, фокусник, мим, а главное, пианист, напрокат-нарасхват. Сочинил немыслимое количество пошлых песенок. Шалый, упоенный собой, я носился из компании в компанию, морочил девчонок, влюблялся, пропадал ночами, приводил в отчаянье маму...

А Жорик пошел совершенно иной дорогой.

Нет, не сказал бы, что он померк. Таинственная сильная личность, мафиозный отличник.

Вытянулся, взматерел. Занимался гипнозом по той самой книжечке, о которой я и думать забыл, практиковался без устали. До времени — никаких зрелищ, работа строго индивидуальная.

Держал в рабстве человек пять зомбированных ребятишек из нашей школы, а в качестве телохранителей парочку окрестных мордоворотов.

Одного, прыщавого громилу с мутными глазами по прозвищу Женька-псих, водил за собой как цепного пса и команды давал как собаке. «Ко мне, Жан!.. Стоять!.. Сидеть!.. Взять!.. Голос!..»

Жесткий императив с внушением животного страха плюс обещание за примерное поведение предоставить бабу. «Я могу убить одним взглядом. Подтверди, Жан. Голос!» — «Угу-у-у...»

Ходячая сила воли. Притом непонятным образом выходило, что Жорик, со всеми его грозными и полезными качествами, никому не нужен. Его общества не избегали, но как-то потихоньку отваливали.

Требовалось еще что-то, чем он не обладал.

Нюанс. Первая истерика

В десятом классе нас ненадолго сблизило общее увлечение живописью.

За этюдником с него что-то слетало. (Один раз мне даже почудилось, будто серая тень выскользнула из-за спины и нырнула в стенку...)

С дрожащим взглядом, с дремотной улыбкой работал кистью... Краснел, бледнел, переставал слышать.. Настоящий творческий транс. Если бы я не видел его и ТАКИМ, все было бы проще...

О живописи он знал все, что было доступно в те сумеречные времена. Открыл мне постимпрессионистов и абстракционистов первого поколения.

Я рисовал его, а он меня во всевозможных манерах; к семнадцатилетию подарил мне масляный тетраптих «Антоний» — феерию цветовых пятен.

Я не мог в них себя опознать, но пришел в музыкальный восторг, восхищаюсь и по сей день. Не сомневаюсь, в нем бушевал художник с несравненным своеобразием чувства цвета. Он бы и сам в этом не сомневался, если бы не одна досадная недостача.

Линия не давалась. Полнейшая беспомощность, топорность рисунка. Зрительно-двигательная память была никуда... «Как это ты можешь, Антоний, как? Ну объясни! Как ты ЭТО можешь?!»

Что я мог объяснить?.. Брал бумагу и карандаш, закрывал глаза и опускал руку. Готово: портрет, движение... Цветы, звери... Ну как объяснить?..

«Зачем тебе, ты цветовик, я рисовальщик». — «Нет, мы должны развиваться вместе. Искусство жестоко: все или ничего. Ты научишь меня. А я тебя дотяну до Фалька и до мусатовского нюанса...»

Однажды у него дома, в отсутствие бабушки, я таким вот слепым способом смеха ради нарисовал пять танцующих обнаженных женских фигурок и возле каждой — Жоркины физиономии, с выражением лиса в винограднике.

Открываю глаза. Жорки нет.

— Жорк... Ты где?

Молчание.

Скрип за зеркальным шкафом.

— Жорк! Ты где, а?..

— ОГЛЯНИСЬ.

..............Фьють!

Хлебный нож, просвистев мимо моего уха, ударился в стенку и упал мне под ноги.

— ПОДНИМИ НОЖ.

— Ты что, Жорк?..

— ПОДНИМИ НОЖ. ВСТАНЬ НА МОЕ МЕСТО. КИДАЙ В МЕНЯ.

— Жорк, ты что?!.

— Нам вдвоем не жить на этом свете. Кто-то должен уйти... Кто-то должен уйти... Уходи, слышишь, уходи быстро... СТОЙ.

— Стою. Ну.

— ВОЗЬМИ НОЖ И УБЕЙ МЕНЯ.

— Кончай шуточки, Жорк, мне не нравится. Ты что, из-за этой моей мазни опсихел? Щас порву.

— Нет. Нет...Хе-хе-хе-хе-хе-хе-хо-о-о-о-о-о!!!...

Это была его первая открытая истерика.

О других я не догадывался.

*Е*ще нюансы

Волосы цвета хозяйственного мыла (сам Жорик обозначал — «нечищеного серебра»).

Якорная дуга подбородка — отметина прирожденного организатора.

А чтобы узреть глаза, нужно спуститься по крутизне лба в промоину между мощными надбровными дугами: здесь эпицентр магнетизма, воронка... нет... осторожно, в зрачки не надо...

Радужка цвета январской предутренней мглы, с невычислимым процентом сиреневого.

В девятом классе он был еще девственником.

Мы учились в эпоху раздельного обучения и по этой причине все были сексуально озабоченными, почти у всех выпирало. Я говорю «почти», потому что Жорик, например, к этой категории не относился, его что-то тормозило. С девчонками напрягался, куда-то девались и красноречие, и самоуверенность.

Прорвало потом: «Знаешь, блондиночки лучше всего трахаются под гипнозом». — «Брюнетки тоже?» — «Они и так в трансе».

Говорил на эти темы редко, но метко. Жадно расспрашивал о моем опыте. Заявил как-то: «Когда я начну трахаться, я твоих глупостей повторять не буду. Пошла на... любовь, они у меня все как овечки будут. Мужскую силу будут чувствовать, сучки. Мужская сила — это гипноз. Это власть».

Главное — развивать способности

Он собирался во всеуслышанье стать дипломатом или кинорежиссером, ни в коем случае не художником, а о медицине и звука не было. Я, впрочем, тоже принял решение стать врачом только в последний момент...

Встречаемся на Аллее Жизни, знаменитой дороге меж клиниками мединститута — от роддома до морга.

— Э! Здоров, Жорк!

— Хе-хо... Здрастьте-здрастьте. Что вы тут потеряли, юноша?

— Ты уже поступил?

— Есть такой вариант, поступил на лечфак. А вы тоже к нам?

Выканьем он иногда баловался и раньше.

— Мы тоже, ага, добираем баллы. А вы тут уже профессор?— попытался я срезонировать в тон.

— Есть вариант. Пути великих людей сходятся, надежда юношей питает, а почему мы краснеем?.. Пока-пока, желаю-желаю...

В ранге студента признал меня сразу и забомбардировал приветственным монологом:

— Поздравляю, не подкачал, Тонька, нашего полку прибыло, вот и славненько, старая любовь не ржавеет, друзья детства, будем вместе, плечом к плечу, мне достался шикарный труп, мускулюс дорзалис классический, пенис хоть выставку открывай, нашим девочкам такое не снилось, переходи на наш поток, у вас там серость, организуем творческий коллектив, надо жить, дорогой, надо жить, студенчество, золотые годы, надо брать все свое сейчас, потом поздно будет, поезд уйдет, жить, жить надо, чтоб было что вспомнить, а главное — развивать способности, хе-хе-хо, развивать личность...

Урок психотехники

Накануне восьмого марта. Угрюмый хвост у цветочного магазина. Жалобный шепоток из-за спины:

— Молодой человек, пропустите меня, пожалуйста, срочно, у меня жена окотилась.

— Жорка, падло.

— Хе-хо. Гражданин, мы перед вами, отойдем на секунду... Хочешь маленький афоризм?

— Ну.

— Почему нам не нравится стоять в очереди?

— ?

— Всякая очередь есть очередь в гроб. Вот такую истину я открыл.

— Гениально.

— Зачем стоишь? Не нравится, а стоишь? Ты ведь у нас с детства большой артист, хе-хе-хо, у тебя что, воображения не хватает?

— Тут и так весело.

— Ну-ну, стой, веселись. А цветочков на всех не хватит. На твою долю не достанется, гарантирую.

— Перебьюсь.

— Не надо себя обманывать. Ты ведь не отказываешься от своего варианта, когда Ирочка из книготорга припрятывает тебе дефицит. Ты проходишь без очереди, когда не боишься, когда знаешь свое право. Стоишь только потому, что не находишь способа перепрыгнуть через барьер этих спин.

— Ты все выразил?

— Да, а теперь учись, как сметать барьер. Урок психотехники, вариант ноль шесть, «кинохроника». Аплодисмент гарантируется. Отойди в сторону. Встречаемся за углом. — ТРИ — ЧЕТЫРЕ...

Оскал, забор воздуха к животу. На задержке вдоха четыре коротких кабаньих шага, почти на месте — бросок — УДАР:

ВНИМАНИЕ! ВСЕМ! В СТОРОНУ!..

Серая вибрирующая толчея словно по шву лопнула. Еще один беззвучный посыл — в прорезь, в парализованное пространство — толпу колыхнуло вбок, открылся проход к прилавку.

Парадный всесокрушающий мегафон:

ШИРЕ РАЗОЙТИСЬ, ШИРЕ... ВКЛЮ-ЧАЙТЕ КАМЕРУ. СТОП! МОЛОДОЙ ЧЕ-ЛОВЕК, ВСТАТЬ СЮДА. ОБЪЕКТИВ НОЛЬ-ШЕСТЬ, НАЕЗД НА ДРОБЬ-ДВА. ДЕВУШКА (продавщице), ПОПРАВЬТЕ ВОРОТНИЧОК, СТОП-КАДР. ЗАМЕЧА-ТЕЛЬНО. ТРИ БУКЕТА, ЭТОТ СЮДА. СТОП-КАДР. ДУБЛЬ. МУЖЧИНЫ, ШИРЕ УЛЫБКИ. ЕЩЕ ДВА БУКЕТА. СЮДА, СЮДА... ПОАПЛОДИРУЕМ НАШИМ ДО-РОГИМ ЖЕНЩИНАМ. Молодцы, спаси-бо, великолепно.

Девушка, а с вами еще увидимся, счет у директора. Поздравляю!..

— ...Вот так, Тонечка, хе-хе-хо. Бери, все твое, бесплатно, они там еще год не очухаются. Бери, прелесть розочки. Для твоих распрекрасных дам.

— Отваливай.

— А спасибо кто скажет?

— Спасибо скажет милиция.

Избегнуть мешать тайным системам

Шестой курс, скоро распределение. В вестибюле психиатрической клиники после занятий ко мне подходит Оргаев, доверительно мнет мой халат.

— У вас кто по психиатрии ведет практические? Циклоп, да?

— Не Циклоп.

— А у нас Циклоп. Землю есть заставляет.

(«Циклоп» — это одноглазый безногий доктор Борис Петрович Калган. О моей ученической дружбе с ним Жорик не знал ничего...)

— Учебники, говорит, изучайте сами, а я вам буду показывать врачебные подходы к больному. Кто хочет получить зачет, не посещая занятий, давайте зачетки. Никто не дал, естественно. А он пробормотал что-то, потом на каждого навел свой фонарь (тот самый глаз Боба, единственный, выразительный и подвижный) и по палатам. Каждому по больному: «Знакомьтесь, потом потолкуем». Мне дал шизулю дефектную, сумасшедшую совершенно. Сидит застывшая, вся в сале каком-то. Бубнит монотонно: «Избегнуть мешать тайным системам... Избегнуть мешать...»

— Фролова?

— Ну да... Циклоп потребовал, чтобы я описал ее детство. «Вживайтесь, находите подход». Было бы к чему подходить, она уже восемь лет твердит одну эту фразу, ни взгляда не поймать, ничего.

Я ему: «Больная недоступна, хроническая кататония». А он фонарем так неприятственно смазал: «Недоступных больных не бывает, Оргаев, бывают только недоступные доктора. Пойдемте со мной».

В палате садится на кровать к ней спиной, на костыль свой опирается и качается взад-вперед. Она тоже начинает качаться, как заводная кукла, и монотонным голосом: «Папочка, я не хочу. Папочка, я больше не буду. Папочка, я хорошая, это писька нехорошая. Папочка, скажи им, чтобы они выключили электричку. Папочка, они все с хвостами, папочка, отними меня. Папочка, у меня болят слезки...»

Обнимает его, плачет, бубнит свой бред. Так и просидели минут пятнадцать...

— Так это и есть врачебный подход.

— Хе-хо, бессмысленная сентиментальщина. Кому нужны эти объятия с безнадежностью?.. Я тоже так сел, а она меня по затылку бамс: «Избегнуть мешать тайным системам...» К черту! Психиатрия — занятие не для нормального человека. Практическая психология, психотехника, психомагия, только не в публичном варианте, не профанированно — это да, это стоит... Воздействие, прежде всего, на среднего, здорового массового индивида, на самые обыденные переживания, а через них и на глубину... Ты меня понимаешь. Ты знаешь, зачем это нужно.

— Не знаю... Забыл. Не понимаю. Зачем?

Я слушаю его как сквозь стенку.

— Не придуряйся. Мы в жизнь выходим, мы молодые, а перед нами грандиозный бардак, деградация, все ползет в ж... А почему?.. Потому что нет настоящего управления. А почему его нет? — Потому что нет знания человеческого материала. И нет действенной психотехники, ни у кого нет. Стимулы исчерпались, все на соплях, стадо разбрелось кто куда. Никакая наука, никакая организация, никакие политические припарки, никакие экономики не дадут ни х... (Жорик употреблял слово из трех букв, как правило, в утверждениях отрицательных), пока мы не доберемся до уровня человеческих атомов.

Психоэнергетический кризис — разве не ясно?

Капилляры общества зашлакованы, склероз нарастает. Демагогия и пропаганда работают против себя, обратная связь искажена до безумия. И это не результат каких-то ошибок или роковых выборов, нет, это просто всемирно-историческое невежество и отсутствие средств, это трагикомедия тысячелетий.

Думаешь, только у нас так?.. Везде, везде тот же круговорот дерьма. Управление психоэнергией — проблема для всех извечная, для систем всех масштабов, всех уровней — и ее решают только психотехнически гениальные личности. Ключ к решению в том, что каждый человеческий атом — я говорю образно — почитает себя не менее чем вселенной, и в своем атомарном масштабике исключительно прав. Каждый жаждет самореализации, жаждет полноты жизни, да, каждый желает быть маленьким богом, эффективности хочет! Своей собственной, личной, крохотной, но столь важной для него психологической эффективности, слышишь?..

От первого министра до последнего распиздяя! — Каждый жаждет магии, каждый! — Покажи мне хоть одного, кто не мечтал бы воздействовать на себя и других хоть чуть-чуть получше, чем это у него получается!.. А у подавляющего большинства не получается ни х.., ты согласен?

— Согласен. Не получается. Не получается ни ху...

Я впал в прострацию. Он не первый уже раз заводил со мной подобные речи, и я знал почти наизусть каждый следующий абзац.

— В этом и твоя главная проблема — в дефиците психоэнергии и практической психотехники.

У тебя великолепные задатки, но ты жутко херово владеешь собой. Ты сверхчувствителен и почти беззащитен. Ты маешься от разорванности своих побуждений. Всякая сволочь может тебя вмиг поиметь и заставить почувствовать себя полным ничтожеством, пустым местом, так ведь?..

А вместе с тем ты, как и я, не мыслишь жизни без эффективного воздействия на людей, ты тщеславен и эмоционально зависим, я тебя знаю не первый год... У тебя незаурядный психотехнический талант, только не развитый. Мы с тобой люди призвания, мы отмеченные. Такие люди должны быть союзниками. В противном случае... Понимаешь?

— Ага, союз нерушимый, в противном случае неотвратимый пиптец.

— Нет, ты просто устал, ты в депрессии, Тонька. Я сейчас тебя подкреплю... Слушай меня внимательно. Излагаю нашу стратегическую программу. Через год заканчиваем институт. Какое-то время придется потолкаться внизу. Познание жизни, практика.

На этом этапе главное — не потерять себя, не застрять в болоте, наращивать целеустремленность, расширять кругозор — выходить на орбиту. Согласен со мной?.. Вижу, согласен.

— Угу. Только где у нас верх, а где низ?..

(Жорка слышит иронию, раскаляется.)

— Вот здесь тебе и понадобится моя дружеская поддержка, а мне твоя, здесь и надо держаться за руки, чтобы одолеть крутизну. Если думаешь, что я склонен к вульгарному карьеризму, то ошибаешься. Было, переболел, хе-хе-хо, переоценил ценности.

В аспирантуру предлагают место, отказываюсь. Три года на побегушках лизать задницы — при одной мысли тошнит. И политическое функционерство не для меня, хотя мне ничего не стоит хоть завтра залезть высоко-высоко, у меня там крупный кролик, держу за яйца, очаровательная импотенция...

Функционерский успех — это для них, это для наших бездарных кроликов. Пускай получают большие кресла и громадные бабки, прекрасно! — У НИХ НЕ ПОЛУЧАЕТСЯ ЖИТЬ, и они мечтают о психотехнике, чтобы управлять головами своих подчиненных, влечениями любовниц и жен, мозгами скверных детишек и своими собственными непослушными органами. Вот мы и предоставим им такую морковку.

Управлять управителями — это надежно во все века и при всех системах. И это дело, огромное дело, ты понимаешь?.. Это могущество, это власть, которую мы используем для оздоровления общества.

Главное — координация. Допустим, ты гипнотерапевт в клинике неврозов, у тебя кабинет и прием. Ничего больше не нужно. У меня тоже кабинет гипнологии, в дальнейшем, может быть, институт...

Спокойно работаем, никуда не лезем, сотрудничаем, пишем совместные работы, распределяем пациентуру. Известность нарастает сама собой. Реклама в меру необходимости, через прессу, здесь очень пригодится твой литературный талант. Снимаемся иногда в кино, выходим на телевидение...

Очень скоро, уверяю тебя, вся рыбка сама поплывет в наши сети, а там и киты, только вылавливай. Все они, уверяю тебя, жалкие дилетанты, кретины, не видящие психологически и на полхода вперед, у всех действия рефлекторные.

А мы будем действовать профессионально, грос-смейстерски, мы создадим настоящую психотехнику и останемся свободными людьми, вот что главное.

Честолюбие наше будет удовлетворяться путями, достойными наших натур. Мы служители истины, во-ители духа. Да, да, хе-хе-хо, много званых, да мало избранных...

— Я не в силах тебе соответствовать, мне не по мозгам, Жорк. Извини, я пукнуть хочу.

— Ты иронизируешь, я понимаю. Но прошу все-таки осторожнее... Я не страдаю манией величия, я просто вижу возможности, твои и свои. Надо встать выше личного. Надо слышать зов...

— Ты достал меня, Жорк. Я те ща в морду дам.

— М-м, ты грубишь... Я труден, не отрицаю, я не не подарок... Я понимаю, почему ты отчуждался... Да, я обижался на тебя, да, терял чувство юмора, да, бы-вало... Нелегко было прощать предательства...

— Чё-ё-ё?..

— Не таращь глазки, ты помнишь все. Я звал те-бя на этюды, а ты променял наши искания на свой похабный ансамбль. Я открывал тебе душу, а ты пле-вал в нее. Тебе был дорог и интересен кто угодно, кроме меня... Отбил у меня Наташку... Выпускной ве-чер, вспомни... Рисовал гнусные карикатуры... Я не злопамятен, но с трудом прощаю измены, с трудом...

— А теперь вспомни ты. Призрак на лестнице. Крысиная голова в портфеле. «Жди страшной смер-ти» в почтовом ящике...

— Да, это я, не скрываю... Я... Я был так одинок... Я злился и ревновал, по-глупому ревновал. И днев-ник твой украл я. Детское, ты простишь, ты простил уже... И я тоже простил тебя...

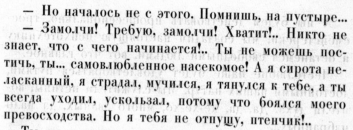

— Но началось не с этого. Помнишь, на пустыре...

— Замолчи! Требую, замолчи! Хватит!.. Никто не знает, что с чего начинается!.. Ты не можешь постичь, ты... самовлюбленное насекомое! А я сирота неласканный, я страдал, мучился, я тянулся к тебе, а ты всегда уходил, ускользал, потому что боялся моего превосходства. Но я тебя не отпущу, птенчик!..

Ты не знаешь, что нас соединяет, какая мистерия... Не желаешь стать моим другом, но еще дозреешь до этого, обещаю. Я ЗА ТЕБЯ ОТВЕЧАЮ.

Это было сказано с колоссальной силой путем внезапного перехода на шепот.

И дальше он говорил тихо-тихо. А я уже орал:

— Ты?! За меня?!! Отвечаешь??!!!

— Да, в моем понимании дружба — это ответственность. И не в банальном понимании.

— А в каком?

— В ГИПНОТИЧЕСКОМ.

(Еще тише.)

— В каком смысле гипнотическом?..

— Ответственность сильного перед слабым, старшего перед младшим, зрячего перед слепым. Ты же еще слепыш, дурачок, глазки еще не раскрылись...

Ты не распознаешь во мне своего поводыря. Не признаешь, что моложе меня не по возрасту, а по развитию, что сама судьба сделала меня твоим духовным учителем... Разумеется, я и сам ученик Истины, я расту, зрею... И я поклялся себе довести и тебя до зрелости. Без меня ты пропадешь. А со мной состоишься, раскроешься, осуществишься. Я должен, хочешь ты этого или нет, вести тебя, охранять...

— Стой-стой-стой. Это куда — вести?.. Это как — охранять? От кого ты меня охраняешь?

— От тебя самого, малыш. Я слежу за твоим развитием. Управляю твоими чувствами, детка.

— Жорка, да ты рехнулся, ты же совсем поеханный. А ну отвали от меня со своим бредом, незваный папочка. Ты что, всерьез?.. Ты думаешь, что способен управлять чьими-то чувствами?

— А по-твоему — не могу?..

— Не можешь. Чувствами управлять нельзя.

— Хе-хо, малыш мой, а в гипнозе?.. Чем, по-твоему, управляют в гипнозе — звездами? Лошадьми? Что я делаю с чувствами в гипносомнамбулизме?

— Навязываешь искусственные.

— Дурачок, что ж, по-твоему, психотехника — это игрушки? Загипнотизированный — по-твоему, притворяется, дурака валяет?

— Не валяй дурака сам. Ты ведь знаешь, что производишь психическое изнасилование. Душу заставляешь себе лгать. Не чувствами управляешь, а только полем сознания, текущими переживаниями, как телевизор. Скучно все это.

— Подожди, не уходи, я все понял. Академический спор закончили, переходим к практике. Ты меня сейчас ненавидишь. Ты ненавидишь меня всей душой.

— Ошибаешься.

— Хорошо, ты меня презираешь, охотно верю, ты, как всегда, трогательно меня презираешь, ты ко мне равнодушен, да?.. Ну, а я заинтересован в твоей ненависти. В полноценной здоровой ненависти. И я могу сейчас сделать так, что ты возненавидишь меня. Как думаешь, могу я сейчас вызвать у тебя чувство злобы, ярости, ненависти ко мне?.. Я могу?

— Нет. Не можешь.

— Никоим образом?.. Ни за что?..

— Ни за что.

— Хе-хо, расчудесно. Показываю психотехнику в действии, будь внимателен, Тоша, начинаем урок. Гипноз будет иметь лишь вспомогательное значение. Вот телефон. Вот моя записная книжка. Вот номер телефона твоей Нелечки, твоей платонической пассии, неприступной богини, которую ты сейчас ждешь — и напрасно, кстати, она уже у себя в общежитии и ждет моего звонка... Я правильно определяю твое к ней отношение?.. На нашем курсе она для тебя идеал чистоты и женственности, ты смотришь на нее как зайчонок, не смея притронуться... Ты любишь ее и не дашь в обиду такому матерому маниакальному цинику, как Оргаев, я не ошибся?

— Ты не ошибся. В обиду не дам.

— Смотри же... Сейчас ты ответишь за свои слова... (Его голос снова стал наливаться и источать вибрации.) По-твоему, она живой идеал... А я ее, видишь ли, успел познать с несколько иной стороны... С интимной. Выдаю тебе маленькую врачебную тайну: я загипнотизировал ее, она сама об этом меня попросила в связи с некоторыми проблемами. Прекрасный контакт. Отличная сомнамбула.

Слушай же внимательно: она в моей власти. ОНА В МОЕЙ АБСОЛЮТНОЙ ВЛАСТИ... Не напрягайся, пока еще не воспользовался, с меня довольно сего сознанья, я человек моральный, хе-хо... Но теперь ради тебя, любимого, так и быть, пожертвую своей совестью. Я тебе докажу, что настоящими чувствами управлять можно. Твоими, по крайней мере. Сейчас, сейчас это произойдет, не будем откладывать...

Я сделаю только то, чего она сама хочет давно и страстно. Облагодетельствую, освобожу от смирительной рубашки стыдливости, от страдания, угрожающего безумием. Да будет тебе известно: у нее вулканический темперамент. Она не знает, куда деть гормоны, ей больше невмоготу. И я ей, наконец, помогу. Я освобожу райскую птичку. Я ее трахну.

— Кого?..

— Ее, ее, твою любимую Нелечку трахнет твой старый, в двух смыслах *преданный* друг Георгий Оргаев. Она мне отдастся. Я с грубой нежностью ее дефлорирую. Она будет стонать, петь, визжать от невыносимого наслаждения. Она не почувствует боли... Нет, пусть почувствует! — ах!! — именно боль дает высший миг!.. А ты можешь при сем присутствовать, я внушу ей тебя не видеть, ты будешь для нее табуреткой. Я мог бы и уступить тебе пальму первенства, но без меня у тебя все равно ни х.. не выйдет.

— ...

— Ну-с. На пари?

— Ты...

— Тихо... Тихо... Вспомни, мой друг, Евангелие, замечательная строфа: «Мы посеяли в вас духовное — велико ли то, если пожнем у вас телесное?..»

— ...

— Ну-с? Кулачки наши давно сжаты, зрачки шире глаз, море адреналина... Не буду тебя больше мучить, ну говори, хе-хе-хо, говори быстрее, что ненавидишь меня. Или просто бей, ну, не сдерживайся...

Понял ли ты, сосунок, или нет еще, что гипноз — это та провинция, с которой цезари духа начинают завоевание римских престолов силы и власти, богатства и процветания, любви, наслаждения?..

Я набираю Нелечкин номер...

— ...

— Ты получил урок? Если ты и сейчас отрицаешь, что ненавидишь меня, то... Алло, Неля?.. Привет, лапочка моя. Сейчас я приеду к тебе. Проведем сеанс. Да... И на этот раз пообщаемся по полной программе, моя девочка, ты меня поняла?.. Да-да-да, хе-хо, все-все-все, ты поняла. Приготовь посте...

Тьфу, черт, разъединилось... Набираю еще раз...

— НЕНАВИЖУ.

— Прекрасно. Теперь ударь. Ударь меня, разрядись, ради науки стерплю. Бей, не сдерживайся.

— Не сде... Не ударю...

— Птенчик, я победил тебя. Победил трижды, ты даже и не заметил. Ну подтверди, ударь.

— Звони еще раз. Набирай. Вместе поедем.

— Хе-хо, хехехошеньки. А куда мне спешить, птичка не улетит. Отложу до праздников.

Афиша сеанса

СЕАНС

скорой психологической помощи проводит
специалист экстра-квалификации, доктор медицины,
премиант международных симпозиумов
(**гипнотизирующий портрет**)

Георгий Георгиевич Оргаев

СЕГОДНЯ ВЫ УЗНАЕТЕ,

как человек влияет на человека,
как начать заниматься самоусовершенствованием,
как стать уверенным, что такое настоящее обаяние,
как овладеть силой своего подсознания,
что представляет собой человек-компьютер

СЕГОДНЯ ВЫ ИСПЫТАЕТЕ

мгновенное расслабление, засыпание, пробуждение,
моментальное отключение и включение памяти, моментальное вхождение в любой образ, обезболива-
ние без наркоза, сновидения наяву,
полет без крыльев и многое другое

СЕГОДНЯ ВЫ СМОЖЕТЕ

укрепить волю, улучшить память, повысить работо-
способность, распрощаться со страхами,
расстаться с депрессией,
открыть дорогу к успеху...

При вашем желании

ВАМ БУДЕТ ВНУШЕНО

необходимое состояние
все решит
все решит

!ВАШЕ ЖЕЛАНИЕ!

Рекомендуется иметь лист бумаги и карандаш.

Публикатор. — А что Оргаев? После визита с «но-жичком» больше не проявлялся?

Д-р Павлов. — Еще с месяц звонили мне домой на разные голоса. Дюжина гвоздей в автокамере, почел за благо ходить пешком. «Рафик» на безлюдной дорожке, вираж довольно профессиональный — успел отпрыгнуть. Наконец, вульгарный булыжник в окно кабинета во время сеанса. Ни в кого не попал, по счастью, но срыв лечения, это была группа невротиков с расстройствами речи. Антону я об этом не рассказал.

Публикатор. — Куда-нибудь обращались?

Д-р Павлов. — Нет. Рамки обычных вероятностей. Покушения на психиатров не такая уж редкость.

А главное, все успел оттянуть на себя Антон. Мы ведь вскоре пошли на этот сеанс... Обратите внимание на афишу: нигде слово «гипноз» не употребляется.

Сеанс
из дневника Лялина

— Сколь же смешон ты, о старец несчастный и грешный. Бороду наголо сбрив, седину косметической краской замазав, потертого духа морщины сокрыть помышляешь ужель?

— Нет, не искусен ты, Лар, в мастерстве эпиграммы, тельной коровы мычанье напоминают оне. Вот почему говорят: чья бы корова мычала, лишь бы молчала твоя, муха тебя укуси.

— Стой!.. У тебя нос отрывается, дай поправлю.

Решение изменить внешность пришло обоим одновременно — нельзя быть узнанными: маэстро занервничает. Договорились:

1) не мешать Жорику,

2) не мешать друг другу,

3) не мешать Провидению.

Как и было рекомендовано, я прихватил с собой карандаш. И листок бумаги, на котором уже давно было нечто написано...

— *У него все падают назад, а потом вперед...*

— *Глаза потрясные... Усыпляет сразу, а потом превращает в инопланетян...*

— *Я не поддаюсь.*

— *Ха-ха, не поддашься, как же. Колебал он таких, как ты, одной левой.*

— *В космос брали его и на шахматный матч... Если б не он...*

— *А от глупости лечит?*

— *Дурак, он гениев делает.*

— *Выйди, спой что-нибудь...*

— *В-в-в...*

Знакомый ажиотаж. Едва втиснулись по законным билетам, на контроле пришлось унимать дерущихся безбилетников. чуть не потеряли свои носы.

Зал бурлит, как желудок Гаргантюа. На авансцене ничего, кроме нескольких десятков стульев и микрофона. Рояль в глубине, знаю этот «Стейнвей», я выступал здесь когда-то тоже...

Выходит ведущая. «Сегодня у нас в гостях...»

Аплодисменты.

Оргаева пока нет. Долгие-долгие аплодисменты...

Мертвая тишина.

Он уже здесь. Он давно здесь. Но нужно было появиться из-за края занавеса ни раньше, ни позже, а в тот самый, единственный миг кульминации ожидания, когда простой шаг в поле зрения воспринимается как материализация из эфира. Мысленно аплодирую: да, это психотехника, да, искусство...

Еще несколько неуловимых мгновений...

Вот он, Жорик — в светлом простом костюме, слегка домашнем, без галстука, в не слишком вычищенных ботинках. Чем непритязательней облачение чудотворца, тем он, значит, увереннее, да, ничего лишнего, не чересчур гладко выбрит. Плотный лысоватый мужчина, мужественная некрасивость, бывалость — да, то, что надо.

И мощный электризующий взгляд.

Сейчас все начнется...

Вот знаменитые танковые шаги... Жорка показывал их мне еще на четвертом курсе. Учил, вразумлял:

— От того, как идешь, зависит девяносто процентов... Сечешь?.. Внедряется колоссальная подсознательная информация! — можешь обратить в бегство! — привести в бешенство! — восхитить! —

парализовать! — уничтожить, не притрагиваясь, уничтожить! — только шагом навстречу, больше ничем!.. Неужели не замечал? На собаке, хоть на собаке попробуй... Ну вот, без билета в Большой театр проходил, значит, надежда есть... Как должен выходить к своему объекту гипнотизер? Как танк, только как танк, запомни — вот так! И не дать опомниться, быстрота и натиск. Объект должен успеть единственное: ощутить себя безграничной козявкой...

— Здравствуйте, леди и джентльмены...

(Ироничная лесть. Уверенный жирный голос.)

...Мы с вами достаточно знакомы. Вы немножко знаете обо мне. Я о вас тоже наслышан...

(Пауза, полуулыбка, бурные аплодисменты. Великолепный ход на сближение.)

...Значит, без предисловий. Начинаем сеанс.

Резкая тишина.

— Все вопросы потом. Каждый, кто хочет участвовать в сеансе, должен по моей команде «раз» сцепить пальцы рук за головой на затылке. Показываю — вот так... Локти должны смотреть вперед — вот так, строго перед собой, а не в стороны... Смотреть всем, не отрываясь, только на меня — вот сюда, в переносье. Дышать ровно... Не спешите, молодой человек, будьте внимательны. Девушка, не торопитесь, уберите с колен все лишнее... Спокойствие... Полная сосредоточенность. Внимание. РАЗ!

В этот миг и явилось *решение*. Я ПОДДАМСЬ.

Да — отбрасываю все защиты, все знания, все на свете — и помогаю Жорке со всей страстью наивности, погружаюсь в гипноз, как ягненок, как вон тот малый, который уже готов...

Исчезаю, меня нет, будь что будет...

Публикатор. — Я тоже слышал об этом сеансе. Говорили, это было нечто необычайное, феноменальный успех, звездный час Оргаева. И будто бы один из загипнотизированных так играл на рояле, что все плакали, и сам Оргаев бросился его обнимать.

Д-р Павлов. — Возможно, так многим и показалось... Я сразу понял, что Антон не притворяется, все всерьез: увидел, как помутнели его глаза, утеряли подвижность зрачки, порозовела кожа — изобразить такое нельзя, это был настоящий транс.

Меня охватил ужас — что сейчас будет?.. Не соблюл второй пункт договора: что было силы пихнул Тоника в бок — нуль реакции. Еще раз толкнул, тронул локоть, плечо — типичная каталепсия... Тут Оргаев заметил мои попытки, властным жестом приказал прекратить (не узнал, слава богу, сработал грим), и другим, не менее властным — препроводить на сцену. Я выполнил третий пункт.

Все дальнейшее, до начала МУЗЫКИ, помню слабо. Там в общем-то и запоминать было нечего, все многажды пройдено...

Антон сидел среди остальных сомнамбул на сцене, никем не узнанный, — сидел, стоял, двигался, застывал опять с мутным взглядом, с розово-стеклянным лицом. Выполнение всех внушений, участие в групповых сценах...

Начались индивидуальные перевоплощения. Двое Репиных рисовали углем на больших листах — один изобразил нечто вроде паука, а другой самого Оргаева, довольно похоже. Еще один Репин...

Нет, это уже Пауль Клее, абстракция... Оргаев внушает: «При восприятии этих ритмических световых пространств у вас нарастает чувство восторга...

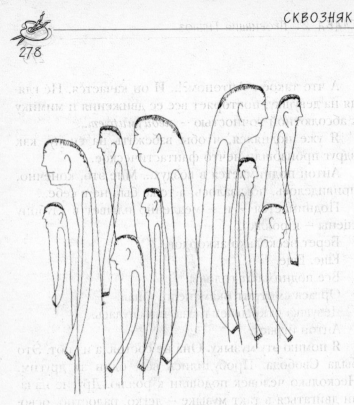

...Вы чувствуете себя частичкой мироздания, это доставляет вам неизъяснимое наслаждение...»

Вдруг тоненькая черноволосая девушка, только что бывшая Надей Павловой и выделывавшая немыслимые антраша, начинает с закрытыми глазами раскачиваться и всхлипывать.

Страдальческая судорожная гримаска...

Я понимаю, что с ней происходит: вскрывается внутренний конфликт, осложнение, потом будет плохо... Нужно немедленно ее усыпить поглубже, а затем мягко, успокоительно пробудить с лечебным внушением. Но Оргаев этого не сделает: если что, просто выгонит вон со сцены, к чему возиться.

А что такое с Антоном?!.. И он качается. Не глядя на девушку, повторяет все ее движения и мимику с абсолютной точностью — *медиумирует*...

Я уже поднялся, чтобы взбежать на сцену, как вдруг произошло нечто фантастическое.

Антон поднимается в воздух... Мне это, конечно, привиделось, показалось, я тоже был не в себе...

Поднимается — и — медленно плывет в глубину сцены — к роялю...

Берет несколько аккордов.

Еще. Еще.

Все поднимают головы.

Оргаев смотрит окаменело: узнал.

Девушка открывает глаза: проснулась.

Антон играет.

Я помню эту музыку. Она не состояла из нот. Это была Свобода. Пробудились все, один за другим. Несколько человек подошли к роялю. Другие начали двигаться в такт музыке — легко, радостно, освобожденно... Улыбаясь, пошли со сцены...

В этот только момент Оргаев вышел из оцепенения и, брызнув потом, взревел диким голосом: «Сто-о-о-п!!. Стоя-а-ать!!.. Спа-а-ать!!..»

Никто не обратил на это внимания.

Дальше смутно... Я погрузился в музыку Антона и утратил ощущение времени...

Оргаев бросается за кулисы. Антон играет. Сцена пуста. Занавес. Музыка продолжается.

Тишина. Лавина аплодисментов неизвестно кому.

Не помню, как возле меня очутился Антон:

— Я ему ее вернул... Вернул ту дурацкую клятву, нашей кровью подписанную и его краской. Вот и исполнилось им самим...

Виртуоз

Эта глава объясняет, что же произошло в конце предыдущей.

Публикатор. Будучи, к своему прискорбию, человеком, далеким от искусства, я долго сомневался, стоит ли, с позиции широкого читателя, находящегося в том же положении, включать в издание эту часть лялинского архива. Хранится она отдельно, в драной черной нотной папке, на которой рукой Лялина жирными белилами нарисован огромный скрипичный ключ.

На обороте обложки — кусочек стиха:

...на перекрестке лиц и улиц
душа и музыка сомкнулись
и прежде губ и раньше рук
(...) звук

(Зачеркнуто, но разобрать можно: «все сладил»).

Кроме обрывочных рукописей, не везде внятных, здесь есть нотные тексты (в основном, как пояснил доктор Павлов, наброски пьес, рожденных в медитациях) и несколько любительских аудиозаписей, сделанных в разных местах.

Прослушивание решимости не прибавило: одно дело — личное впечатление, другое — оценка более или менее объективная. Некоторые пьесы понравились мелодичностью и прозрачной простотой, другие зацепили острым ритмом; третьи, на мой слух, чересчур сложны, многозвучны — единственное, что я в них уловил, это чрезвычайная беглость пальцев.

Интересными показались записи с участием других инструментов, и среди них — два свежо звучащих дуэта фортепиано и скрипки.

Я спросил доктора Павлова, кто скрипач. Со смущением, не поддающимся описанию, коллега ответил:

— Скрипачом-любителем был мой отец, школьный учитель математики. Поздними вечерами уединялся со старенькой «Маджини»... Пытался учить музыке и меня, но я едва дотянул семилетку. Опомнился лет в семнадцать, затосковал. Если бы не Антон, с аналогичной историей вышедший в другое измерение...

— Будет скромничать, доктор, кто в каком измерении, история разберется. Скрипач, стало быть, — это вы, так и пишем.

— Антон уже на шестом курсе задумал и начал понемногу набрасывать книгу о музыке и человеке... Музыке и психике... Музыке и душе... Лишние какие-то слова, даже слово «музыка» — лишнее...

Поиск вел с разных сторон: ездил в культурологические экспедиции, наблюдал за детьми и взрослыми, рылся в библиотеке, собрал необозримый материал по звуковому общению в природе и воздействию музыки на живое; по истории музыки и ее врачебному применению... Литературный вид успел придать только нескольким фрагментам.

После этого разговора все стало немного понятнее.

Наброски Лялина привожу вперемешку с пояснениями д-ра Павлова и моими вопросами.

> *Музыка — это предзнание.*
>
> *Из письма Бетховена*

Я покоряюсь пустяку
как щепка у волны на гребне
и жизнь как падаль волоку,
душа моя от света слепнет...

Какая мысль, какая страсть
роялю разверзает пасть?
О, как надменны, хищно-грубы
его оскаленные зубы,
как королевски он клыкаст...

Но подойти,
за крышку взяться,
и затрепещет нотный стан,
и партитуры прослезятся,
и очертания креста
в ключе скрипичном засквозятся,
и кто-то встанет за спиной...
и зарыдает воск свечной,
и вступят клавиши и руки
в неугасимый разговор,
пожар божественной науки...

...На поляне, залитой солнцем, на руку мне, прямо на часы, прыгнул с травинки кузнечик.

Потушил зайчик. Замер.

Секундная стрелка, показалось, побежала быстрей. Я не двинулся. Десантник начал медленно сучить лапками, шевелить крылышками...

Спугнул. Чик! — опять прыгнул.

Я снял часы, положил в траву.

Присела на полсекунды иссиня-черная муха... Медленно, пошатываясь, как пьяная, переползла по прозрачной выпуклости стекла какая-то помятая букашка... Чи-чик! — кузнечик опять.

Я опять его отпугнул.

А он снова — прыг!..

У каждых часов собственный голос. Сентиментален тонюсенький писк миниатюрной дамской «Мечты». Внушительно, целеустремленно тиньканье мужских часов марки «Победа». Увесисто, по-солдатски, марширует будильник «Восход». По-старушечьи шаркают допотопные ходики. Мои, называемые «Алмаз», тикают с ускользающим призвоном, я изучил их песню, подкладывая на ночь под подушку. Когда не приходил сон, меня убаюкивал стучащий под ухом молоточек, покрытый бахромой с колокольцами...

У Пастернака потом нашел строчку, объяснившую поведение кузнечика:

Сверчки и стрекозы как часики тикают...

Точности тут нет: сверчки — да, пожалуй, их свиристящее стрекотание на «тик-так» смахивает; но не слыхивал я, чтоб и стрекозы тикали; не важно это, однако, — правда поэзии не буквальна: через звукоподобие механического и живого поэт услышал вселенское всеединство...

Иллюзии и обманы в Природе — обмолвки истин, промельки тайн. Похоже, кузнечик принял мои часы за свою невесту — совпала какая-нибудь значимая акустическая характеристика...

Страстно надо искать, чтобы так обмануться!

А нас так обмануть запросто может Музыка, гениальнейшая из обманщиц.

Случаются, впрочем, обманы и внемузыкальные.

Однажды, проходя мимо громадного административного здания, я услыхал жуткий собачий визг. Пронзительно, то умолкая, то принимаясь вновь, взывала отчаянно-жалобно какая-то псина.

«Что за идиот мучит собаку!» — подумал я и пошел в сторону звука спасать несчастное животное от садиста-хозяина.

Подошел совсем близко. Вижу: будка проходной. Входят-выходят люди, охрана проверяет документы. Входят-выходят... Собаки нет. По-собачьи визжит, открываясь и закрываясь, дверь.

— Смазать петли надо, кретины! — кричу со злобой в пространство неизвестно кому, затыкаю уши пальцами и ухожу...

Всякий звук наша внутренняя глубина воспринимает как Чей-то — изначальное допущение слышащего: звуковой мир одушевлен, он живой.

П рамузыка: акушерка Жизни

...Шум дождей, длившихся тысячелетиями, треск и грохот громадных молний... выбросы вулканической магмы... трепет теплого океанического бульона... дрожь новорожденных, еще не верящих в свое существование комочков живого...

Наш предок, на которого мы похожи в первые две-три недели внутриутробной жизни, сначала был микроскопической клеткой, вроде амебы. Потом стал крошечным, очень быстро растущим многоклеточным шариком. Вдавился вовнутрь — стал мешочком с входным отверстием, добавил к нему с другой стороны выходное — стал миникишкой. Подрос — начал напоминать обыкновенную гидру, живущую ныне в небольших теплых прудах. Вырос еще и превратился в нечто рыбоподобное...

Его наружная оболочка, прабабушка нашей кожи, стала средоточием первых высокораздражимых клеток. Поверхностные клетки, что попроще и погрубей, сделались самым расхожим материалом тела, а самые чуткие отступили внутрь, оставив снаружи только отростки, и образовали мозговую элиту...

То, что было борьбою за выживание, стало чувствительностью. Бывшее умирание стало болью, бывшее спасение — наслаждением, с тем чтобы потом продвинуться на вакансии горя и счастья.

Сквозь считанные оконца выглядывал предок в Неведомое — сквозь узенькие дырочки ощущений, строго соизмеренные с границами безопасности. Чуть дальше — неприятности, еще дальше — непоправимые катастрофы. Оконца — на грани разрушительного и полезного, на полунейтральной полосе.

С тобой все твое буксующее и дребезжащее тело, весь неизгонимый изнутри шум.

Тишина, оказывается, ревет!..

Последние остатки безмолвия расстреливаются сверхзвуковыми выхлопами самолетов. Беззащитная Тишина перебегает с места на место: ее теперь скорее отыщешь в заброшенных городских уголках, в глухоте переулка, в запоздалом успокоении ночной квартиры, на лестничной клетке...

В ту ночь я понял, что музыка — это не звук, а Тишина в звуке.

Вот как об этом у Рильке:

> *Музыка: изваяний дыхание,*
> *говорящих картин безмолвие,*
> *неизреченного речь...*
> *Пространства прощание...*
>
> *Обнажившийся до изнанки воздух...*
> *Времени луч — навстречу*
> *сердцебиению...*
>
> *Душа, выросшая из пределов своих*
> *и ставшая далью —*
> *безмерной,*
> *незаселимой...*

Черная челюсть
мои первые музыкальные запечатления
музыкальный инструмент как орган сверхречи

Твой голос стал моим первым небом — не тем, верхним (так никогда и не знаешь, какое оно), а совсем близким — здесь, в комнате... Я слышал — говорили: «лирическое сопрано». Я не знал, зачем ты поешь, но, конечно, мне! И просил: «Мама, ПЕЙ!» — «Не пей, а пой». — «Почему?.. Пей, пей песню!»

«Мам, еще... еще немножко...» — просил, засыпая...

И вот что еще ты умеешь! Из этой пасти, когда открывается ее черная челюсть и обнажает так много-много белых и черных зубов — эти зубы, когда ты по ним бегаешь пальцами — от этого становится сладко-жутко и тепло, и мурашки...

Особенно нравится, когда много этих зубов нажимается вместе — поют бархатно... И как ты это умеешь?.. Ты всегда это умела! Ты самая красивая...

Великое счастье, долго не сознававшееся: родиться в семье, где звучит живьем музыка, где она чувствует себя дома.

Нет, не профессионалы. Только по линии папы, как раз единственного нашего не отягощенного повышенной музыкальностью человека, один дядюшка был скрипачом с абсолютным слухом, играл в оркестре Большого театра.

Любители до мозга костей. Вся мамина родня — играющая и поющая, а главное — *слушающая*.

Что такое музыка, я уже в два года мог определить одним именем, бывшим на слуху у имевших уши: Лемешев. Гениальный тенор, великий артист, русский самородок моцартианского толка. Я его узнавал по радио, громко кричал «Лемешев поет!» и восторженно замирал...

Были и еще имена, которые узнавал с малолетства по первым звукам — имена бессмертные, камертонные: Шаляпин, Нежданова, Барсова, Рейзен, Козловский, Михайлов, Русланова, Гилельс, Рихтер, Софроницкий, Оборин, Юдина...

Спасибо страшному моему времени за одно только то, что ИХ вместило.

Первородство качества — *присутствие духа* даже в далеких от совершенства попытках собственного любительского исполнения — а вот это за спасибо тебе, родительская семья, вот за это, мама...

Осталась ты — я потом с болью понял — высокоодаренной страдающей недоучкой. Инженер-химик. Чуть свободная минутка — за пианино, играть и петь. Русские романсы, неаполитанские песни, Моцарт, Шопен, Шуберт, Бетховен, Глинка, Чайковский... Доучивала — помню мучения и маленькие торжества твои в каждом такте — «Весну» Грига...

Вот ноты — шифровки чудес, волшебные, непостижимо-притягательные иероглифы!

Серо-желтые тетрадки, старорежимные, истрепанные, исчерканные еще твоим учителем, — и новые, чинные, застегнутые пятиструнки. Вот таинственный Страж Музыки, Магистр Совершенств, сам в себя заворачивающийся — Скрипичный Ключ!

И вправду похож и на ключ, и на скрипку...

Там тоже — в нотных шеренгах, в строгих россыпях черной дроби — там своя музыка: тайный свет, собранный в шагающие дробинки, в гнездящиеся, бегущие и летящие ягоды-бусинки, и каждая управляет звучной свободой струн!..

Вот старинный наш черный Беккер с подсвечниками и бордюрной резьбой. Для меня он живой богозверь, всемогущий, всеговорящий. «Концертный звук, золотой. Сам поет, сам аккорд строит. Богатит воздух. Инструмент на особицу. Берегите»,— говорил, помню, старик-настройщик.

Богатит воздух, вот-вот!.. Я свято верил, что Беккер живет своей собственной тайной жизнью и, пока молчит, собирает, копит в себе музыку.

И сейчас верю, что музыкальный инструмент — орган речи Бога, а человек — проводящее устройство к нему, с мотком проволоки: пучком нервов...

Фанаберия
нужно ли думать, что ты особенный?

...Мне шесть, едем поступать в музыкальную школу. В первый раз в жизни ты везешь меня на метро: от Кировской (теперь Чистые Пруды) до Сокольников, первая московская линия. Крепче всего запомнился оглушительный рев поезда с бешеным перестуком колес, вой и рев, переходящий в неистовство...

Обезумело мчатся из темноты горящие птицы, мимо и мимо — жутко живые тоннельные фонари... Огненный тигр совершает воинственный затяжной прыжок на соперника — встречные поезда около Сокольников, подземный разъезд...

На приемной пробе я что-то спел, что-то выстучал в задаваемых ритмах, поузнавал предложенные мелодии, сам сыграл на рояле подобранные «Чижик-Пыжик» и «Темная ночь»...

Усложненное задание. К открытому роялю вместе со мной подводят худенького белоголового мальчика:

он и я одновременно должны подобрать на разных октавах простенькую мелодию. В сером отдалении незнакомые взрослые...

«Ну, кто быстрее?..»

Он бойко начинает, а я застываю, пораженный его ошибкой. Вот, наконец, у него что-то получается — и вдруг руки мои сами начинают играть гармонический аккомпанемент... Нам захлопали. Первое чувство ансамбля, его тоже не забыть никогда!..

Меня приняли сразу в две музыкальные школы (мама подстраховалась). В одной старенькая преподавательница потихоньку, но так, что я все же услышал, сказала маме: «У вашего сына исключительные способности. Но он очень неожиданный мальчик, будут сюрпризы, и не всегда приятные. Фанаберия слишком большая. Трудно ему придется. Учтите...»

— Мам... А что такое... эта вот... «фанаберия»?— спросил я попозже как бы невзначай и вдруг почему-то задергал ушами.

(Они у меня иногда делают зарядку без спроса.)

— А? — Мама посмотрела на меня странновато, как год назад, когда я, пятилеток, состриг наголо свои белокурые кудри (не нравилось мне, что некоторые незнакомые тетеньки говорили про меня «какая милая девочка»). Мама тогда, увидев результат моей самострижки, чуть в обморок не упала...

— М-м... Фанаберия... Э-э... Это когда кто-то о себе думает, что он какой-то особенный.

— Мам... Ты особенная. Ты знаешь об этом?.. Я о тебе думаю, что ты особенная.

— Я?!

Царство ненаказуемых тузиков

Для ребенка музыка — не предмет, не отдельное занятие, не «дисциплина», а жизнь, нераздельная с жизнью, которой живет он и весь мир.

Не понимая этого, взрослые перекрывают кислород восприятию искусства и удушают на корню творческую музыкальность

Музыкальную школу я быстро возненавидел.

Учим жалобную песенку.

Все дети хором и я:

Идет Кисанька из кухни:

Мяу,

Мяу,

у ней глазоньки опухли:

Мяу,

Мяу.

О чем, Кисанька, ты плачешь?

Мяу,

Мяу!

Тузик пеночку слизал,

а на Кисоньку сказал.

Мя-а-а...

Все поют, а я не могу: режет живьем, душит, капают слезы... Почему поверили подлому Тузику? (В другом, более реалистическом варианте пеночку слизал повар.) Значит, несправедливость торжествует, и ничего нельзя сделать, нельзя ни наказать, ни вразумить этих тузиков, только жалобное «мяу»?..

Нет, не хочу я ходить в школу, где терпят такое, жалобно об этом поют, травят душу и ничего не делают, чтобы помочь бедной киске!

Вскоре разбил нос мальчику, мучившему котенка...

Я долго не мог постичь, как можно жить отдельно от другой жизни, которую видишь, слышишь или воображаешь. Со всем и всеми отождествлялся, никого не умел в себе останавливать...

Рисуя, переставал быть собой, становился тем, что или кого рисую, производил какие-то чужие — уже свои — звуки и телодвижения... Я не знал, что все это тоже музыка.

Отторжение красоты в пользу силы
человечество выживет лишь в том случае,
если психологи и педагоги умудрятся сделать учебу
столь же увлекательной, как футбол

...Ты плачешь, ты не понимаешь, что со мною творится. Я бросил музыкальную школу. Я грубиян, я хулиган. Вместо музыки развиваю бешеную футбольную деятельность.

Как я всех обвожу, мама, если 6 ты видела, — как летаю по полю, как танцую с мячом, как прорываюсь к воротам! Осваиваю хитрющий, вернейший удар наружной стороной ступни, называется то ли «шечкой», то ли «шведкой» — и чтобы быть наготове, все время кривоного хожу.

Ты понимаешь, что такое крученый удар, резаный мяч?.. Мяч летит прямо на вратаря, но он резаный, резаный! — он закрученный, я его подрезал, я закрутил — и он перед самым носом у вратаря сворачивает в угол — гол в угол! Мой гол!

Я неудержим! Меня ставят бить пенальти, мама! Потому что я знаю, как бить, я умею бить и всегда забиваю, почти всегда, девять из десяти — понимаешь ли ты это пронзительное торжество?

Ребята оценили меня, мама, я звезда нападения нашего двора! — а ты с музыкой... Что я, девчонка, что ли? Мне драться надо учиться! Быть сильным и смелым! Я пойду скоро в бокс!

Чем поможет мне музыка в суровых мужских буднях? Чем поможет учеба вообще?.. Кому нужна эта повинность для дураков, эта скука, это нескончаемое наказание неизвестно за что?..

И сейчас так, и еще хуже: полная оторванность обучения от настоящей жизни детей, от их интересов, мечтаний, переживаний — норма для педагогики. Норма тупая, патологическая, душеломная норма.

Ребенок сопротивляется — всею природной упругостью своего существа старается не позволить заломать, изнасиловать свою душу.

Жаль света — из-за этого сопротивления и он в души не проникает. Чудеса знания и сокровища красоты остаются в другом мире — он совсем рядом — звучит, облучает, но дети закрыты...

Уроки пения в нашей общеобразовалке вела Мыша (Мария Борисовна), носатенькая, ушастенькая, очкастенькая, серо-седая, очень похожая, как всегда в школах, на свое прозвище. Была она человечком интеллигентным, и каждый ее урок был для нас сеансом психоразрядки: козлили и барабасили, отрывались как только могли, доводили до слез...

На бедную Мышу и музыку выливалась вся наша обезьянская энергетика и стихийный протест против ледяной обязаловки...

Возвращение к Богозверю
не гормоном единым...

Чем старше становишься, тем больше удивляешься своей возрастной, половой, социальной, национальной и прочей типичности.

С восьми до тринадцати — четырнадцати лет я прожил в состоянии какого-то окукливания души: почти полное эмоциональное и эстетическое отупение, оскудение интересов. Поддерживали огонек любопытства к жизни только спорт, драки, мороженое, кино, другие вялые развлечения вроде пуговичного футбола, да еще щенячий секс с онанизмом.

В отроческом анабиозе пребывал не один я — все мученики скуки и малоподвижности, страдальцы бескислородности, дети асфальта — все были такими же, каждый со сдвигом в свою слабину...

Только летом, с приходом сирени, оживала душа: я снова начинал рисовать, петь, фантазировать, много читал, ставил с дачными ребятишками самодеятельные спектакли и непременно влюблялся в какую-нибудь девчонку, хотя бы издали.

В седьмом классе в соседней женской школе (странно вспомнить: я мастодонт эпохи раздельного обучения, воссоединение полов произошло, когда мы учились в десятом, и нас не охватило, а к презренным девятиклашкам запустили девочек, которых мы тут же бросились отбивать) — так вот, в седьмом классе у недосягаемых наших соседок вдруг отворилась дверца: открылся кружок бальных танцев. (Остряки наши сразу добавили к слову еще букву...)

Понадобились кавалеры, дамочка-руководительница пришла нас приглашать. Виолетта Евстахиевна, балерина, как сама она себя с гордостью именовала, была похожа на большую ожившую куклу на цырлах, довольно помятую, с тоненьким сипловатым кукольным голоском и маслянистыми глазками в приставных ресницах...

(Незаконченная фраза. Далее несколько отрывков частично зачеркнуты.)

...Трепет первых прикосновений — рука, талия, глаза, волосы — прикосновений чистых, как сказка, обещающих, как занавес... Опьяняющая толкотня, беспричинный смех, руки, талия...

Эти бальные танцы, квазистерильные, манекенно-кастратные — то, чем были когда-то прекрасные па-де-грасы и па-де-патинеры, лишенные очарования подлинности, неуместные, как латы на продавщицах... вместе с ложью псевдоклассических колонн на ширпотребных домах... оставив в душе и в ногах какое-то тягучее неудобство, словно суставы залили сливками...(Тщательно зачеркнут большой отрывок.)

...Сейчас ясно, да пожалуй, ясно и тогда было, — что музыка в компаниях сверстников нужна была мне, чтобы «прельщать девиц своими чувствами», как признавался в том и автор «Войны и мира».

Но такое признание все же упрощено и неполно. Задолго до первых любовных побед начинают драться и петь петушки.

Откуда-то вдруг — потребность в иных звуках... Встрепенулись гормоны, да, но она всегда была, эта потребность, просто на время уснула: и третьеклашки всё чувствуют, только не подают вида...

С некоторой поры нас просто неодолимо тянет собраться, побренчать, поорать несусветными голосами что-нибудь павианье или надсадно-лирическое.

Зачем?.. Для приобщения к сентиментальной мужественности и романтике — ровно на высоте нашего духовного потолка. Для заполнения клокочущей пустоты не гормоном единым...

Где-то около четырнадцати начали меня посещать странные состояния: смесь радости и тоски, беспричинного счастья и беспричинного горя одновременно. Как психиатр, я бы назвал это, пожалуй, маниакальной депрессией или психалгической эйфорией; на самом же деле — типичная подростковая маята и обычная при сем сексуальная озабоченность.

(Я, между прочим, к этому времени успел уже физиологически приобщиться к мужскому сословию.)

Но было и еще что-то — другой, верхний зов...

Во время одного из таких состояний позвал меня снова к себе черный мой Богозверь...

Да, однажды, когда дома никого, кроме меня, не было, я вдруг явственно услышал его голос — не звуковой, нет, а какой-то... Магнитный. Да, да...

С невыразимым трепетом подхожу. Открываю черную челюсть, она приветственно скрипнула... Тихонько жму указательным пальцем на любимую свою клавишу — ре-диез первой октавы — и вдруг...

ИНСТРУМЕНТ НАЧИНАЕТ ИГРАТЬ — САМ!!!

Он играет магнитно — клавиши нажимаются сами и словно присоски гигантского осьминога притягивают мои пальцы и ими играют!!!...

Ясно, иллюзия, но ощущение самости фортепиано, его воли было таким явственным, что...

Оно и сейчас такое — ощущение при игре, и я верю ему всецело, я точно знаю, что это Музыка исполняет себя человеком, а не иначе!..

(Да и живешь не сам ты, а тобой живет Жизнь...)

Сначала немного импровизации; потом вдруг сыгралось без единой помарки не ученное, а лишь много раз слышанное и прослеженное по нотам во время твоих исполнений «Турецкое рондо» Моцарта; потом «Вальс цветов» из «Щелкунчика»...

(...) Теперь, мама, ты снова дивишься и не понимаешь, что со мною творится: не могу отлипнуть от клавиш, норовлю играть даже по ночам.

Бацаю и в школе, в конференц-зальчике, на раздрызганном в пух и прах инструментишке «Красный октябрь». Уважительные скопления ребят, кто-то подпевает, подстукивает...

Идя навстречу запросам аудитории, подбираю одну пустенькую мелодию за другой, начиная со знаменитой блатной «Мурки» — но тут же, например, и великое, вечное «Бесаме мучо», которую ребята сократили до «Мучи» — «Мучу давай, Мучу!» — вкусно их обрабатываю, снова обнаруживая в себе дар непроизвольной гармонизации — не знаю почему, но вот так надо, вот именно так... Черт возьми, как же это

выходит?.. Вот руки ведь, а!? — Имеют свой собственный какой-то, спинной, что ли, умишко, фантастически быстрый и точный — если только не зажиматься и позволять им свободно следовать повеленьям магнита...

А чуть замешкался, потерял связь — септаккорд во всю щеку — др-р-р-дадам! — Грозовые раскаты самоутверждения...

Междумирие
музпрофсоюзы бывают разные
путь самоучки: быть всем для всех

Что такое лабух, знаете? Или, случаем, помните?
Лабух — эстрадно-джазовый музыкант, так называли их на жаргоне моего юного времени.

О Сан-Луи,
сто второй этаж,
там буги-вуги лабает джаз...

Лабух занимается тем, что лабает. Я лабух номер
один нашей школы, суперзвезда. Искусство приносит
мне первый любовный лавр — субтильную душу де-
вятиклассницы Наташки, в которую был влюблен
Жорка Оргаев. Она доверительно сообщила мне
о своем чувстве ко мне, когда оно у нее прошло.
Прошло?.. Жаль, но не важно: главное, меня можно
любить, хоть две недели, но можно, а я нынче пере-
летная птица, мне некогда, у меня репетиции. Гитара, кларнет, ударник, фоно — маленький наш джаз-
бэнд, мы отменно сыгрались и уже гастролируем...

«Фэ...» Это ты, мам?.. Тебе это не по нутру?..
Не наш, ты сказала, музпрофсоюз?.. Ну что ж, можно вспомнить и кое-что из былой скуки... Нет, не то
я сказал... Наше с тобой — это просто очень... Очень
большое, для мальчишеской души на пределе вмести-
мости... Я займусь всерьез, мама, я уже начал, да, все
сначала — и ганоны, и гаммы, и этюды на беглость — все это теперь дает только радостный при-
лив сил, и как быстро умнеют руки!..

Я вступил на тернистый путь музыкального самоучки: уже выучил прелюдию Шопена, пятнадцатую,

хватило и терпенья, и пальцев — смотри, уже запросто беру дециму... Подбираю только в басах — но ты слышишь?.. Вот ясный и грустный свет, потом тучи, гроза, дождь, радуга... И опять светло...

Только и ты меня, пожалуйста, пойми: я выбираю музыкальное междумирие — и классику, и народное, и блатное, и джаз, и мещанское (это потом назовут попсой), я хочу быть всем для всех, потому что всех чувствую как себя, ни от кого не могу закрыться.

Классика и народное — это наши с тобой сокровища, но для большинства хороших, славных, совершенно своих ребят, понимаешь, это...

Они тоже, конечно, кое-что чувствуют — но классика уличает их в недостаточности интеллекта. О мирах, умудренных скорбью, узнавать слишком больно... С тобой, мама, у нас одно «мы», с ними другое... Ребятам нужно жить чем-то своим, но своего нет, значит, своим будет чужое — не то, что навязывают, а что выбрали сами... Я выбрал Моцарта.

Как долго ждал неторопливый Бах,
чтоб молоко обсохло на губах.
А мальчику был нужен покровитель
покроя нежного, по крови все равно,
вино души, светлейшее вино...
И я нашел,
и я тебя увидел —
печали свет, и смех, и первый снег,
и взгляд нетайный... Первый человек,
из рая изгнанный,
виновный лишь в любви.
Как слабо все! Но ты благослови...

*М*алая Элита

сеанс разбазаривания высших ценностей

...Гулкий каменный двор, в котором еще один, ведущий в еще один, завершаемый развороченным мусорным ящиком; ложный полуподвал, лестница с железной площадкой, издающей зыбкий нетрезвый звук; обшарпанный коридор с оглушительным туалетом; самая последняя, тупиковая комната...

> *недопитый утренний кофе*
> *недописанное письмо*
> *недолюбленные любофи*
> *недоубранное дерьмо*
> *недожитая жизнь поэта*
> *недосвергнутые вожди*
> *недожеванная котлета*
> *кратковременные дожди...*

Входной билет в высшее общество — пропуск на интеллектуальные попойки к Тэ-Тэ — предполагает некое отличие от фоновой публики. Мое амплуа — глобальная разносторонность: научно мыслящий боксер-физиономист, без двух минут доктор, подающий надежды любому желающему (я заканчиваю шестой курс мединститута), художник-трансфлюидист, рисующий преимущественно ногами, экстазийный поэт, оккультист школы Вынь-да-положь, супергипнотизер...

Дух времени, ничего не поделаешь, узкая специализация всем надоела. Еще что?.. Мастерски шевелю ушами, раздельно правым, левым и средним, об этом уже сообщалось в печати. Ну и фоно, конечно...

Собралась Малая Элита, ради коей я отверг простодушных приматов — сокурсников и содворников.

Еще с первого курса хаживал на бега, где, кажется, до сих пор сохраняет ароматы великосветская ложа — заплеванный мысок средних трибун.

Здесь владычествовали не какие-нибудь замшелые знатоки, но истинные небожители, здесь парили они над мельтешением копытного класса, и речи их изливались как откровенья богов: «*Джим ханжит подкидуху... Пупок прет Лукреция... кидай сикель на одинар...*»

И вот здесь-то, распотрошенный азартом, прикадрился я к щукообразной мадемуазель с бесоватым восточным глазом, Тамаре Тивериади — Тэ-Тэ и ее мэну при трубке и бороде, восходящему кинокритику. Составил им три подряд хапные комбинации. Сняли куш, вылупили глаза. «А теперь сматывайтесь, — сказал я, — не то хана. Аспект финишировал». — «Сам почему не ставишь?» — «Фатальный. Аспект плохой». — «Пошли с нами в ресторан».

Так я оказался вхожим в приарбатскую конурку-салончик, где на внутренней стороне двери всегда висела чья-нибудь фраза, выражавшая дух момента, к примеру: «Каждодневное бритье лишает жизнь сокровенной аристократической ноты» (Я.Былтаков) — а иной раз и более объемистые сочинения:

*при свете бра в бордовом баре
брюнетки бедрами играли
болтая бритой бородой
барон блевал белибердой
бренчали брюки браконьера
брутально бредил контрабас
дерябнув бренди «Хабанера»
бледнел блондин как унитаз*

а бравый родственник Бурбона
бургундским брызнув в потолок
из бара выбросил барона
свернув его в бараний рог...

Стихоиспражнение Лёши-сюрреалиста. Он сегодня солирует — как выражается Тэ-Тэ, выдает содержимое, а остальные, меня включая, под его густой монолог целеустремленно упаиваются.

— А кэсь-ке-се, спрашивается, искусство? С одной стороны, кыца, нескончаемая безнадежная попытка оплодотворения обывателя, с побочным продуктом, тзыть, в виде красоты. Производит, кыца, вербовку избранников. Это одно оправдывает массовидность, подчеркиваю, не массовость, а массовидность...

Эти таксказательные гвоздики, эти лешины кыца-как говорится, эти знаки запинания, черт их дери, где же я все это уже слыхал?.. Табачно-винная запеканка губ, песий блудливый глаз...

— Унд вас ист дас, спрашивается, обыватель? Капитальнейшая, кыца, первородная экзистенция, космический паразит, испорченный тзыть, ребенок, распял, кыца, Христа, отравил Сократа, тзыть, извел Моцарта, застрелил Александра Сергеича, Михал Юрьича... Глотатель наживки, тзыть, конформист, опора режимов, но также и оппозиция, да, кыца, универсальная обезьяна под одеялом цивилизации. Между прочим, Мережковский обозвал обывателем, тзыть, Блока, а Антон Палыч унюхал универсалию, кыца, из самого себя по капле выдавливая...

Врезать хочется, резко врезать, и лично Леше, и вообще, но уже поплыл, кыца, балдеж, ю мэй смоук хиа, всеобщий смоук смешивается с мясной, прог-

ретой сухим вином плотью маслины, отдающей нёбу
вкус южного ветра, торговли, Евразии...

— Черезпризмупропускатели, тзыть, экзальтиро-
ванные культурпаразиты...

— Окей, Леший, браво. — Тэ-Тэ, как всегда, дири-
жирует. — Скорпи, а ты что заовсел? Гипнотизни
нас. Плиз, просим, просим.

Скорпи — ваш покорный слуга, Скорпион, хозяйка
увлекается астрологией и мой знак ценит особо... Гип-
нотизнуть — это могем. Кто хотит?..

Рефлекторно сомкнулись чьи-то сюрные разливные
ноги, это лешина герла, вот и гипнотизнем, и вон ту,
дополнительную...

— Гипнябельность гарантируем, просим-просим.
Леший, зажги свечу. Погасите лампу.

— А чихать, кыца, можно?..

— О, ес.

— Видите насквозь, да?

— Рентген этажом ниже.

Инфразвуковой рык, змеиные пассы. Герла скорб-
но хихикает, у дополнительной с испугу сомнамбулизм, только как ее теперь сдвинуть, она поддерживает спиной два толстых тома «Иллюстрированной
истории нравов», сейчас грохнутся...

Внушить что-нибудь сюрное?

— Вы в цветке. Вы Дюймовочка.

— Как, тзыть?.. Дерьмовочка?

Хохот, грохот — тома падают.

— Я не спала. Я летала.

Все, я пошел.

— Скорпи! Скорпи! А музыка?..

Тэ-Тэ хочет зайти мною по козырям.

Этот номер уже не раз склеивал ее вечера.

Выпив еще немного, Скорпи трезвеет (так действовало приближение другого опьянения), чуть-чуть разгонки, прогулка по клавишам (расстрой кошмарный, верхи не могут, низы не хотят), еще некоторое вживание в звуоткань... Чернобелые звуки набирают упругость, цветнеют, пламенеют, обретают дыхание...

— Что это было?..

— ...Угадайте.

— Скрябин?

— Почти... А вот это вспомните?..

— Прокофьев!?

— Гм-гм... Близко... Малоизвестное кое-что.

— Прокофьев, чудесно! Еще что-нибудь!..

Ну довольно прятаться за спины великих. Еще несколько музыкальных загадок, и я с застенчивым достоинством сообщаю, что это моя собственная слабая пьеса, сочиненная... Можно и сознаться: экспромт, родилось в сей момент — но как раз правде-то и не поверят скорее всего, достоверней придумать опус такой-то... На бис нельзя, слишком сложно, развитие уведет еще бог весть куда...

Импровизированный концерт-лекция, маэстро в ударе. Разумеется, нельзя жить в пустыне и творить без влияний... Каждый рождающийся повторяет историю — то же и в музыкальном развитии.

Идеалом было бы пройти все, от основания до последней вершины — и пустить отсюда стрелу в Неведомое. Но на пути к небу душа застревает в толщах тысячелетнего перегноя...

Да, все мы жертвы этого печального парадокса: чем больше культуры, тем некультурнее человек.

Люди массовые стареют, еще не начав взрослеть, и покидают мир недозрелками.

Каждая весенняя почка надеется стать цветком...

Вот, послушайте... Это еще из периода наивного классицизма, сиропчик мажоро-минора, но уже тут, в пенатах неизбежного подражательства, возможны свежие гармонии, дерзкие модуляции... Вот эта мелодия где-то что-то оставляет...

Данте, вторая встреча с Беатриче... Период голубоватого и розоватого, романтический импрессионизм... Все больше живой терпкости естества. Восточная юмореска а-ля Дебюсси... Агония атонального экспрессионизма... Серийная техника, головная организация... Экспериментальная попытка синтеза стилей... Приблизительно современное мышление, ладовые шаблоны разнесены в клочья...

А вот резонирует тишина — насыщенность пауз в духе Штокгаузена... Музыкальный мовизм, ироническое цитирование... Поствебернисты пошли на вскрытие инструмента, рука терзает струнные внутренности, иногда туда даже дуют, вот так — не правда ли, фактура необычайной глубинности?..

Ну, теперь развлечемся. Музыкальное изображение присутствующих и отсутствующих, погоды, животных, политических актуальностей... А вот так звучат брачные объявления и поп-секс. Супершейк «Твой взбесившийся робот опять влюбился».

Вам хочется вернуться к блаженной старушке-классике, к истощенному романтизму? Да, здесь уютней — и в старых парках кое-где остаются незатоптанные уголки, и в Евангелиях кое-что недосказано...

Но современная музыка — это кухня, а не церковь, монтаж, а не вдохновение, хотя Бах остается Бахом, Вивальди — Вивальди, Корелли — Корелли...

А вы слышали о музыкальном медиумизме?

Вот это скерцо Шопен написал после смерти, это его подкидыш, понимайте как знаете, я только распеленал... А это мысль Моцарта к недописанной части Реквиема... Не шучу, приснилось... Еще?

Жизнь моей жизни, дар доверчивой судьбы, Музыка, ты только знаешь, что я с тобой творил, как разбазаривал, пока ты меня спасала и поднимала...

Пан или пропал
сеанс охмурения настоящей элиты

...Я начинающий психиатр-аспирант. Работаю в знаменитой московской клинике первого мединститута, в той, где явили себя корифеи — Корсаков, Сербский, Ганнушкин, где лечились Врубель, Есенин и другие знаменитые страдальцы поврежденного духа; где в большой аудитории царствует великолепный рояль «Бехштейн», знавший пальцы Рахманинова и Рубинштейна...

Мой пациент-депрессивник, композитор В.М. Б-г преподает в музыкальной школе. Популярности никакой, на афишах не встретишь, всегда без денег — условия для творчества идеальные.

Помимо абсолютного слуха, у него еще одна редкая способность — феноменальная память на фамилии и биографии политических деятелей всех времен и народов. В массивном черепе что-то бетховенское: музыка, им рождаемая, должна быть мускулистой и коротконогой, с прямым позвоночником. Уверяет, что многим обязан рахиту и до пяти лет не говорил. Глаза ушли в слух, состоят из слуха...

В.М. чтут в малом кружке учеников Шостаковича, он один из них. Со мной разговаривает сама Музыка.

Скупые упоминания имен. Не поклоняется, просто рядом живет. Бывал дома у Марии Юдиной, дом этот никогда не запирался...

Когда врачебные ритуалы заканчиваются, я смотрю на него глазами кролика, в котором сидит проглоченный удав. Я на перекрестке двух главных своих религий — единобожной веры в Науку и языческого идолопоклонства Искусству.

Наука, Высочайшая Трезвость, полагаю я, призвана спасти и устремить в даль космическую жизнь человечества, а Искусство — Высочайшее Опьянение — сделать ее прекрасной... Молодой доктор еще слабо видит могущество иных сфер бытия.

Выискиваю в В.М. что-нибудь общедоступное... Что же, общедоступно почти все. Музыка спрятана где-то между глазницами и висками, а тут, в видимости — озабоченно-похохатывающий, обыденный человечек, и в голову не придет, что это, может быть, Бах двадцатого века.

Благоговеет перед учителем, серьезно и спокойно его называет Дмитрием Дмитричем, в отличие от генерального секретаря союза композиторов Х. (вполне хорошего секретаря), гениальным секретарем...

И себя самого столь же спокойно называет гениальным композитором, мне это нравится, я понимаю, как необходимо ему в это верить, понимаю вдвойне...

С превеликой легкостью В.М. мог бы стать автором множества популярных песенок, писать лабуду и зарабатывать, зарабатывать... Но не может: Музыка выставляет ему отметки.

— Хочется ли вам славы? — спросил я тупо.

— Еще бы, — ответил он, не смутившись, со своим характерным высоким смешком. — Только смотря какой. И Шекспир хотел славы, и Бах. Как все смертные, они хотели быть услышанными, и безотлагательно. Все, что выжило, как и все умершее, страстно хотело покорять, обольщать, потрясать. Бессмертное, как и тленное, жаждало нравиться немедленно — но не уступало жажде...

Я попросил его поиграть мне свое.

— Ладно, пойдемте, сыграю. Но многое не воспримется... Играю я плохо, придется домысливать.

И в самом деле, пианистом он оказался слабым, некоторые отрывки не смог сыграть вовсе, заменил их жестикуляцией, выкриками, стуком и свистом.

Большую часть его музыки я не почувствовал: тональности взорваны, редчайшие диссонансы. Но то, что дошло, — прошибло до мозговых желудочков...

Несовершенство высокого профессионала подбавило мне духу, я решился на исповедь.

Я. — Музыка все время живет, происходит, рождается... Как дыхание: можно задержать, но не остановить... Потоки, фонтаны, ручьи, шевеление... Вибрирует во всем теле, в каждой мышце, в гортани и бронхах, иногда где-то в мозгу...

Он. — И у меня так. И еще в желудке, кишках. И в члене, да, а у вас тоже?.. Стесняться нечего, я давно подозреваю, что человек — половой орган Бога.

Я. — А когда работает Усилитель, музыка разрывает мой мозг, кипит в каждой клетке... Слышу инструменты, которых не существует, звуки, которых не бывает... Скорее всего, самообман...

Он. — Нет, именно так. Обычный творческий поток. Ничего особенного.

Я. — С некоторых пор невольно дозвучивается любой шорох и скрип, тема может возникнуть из

ветра, из гудения проводов, из откашливания, из ав-
томобильного скрежета... Уже усвоил ту нехитрую
истину, что можно написать пошлую симфонию
и похабный концерт, а наилегчайшая оперетта, пе-
сенка или рок-боевик могут быть сделаны с высочайшим вкусом; понимаю, что талант — врожденное не-
умение делать плохо, помноженное на засученные
рукава, а гениальность внемерна и вообще не принадлежит человеку. Но имеет ли право на существование... Не могли бы вы как-нибудь на досуге послушать мои любительские поделки...

(Что я делаю, идиот? Сейчас спросит о нотах...
Ведь и слушать не захочет, сказал давеча как по пи-
саному: «Импровизация, при современном уровне
требований, — в лучшем случае, первичное сырье.
Душа душой, но на высших уровнях царствует организация». Я и сам давно знаю, что Музыка — точная
наука, не допускающая никакой приблизительнос-
ти — прекрасно знаю, однако...)

В.М. горячо согласен:

— Конечно. Давайте прямо сейчас.

— Простите, сегодня не могу... Надо собраться...

Музыка позволяет детям приходить к ней, но... очень близко
к себе не подпускает. В основе она так же замкнута, так же
холодна и неприступна, как любое другое искусство, как само духовное начало — она строга и в своей прелести, она
формальна при всей своей общедоступности и в шутке про-
никнута грустью, как все возвышенное в этом мире...

Томас Манн

— Я понимаю вас. Что ж, когда захотите.

Пан или пропал, надо решать...

Два дня я был не в себе, накануне не спал.

Отправляясь на встречу с В.М., выпил для храбрости стакан коньяка.

Мы одни в аудитории перед раскрытым роялем.

— А где ноты?

— Не захватил. Попробую наизусть.

Сел... Руки на клавишах... С чего же начнем... Для разгонки — одну из запомнившихся мелочей, в испытанной диатонике...

Так и знал...

— Плохо. В девятнадцатом веке еще сошло бы, но сейчас так нельзя. Дурная пародия.

— Это очень давно, это детское, — выдавливаю, в небывалый впадая транс, и проваливаюсь...

Звучат друг за другом подряд семь Инфернальных Прелюдий, семь дьявольских парадоксов, пожирающих друг друга, — почти теряю сознание... едва не испускаю дух... ...Что?! Не верю!!! Победа.

В.М. не потрясен. Но он принял.

— Вот эти вещи — другое дело, особенно третья. В четвертой хорошая каденция. Принесите ноты, посмотрим подробней.

Мгновенно трезвею.

Или я действительно музыкант — или...

А вот еще можно? — маленькое скерцо... (Играю...)

— Хорошее скерцо, — говорит он спокойно.

Как медленно, как утомленно я люблю этого человека. Ему нравится, боже мой! Ему нравится моя музыка, которой только что не было! — которой опять нет и больше не будет...

Страстно говорит что-то о музыкальной лжи...

И тут я совершаю ошибку. (А может, наоборот?..)

Надо было сразу же убежать, унести победу в зубах, в одиночестве упиться торжеством и...

Но я захотел быть честным – Я ПРИЗНАЮСЬ.

— Пожалуйста, не сердитесь на меня... Я позволил себе дерзость, мистифицировал... Ничто из того, что вы только что услышали, не записано в нотах. Сочинено лишь сию минуту. Импровизации. Я, правда, называю это иначе: музыкальные медитации...

Он растерялся. Он смотрит на меня как на психа. Похоже, я забил резаный мяч в угол своих ворот...

В.М. не эксперт, не оценщик, выхолощенный завистью, — воображение его возбудимо, чувства доверчивы, разум великодушен. Он-то знает, как трудно, ежели ты не виртуоз-исполнитель в том же лице, сыграть свою пьесу, просчитанную до последнего волоска... Удивительно ли, что фантазия его расцветила мою отсебятину?..

Помолчав, сухо говорит, что мне надо учиться записывать звуки так же легко и свободно, как они льются у меня с клавиш.

— У вас богатое воображение, абсолютное чувство формы, врожденная виртуозность... Можно оставаться любителем, это значит, на моем языке, всего лишь не зарабатывать музыкой, так что и я невольно почти любитель, а в остальном требования те же...

Приводит в пример одного крупного ученого, геолога, который вот так же мучился, а потом решился, прошел курс ускоренного дообучения у друга В.М. из того же класса и от роду в пятьдесят написал симфонию — только для себя, но хорошую...

Готов со мной заниматься.

Пристыженно благодарю...

Свадьба на Чистых Прудах
доктор Павлов — из письма Публикатору

Антон не был фаталистом, но к некоторым предсказаниям относился серьезно; пожалуй, даже слишком серьезно, отчего они, как я думаю, и сбывались чаще, чем стоило бы.

По гороскопам выпадало сочетание необычайной одаренности в искусстве с необычайной невезучестью в любви (само по себе объяснимое).

Астрологии мы оба не верили, смеялись, но по жизни получалось, что она все же бывает права...

С другой стороны, не знаю и большего счастливца в любви; но счастье покидало его, как и являлось — внезапно.

В полученной Вами части архива тема эта приоткрывается едва-едва, щелочкой, и я не чувствую себя вправе перетолковывать то, о чем сам Антон умолчал или рассказал зашифрованно; добавлю только немногое.

Женился Антон довольно неожиданно, перед самым окончанием института. Многие пары уже наметились, а у него были метания между четырьмя одновременно пленявшими его девушками — он так и называл их заглазно — «квартет».

Ни одна не подозревала о существовании других. Но однажды та, которую он отождествлял с альтом, неброская, немногословная, но как-то проникновенно женственная, решительно объяснила Антону, что ждет ребенка — и что обойдется не только без аборта, но и без Антона, если он не готов к отцовству.

В загсе деревянно отслушали положенное, потом отправились вчетвером в «свадебное путешествие», предложенное Антоном: трамваем от университета до Чистых Прудов.

Майский, но на редкость неприветливый день. Всю длинную дорогу никто, как мне показалось, не произнес ни словечка, хотя все старались перешучиваться-пересмеиваться.

С нами была мама Антона, отрешенно-светлая, какой я привык ее видеть, только чаще обычного вздрагивала меж бровей едва заметная, но никогда не исчезавшая тень...

Дома, по требованью женатика, все было сугубо по-спартански. Мне удалось скрасить стол только корзиной добытых накануне цветов, похожих на разноцветные ромашки, да притащить коньяк с карамелью. Меню было студенческое, а главное — ни одного приглашенного.

По телефону, правда, некстати вломился Жорка Оргаев — о чем они говорили, не знаю... Вернулся Антон словно подмененный, но это с ним часто бывало и на ровном месте — и сразу к Беккеру: «Ну-ка, Ларчик, сбацаем отходную. Бери скрипку!..»

Не могу простить себе, что так редко решался отправляться с ним в музыкальные странствия. Всякий раз поначалу робел входить в медитации Антона, боялся помешать ему сипеньем и взвываньем отвычного смычка, а пуще всего — сфальшивить...

Но в музыке нетерпеливость друга — буйная, доходившая порой до дикостей, — сменялась трепетной бережностью, вовлечением таким тончайшим, что я забывал о скудости своих ресурсов и завороженно вступал...

...Глупейшая несообразительность: скрипку-то я и забыл!.. Антон раздосадованно постучал по коле-

ням, но тут же смолк и как бы исчез — пальцы на
клавишах...Тишина...

Я посмотрел на женщин. Старшая сидела в тени,
полуутонув в большом кресле, опустив веки. Млад-
шая оставалась за столом напротив меня: между сжа-
тых кулачков притулился узенький подбородок;
с верхней губы, слишком часто прикусываемой,
сошла помада, и рот казался странно недорисован-
ным. Светло-русая прядка волос, заколотых на ма-
кушке «башней», вынырнула из плена шпилек
и беспризорно свесилась вдоль щеки...

Сперва Тоник развлекал нас «угадайкой». Эта му-
зыкальная игра заключалась в угадывании пародиру-
емых вещей, от Палестрины до Шостаковича, — либо в расшифровке портретов всевозможных людей,
растений, животных, погод...

Стереокино музыкальными средствами — описать
трудно. Иногда слышались запахи цветов...

Потом начал играть что-то незнакомое, но узна-
ваемое, понятное, дорогое — не берусь описать эту
россыпь золотистых, смеющихся звуков, прихотли-
во-гибкие зигзаги мелодии...

Первой очнулась молодая: «Что это было?!»

— Не что, а кто. Не узнала?..

— Деревце привиделось над водой... Ветер... Вет-
ви... Деревце склоняется, как человек...

— Правильно. Это Ивушка. Наша дочка.

На моей памяти это было первое предсказание,
сделанное Антоном. Родившуюся дочку и вправду
назвали Ивой, Ивушкой, она же Ивашка.

О ней, если доведется, потом...

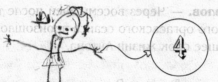

Еще одна бесконечная жизнь

Открылся дальний план.
Приди, роман,
сядь за столом моим,
здесь можно подышать,
(я отойду, чтоб делу не мешать,
прикрою дверь как можно тише...)
взять ручку или что там пишет,
слегка помедлить, поглядеть в окно,
(уже дрожат поджилки, но
еще помедлить и помолодеть при этом...)
стесняться нечего – помолодеть,
опять в окно, хмелея, поглядеть
и закраснеться, как брусника летом...
Дурного здесь не вижу я и не мешаю,
а ты склонись, пиши,
я разрешаю себе уснуть,
не дольше воробья
живу сегодня, но зато свободен.
А ты работай – в общем, Бог с тобой,
роман, коль ты Ему угоден,
твори, что хочешь, со своей судьбой.
(А вдруг, допустим, в третьем классе
ты влюбишься в кого-нибудь?)
Я отправляюсь восвояси,
а ты здесь будь...

Д-р Павлов. — Через восемь дней после того полупроваленного оргаевского сеанса произошло событие, определившее срок жизни Антона.

Запись Лялина. Репортаж из астрала

...было или приснилось?..

Память держит все только как сон, а событие...

В первую шалую апрельскую теплынь, чреватую поцелуями и драками... Да, сколько помню, почти все мои уличные бои приходились на это время: после котов начинают беситься люди: тут же и обострения всевозможных бредов...

Сначала они меня неуклюже высмотрели.

Вечером три типа в скверике напротив подъезда покуривали, сторонясь фонаря, посматривали искоса, один показался знакомым... Некая деревянность...

Я был ко всему готов, но от Жорика ожидал большей квалификации. Плохо он их запрограммировал, хреново работали, не успевали приблизиться.

— По яйцам, Колька, по яйцам!..

Молния в челюсть — один рухнул затылком оземь, другой скрючился, пораженный тем самым приемом, который рекомендовал. Хук — покатился третий.

Я отвернулся, сбросил с кулака липкое, глотнул воздух — и в этот миг треснуло и раскололось пополам время... Кто-то из них оказался всего лишь в нокдауне, вскочил на ноги, занес заготовленную железяку — и опустил...

Я видел это уже в отлете, *оттуда:* били ногами в месиво из того, что было минуту назад лицом.

Из черепа, смятого, как спущенный мяч, ползло нечто студнеобразное. Торчала выломанная ключица.

С безмерной, уже завинтившейся в спираль высоты в последний раз оглянулся, увидел три серые тени над распластанным телом, пронзился болью — отчаянно извернувшись, оттолкнувшись от чего-то — рванулся вниз............

Наверное, их привел в ужас мой судорожный подъем. Нашли меня не в палисаднике, где остались кровавые следы, а у дома, у самой двери.

Вряд ли кто-либо подтащил, было поздно...

Д-р Павлов. — В сознание Антон пришел на второй неделе в больнице. Я сидел рядом. Открыть глаза он не мог, но узнал меня. Первые слова: «Не надо. Я сам... Я тебя прошу, Лар... Только сам...»

Пошел на поправку.

Публикатор. — Было ли расследование?..

Д-р Павлов. — Нам все и так было ясно.

Антон не хотел никакого суда. — «Суд уже состоялся». Я был настроен иначе, пришлось смириться.

Публикатор. — А что Оргаев?..

Д-р Павлов. — На следующий день после нападения укатил в Италию.

После выписки я старался по возможности не оставлять Тоника, временами у него жил. Но иногда он просил дать ему побыть в уединении.

В один из таких моментов и прозвучал «первый звонок». В кресле за письменным столом Антон ни с того ни с сего потерял сознание и пробыл в таком состоянии несколько часов, пока не явился я.

В машине по дороге в больницу очнулся, пытался что-то говорить, что-то мне объяснял, но речь была неразборчива, руки и ноги плохо слушались.

В больнице пришел в себя и сбежал домой.

Через неопределенные промежутки времени «звонки» начали повторяться: то кратковременный паралич, то опять потеря сознания, то слепота.

Наконец, я уговорил его обследоваться у Жени Гасилина, нашего бывшего сокурсника, профессора нейрохирургии. Женя, спасибо ему, не стал темнить, выложил снимки и томограммы. Посттравматическая киста с аневризмой мозговой артерии. Истончение стенки.

Прорыв — в любой миг. Неоперабельно.

Как-то оттянуть исход мог бы только постоянный покой, полнейшее исключение напряжений. Практически инвалидность. За фортепиано — ни в коем случае.

Антон только присвистнул, когда услышал эти рекомендации. «А пошло оно...»

Потом по-тихому засобирался.

Пытался ответить на скопившиеся письма, у него всегда были непролазные эпистолярные долги; принимал больных, ждавших консультации, дописывал давно начатую пьесу о Моцарте, так и не успел... Играл каждый день на своем «Беккере», мне и не только...

Здесь некоторые из записок последних месяцев.

Хронологии нет, чисел он не любил.

Из последних записей Лялина

Здравствуй, душа родная, спешу к тебе...

Успею ли сказать что-то?.. Смогу?..

Ведь ЭТО еще нужно добыть, выцарапать, ведь сокровища — по ту сторону снов...

Поднялся опять заполночь, чтобы в очередной раз попытаться выкинуть на бумагу кое-что из варева, кипящего в башке. Будут, конечно, опять только крохи, только за хвостик-то и поймаешь последнюю замухрышку-мыслишку, а мысли-мыслищи, которых такие табуны (желто-красные, лилово-зеленые), опять, помахав уздами, ускачут туда — за мрак...

Сколько разговоров ведешь в эти часы, минуты, мгновения... В том и дело, что НАСТОЯЩЕЕ живет только в завременном пространстве, а вытащенное сюда, на развертку, подыхает в конвульсиях, как рыба на суше. Ну, а все-таки, все-таки — вы понимаете меня, милые — вот ты, кто сейчас читает — сейчас, сеймиг ты и чувствуешь ТО ЖЕ САМОЕ, передается — вот этим-то моим именно кружением около да вокруг, этим ритмом невысказанности, промахиванием, ненахождением — ПОТОМУ ЧТО И У ТЕБЯ ТАК, именно так... Ведь слова только жалкой своей беспомощностью и вскрываются, обнажая сущее...

Я за них не держусь — поэтому мне и даются они, слова — но вот как схватить-удержать то завременное видение, те гроздья откровений, которые... Оборвалось... Как только начинаешь на слова полагаться всерьез, они и показывают кукиши.

(Кто-то из пациентов доказывал мне недавно, что «кукиш» якобы французское слово и ударение должно быть на последнем слоге: кукИш.)

Есть на свете бред — честный несчастный больной братец лжи, выблевывающий потроха искренности. Есть забредье, страна Истины, первозданная стихия за-бытия, откуда выкрадывает свои перлы клептоманка-поэзия. Больше неоткуда ей воровать, да и то часто возвращается с пустыми руками...

Итак, душа милая, Я УМИРАЮ в смысле «еще живу», и ничего траги-ипохондрического в утверждение это не вкладываю. Жить можно только посредством свершающегося умирания, и лишь общение дает нам возможность пере-живать себя. Вот и еще один мой кусочек в бессмертие выскочил, даруя и тебе миг вечной жизни. Бессмертие — наш с тобой общий дом, один я туда и не могу, и не хочу...

Да, лишь в общении, любым образом и посредством, бессмертно живет и здравствует голая живая душа, вся как есть.

Жизнь — только искренность, летящая к искренности, только душа-к-душе, передача души, пересыл от сущего к сущему — и ничего больше, достаточно.

Вот, кстати, тому свидетельство — нечаянная моя радость: пока я это писал тебе, перестала болеть моя голова, хотя по всем законам патофизиологии должна была разойтись до смерти.

Сие не значит ли, что возбужденный телесным недомоганием дух, искупавшись в Истине, произвел суммой своих движений исцеляющую работу?

Прощаясь с тобой сегодня, могу лишь пожелать, чтобы твоя голова после прочтения следующего моего опуса разболелась не слишком.

Чем отличается пошлость от подлости?

Интересный путь прошло значение слова «пошлый». По Далю, изначально «пошлый» значило «старый», «давний», «древний», «исконный». Старая, торная, хоженая дорога — дорога пошлая, пошлялись изрядно по ней, и в такой дороге плохого ничего не усматривалось, напротив — надежная, приведет.

С какого-то времени, однако, появляется оттенок неодобрения: «пошлый» — значит уже «устарелый», «слишком общеизвестный», «недоевший», «избитый», «вышедший из употребления», а затем и «низкий», «грубый», «вульгарный», наконец, «неприличный».

Тепловатый привязчивый запашок, исходящий из несвежих продуктов... Именно — иначе как в обонятельных категориях суть пошлости не схватить. Пошлость пахнет подкисшим пивом и вчерашними газетами, от нее несет молью, духами, противозачаточными пилюлями. Можно учуять и пот тревожности, и самодовольство, и зависть, и не допускающую в себе сомнений добропорядочность...

Пошлость пахнет протухшей наивностью.

Качество противоположное (первозданность! свежесть!), пошлость, тем не менее, из наивности и происходит. Утрата наивности и есть, собственно, пошлость. Утрата не изъятием, а распадом.

Владения пошлости — все, что лежит между неведением и мудростью, между детскостью и гениальностью — все необозримые пространства недознания, недомыслия, недочувствия. Чудище обло!..

Жалким розовым язычком болтается в пасти его то, что, пожалуй, и пошляку в грустную минуту покажется пошлостью — пошлость похабная.

Перетекая сама в себя, в развитом виде пошлость

являет собой классического глиста. Фантасмагория паразитизма. Самозарождение из всего и вся.

«Подними глаза, прохожий, мы с тобою так похожи...» Искушенный пошляк знает тебя как облупленного, навязывает тебе твой тошнотно знакомый образ, уверен в твоих реакциях, ожидает аплодисментов. Кто и когда мог противостоять опошлению?..

Радуемся и плачем от умиления, встретив родную пошлость посреди горных высот: ох, ну вот, слава богу, можно расслабиться и позволительно жить: он гений, но он такой же, как мы, даже хуже. Пошлость — ложь всякой правды, смерть всякой жизни.

Вот и придется с тобой на этом проститься, Жорик Оргаев. Я виноват за тебя. Не углядел твоей черной дыры, только инстинктивно отталкивался.

Бывают у всякого безмасочные мгновения. На каком-то симпозиуме мы столкнулись в туалете, обычное замешательство: ты издал некий «фых», я отвел взгляд, с тем и разошлись.

Вот в тот миг, странно ли, ты мне наконец и открылся. Глаза у тебя навечно испуганные: слепой голый ужас безлюбого существования, ПУСТОЕ МОКРОЕ МЕСТО, по той клятве точь-в-точь...

При гениальных счетно-психологических способностях полнейшее отсутствие слуха на искренность.

Ты не понимал свободы, не слышал ее. Живопись могла бы спасти, но не ухватился.

Самозащита твоя прошла много стадий, и теперь остается только определить конечное состояние.

Ты не болен и не здоров. Ты пошл.

Пошлость и подлость — расстояние в одну букву.

Убийцей тебя не считаю. Я сам. Не справился.

И на этом навечно прекращаю о тебе думать.

С предком ночной разговор

...Время буксует, начинает медленно катиться назад, все быстрей... Рассвет зреет, проступает сквозь деревья, что напротив моего окна (в этот час с ними еще можно поговорить), прорезает занавесь... В это время из соседнего пространства всегда доносятся неудивляющие бредовые звуки: то ли кошка мяучит, то ли ребенок плачет, то ли женщина стонет...

Это умирает ночь. Рассвет становится настырным, находчивым, с пулеметной голубизной, и ворона, все та же самая, опять спросонья нехорошо выразилась, как-то полтора раза.

Общежитие призраков открывается на учет.

— Уй-Я! Предок! Уй-Я-а-а!.. Ну где ты?..

— Ан-Тон?.. Я не Уй-Я, я Ух-Ах, пора бы запомнить. Уй-Я был мой прадедушка, не смей его беспокоить, он смерть как устал. Ну, чего тебе?

— Поговорить надо.

— Не дает покоя старику, что за болтун. Не говорить надо, а жить, я же тебя учил.

— Не ворчи, я не долго. Неизвестно, кто из нас старше. Ты умер в двадцать восемь, а мне уже сорок с гаком. Ты не умел читать, не знал арифметики...

— А ты не умеешь делать каменные топоры и бросать копье, не умеешь нюхать следы, есть не умеешь, не есть не умеешь, спать не умеешь, не спать не умеешь, бегать разучился, добывать жен никогда не научишься. Ну иди, играй.

— Подожди, а зачем ты жил?

— Опять за свое?

— Но ведь я — это ты, сам же говорил?

— Я такого не хотел.

— А какого?

— Как я, только лучше. Сильнее. Удачливее.

Первый мой сын, мой мальчик Гин-Ах, стал таким, стал. Сильный, хороший. Был Вождем племени, Великим Шаманом. Ум-Хаз родила мне его, когда мне было семнадцать, а ей не было и пятнадцати. В десять лет без промаха метал дротик с обеих рук, в двенадцать ударом дубины сбил в прыжке саблезубого тигра, и тут подоспел я. А когда Аб-Хаб, проклятье на семя его, сожрал мою душу, Гин-Ах постиг Великое Заклинание Ум-Дахиб, моей бабки, и отомстил ему, а когда Хум-Гахум, проклятье на имя его, проклятье на весь род его...

— Хватит, сто раз слышал. Скажи лучше: зачем все это, ежели я плохой? Какой смысл?

— Дурачок, совсем тебя цивилизация загребла. Мы, как и вы, жили для своей жизни. Жили, чтобы есть Унуаху — антилопа такая, примерно с нынешнего слона. Жили, чтобы пить воду из озера Ой-Ей-Ей — вода, какая вода! — у вас такой нет. Чтобы жевать агагу — это плоды такие, вы их заменили своими невкусными наркотиками и этой безумной дрянью, от которой мой дух выворачивается наизнанку, ты много раз это со мною делал, плохой мальчишка...

— Еще зачем?

— Чтобы разить врагов и съедать их печенки. Чтобы плясать у костров и играть в дам-дам, я тебе уже показал эту игру, у тебя кое-что получалось. Чтобы Ум-Хаз была моей днем и ночью, и чтобы Ум-Дам, ее сестра — тоже моей, только моей...

— Но неужели ты не задумывался...

— Я разговаривал с Иегуагу.

— Это твой бог?

— Какой бог?.. Иегуагу был змеем с огненными глазами, днем он жил в озере Ой-Ей-Ей, а ночью летал. Он взял у меня Ум-Дам и моего брата Уй-Ая.

— Ты рассердился?

— Когда он забрал Ум-Дам, я целый день кидал в него большими камнями. А когда взял и Уй-Ая, я поклялся, что больше никогда не буду с ним разговаривать и попросил Бум-Баха убить его огненным копьем. Но этой же ночью Иегуагу прилетел ко мне и сказал, чтобы я был спокоен, потому что так надо.

— Зачем?

— Тебе этого не понять, но узнай: потомок Уй-Ая убил бы твоего деда, и ты не смог бы родиться. А от меня и Ум-Дам еще в триста восемьдесят девятом колене произошел бы тигрочеловек Курухуру, а от него детоеды, племя истребительное, после них не было бы уже людей на земле.

— Быть не может.

— Говорил — не поймешь. Я пошел.

— Погоди, дедуль, погоди. Неужели и вправду считаешь мою жизнь неудавшейся, зряшной?

— Погляжу, как умрешь.

— А если...

— Кто-нибудь да останется. У Гин-Аха было двадцать шесть сыновей, а моих, слава Иегуагу, полмира, все они твои братья, и остальные полмира тоже.

— А не можешь ли подсказать...

— Не приставай, не знаю и знать не советую. Благословляю семя твое, ну, привет.

Хамский день

...Посетил офис, потом двух пациентов, мотался, ехал в переполненном автобусе, двадцать минут стоял на одной ноге. Давно заметил, что автобус автобусу рознь, в том смысле, что при одинаковом давлении бывают разные атмосферы.

В одном сразу попадаешь в пихательную среду, из другого выскакиваешь, как из хорошей парилки, раздавленно-окрыленный. Попадаются и такие, где вполне можно вздремнуть, стоя вот так на одной пятке и оперевшись о чей-нибудь дружественно-меланхолический нос.

Решает какой-то невидимый хамский вирус, кто-то успевает его выдохнуть, и пошло-поехало... Некоторые машины следовало бы немедленно снимать с линии и подвергать психической дезинфекции.

На этот раз задал тон водитель, хам-виртуоз: то гнал как ошпаренный, то, круто тормозя, уминал публику и рывками наддавал газ — «Кх-х-роходите вперед!» — «Кх-х-освободите заднюю дверь!» — «Оплачивайте х-х-р-роезд!» — надсадные рыки из репродуктора, как шебенка... М-да, такой проезд надо не оплачивать, а оплакивать, грустно думал я.

Еще на подножке ощутил, что будет секунд через пятьдесят... И точно: сперва две прекрасноликие девы вдруг закипели, затанцевали, заскрежетали, спины их, как одноименные полюса магнитов, начали судорожно отталкиваться друг от дружки — возникла со всей очевидностью острая несовместимость спин; тут же старушка с кошелкой рухнула на кошелку с другой старушкой, старушки молча поцеловались, запищал ребенок, кто-то закашлялся, у кого-то что-то квакнуло, раздавилось, закапало, а затем...

А затем седой инвалид с палкой, резко поднявшись с места, рванулся к выходу. До выхода был метр, всего метр, но этот метр надо было пройти. И он шел, как танк — тараном пробив туннель между двумя вышеупомянутыми спинами, встретил на своем пути нечто и горячо толкнул — с силой, умноженной тормозным рывком, нечто полетело вперед и разрушило на своем пути объятия еще двух спин, одна из которых в результате обняла мою печень. Нечто оказалось таким же седым инвалидом, с такой же палкой, и проявило незаурядное присутствие духа: прыгнуло на свое место обратно, убежденно и энергично, а поскольку там уже находилось первое нечто...

— Я те толкну, я те толкну!!
— Кого ты толкаешь? Кого толкаешь?!
— А ты кого толкаешь? А? Ты!..............
— !!! Ух ты......................

Вокруг них, как всегда при драке, путем простой дематериализации окружающих мгновенно образовалось вакуумное пространство — задыхаясь, они были уже готовы пустить в ход палки, но размахнуться из-за тесняка не могли...

— Да прекратите же вы, стыдно! Пожилые люди! — раздался наконец чей-то срывающийся человеческий голос, кажется, мой.

— А вот ему и стыдно, он первый...

И вдруг они друг друга *увидели:* я это понял по остановившемуся взгляду обоих. В тишине автобус остановился, вяло открылась дверь Один вывалился; другой остался, тяжело дыша; предложили — не сел.

— Остановку проехал... Однополчанин он мой...

После этой сцены рывки сразу прекратились, машина пошла мягко...

Когда попросторнело, я пробрался к кабине, приник, всмотрелся в водителя. Молодой, сероголовый, плюгавенький. Сегодня с утра пораньше его унизили. Ночью не выспался. Не пьянствовал, нет — недавно родился ребенок, и уже давние нелады с женой. Грозное рычанье при такой цыплячьей гортани физиологически невозможно, хрипел микрофон...

Вечером кадры хамского дня провалились в запасник памяти, всплыл другой...

Час пик в метро. Помесь миксера с мясорубкой, рокочущий эскалатор, проворачивающий людское месиво... Вот уж когда физически чувствуешь себя неотъемлемой частью массы: несет, тащит, толкает пульсирующий поток потной плоти — не выпасть, не выскочить: можно почти не шевелиться («ну куда прешь, спешишь, что ли?..»), плыть можно, наполняя себя сладкими грезами («ну куда прешь...») — и вот — в миг, когда меня поставило на ступеньку, а я этого не почувствовал, — в этот миг

Я УВИДЕЛ. Не было больше толпы толкущихся тел — где-то бесконечно далеко был этот сон, вечность назад забытый, — а здесь были ОНИ. (Мурашечный озноб, обычный мой знак...) *Я увидел деревья, сделавшиеся людьми. Я увидел совершенную красоту каждого — тайну времен и неисчислимость прожитых жизней, огни новых солнц, тени погасших... И НАДО ВСЕМ – ГОЛОС ОГНЕННЫЙ, ОКЕАНСКИЙ, ОРГАННЫЙ —* эскалатор продолжал двигаться, я вместе с ним, вокруг меня продолжали стоять и двигаться, двигаться и стоять...

Слушайте — как же это... Ведь только же что...

Домой шел обычным маршрутом. Телефон-автомат. В темноте не было видно, кто там, но некие вибрации выдавали интенсивную деятельность, и, когда я прошел мимо, из кабины вослед вывинтился голосок:

— Я не не-ервничаю... Так если ж он по-хамски сделал, так я ж то-оже по-хамски сделаю...

И впрямь Земля — ад какой-то другой планеты.

Ухмылка вечности

Любовь к незнакомым родным, к Тому или Той, кого не знаю и люблю — вот что держит живое...

Слышишь ли, видишь ли меня, мой Неведомый?..

Детская глупость: вычислять доли мгновения перед ухмылкой вечности, проверять часы, не опаздываешь ли. (И ты, наверное, так же?..)

Собираться — всегда пора. Но вдруг прав ребенок, чувствующий себя не гостем Вечности, а хозяином?..

Магия портрета

Не зря древние боялись магической силы рисунка, не зря верили, что художник, нарисовавший портрет человека, овладевает его душой...

Что такое портрет?

Чья-то душа, говорящая через художника? Или сам художник, говорящий свое через другую душу?..

Не важно, — важно лишь, чтобы портрет был *живым и только* — чтобы был настоящим...

К выдуманному герою романа, к существу сказочному или аллегорическому, требование наше всегда одно и неукоснительное: чтобы его можно было себе представить, поверить — что где-то есть такой, что вот мог бы быть...

Чтобы живым был хоть малюсенькой черточкой, за которую с пьяной радостью зацепится благодарное воображение...

Джоконда являет нам исполнение этого требования в сверхчеловеческой полноте. Она живее оригинала, живее всех своих созерцателей и живее автора, своего тайного близнеца.

Она перескочила в другое измерение.

В страстной этой тяге — поверить искусству — сталкиваются в нас жажда жизни и ее неприятие. Мы не хотим быть только собой, мы жаждем узнавания через неузнаваемость. Мы желаем стать своими ненаписанными портретами.

О простом человеке и его сложности

Так называемый простой народ не был простым никогда, был только глупый миф о его простоте.

Не было никогда человека, не загруженного историей и не искривленного современностью. Были охотники, земледельцы, ремесленники, были рабы и рабовладельцы, мужики, дворня, были образованные и необразованные — но не было бескультурных.

Необразованные несли через века собственную культуру. Это были, прежде всего, люди *местные*.

Индустриализация перетапливает их в повсеместных. Время стремительно погребает остатки «почвы».

Остаются общечеловеческие начала, общечеловеческие болезни и безымянные духи Вечности.

Сегодня «простым человеком» можно считать ребенка до полугода. Далее перед вами уже человек современный и сложный. Во множественном числе этот человек образует массу недообразованных, не помнящих родства дальше второго поколения, не имеющих ни сословных, ни профессиональных, ни духовных традиций людей, все более повсеместных по культуре и все более местных по интересам.

И внук крестьянина, и потомок царского рода имеют ныне равную вероятность осесть в категорию тех, за кем русская литература еще с прошлого века закрепила наименование обывателя. Он практически одинаков и в Китае, и в Дании, и в Танзании.

Он занят собой — своими нуждами, своими проблемами. Как и в прошлые века, мечется между духовностью и звериностью, рождает и свет, и тьму...

«Я люблю тебя, человечек», — шепчет ему Бог.

Он не слышит...

О тщете усилий и нечаянности удач

Господи, для чего Тебе этот сумасшедший мир? Как попускаешь?.. Дерутся все: негры с белыми, арабы с евреями, коммунисты с капиталистами, коммунисты с коммунистами, арабы с арабами, евреи с евреями, негры с неграми, христиане с христианами...

Боже! Зачем?

Бывают моменты черной тоски от тщеты усилий — человеческих усилий, направленных на человека же. На читателей, на зрителей, на пациентов. На детей, на потомков. На себя самого.

Все зря, все не впрок. Не в коня корм!

Историческая оскомина. Сколько вдохновения и труда, сколько мученичества, сколько страстного убеждения — и внапраслину все. Как издревле — убивают, обманывают, пьют, калечатся и калечат...

Непробиваемая порода.

Или не зря?.. Или все-таки не совсем зря?..

Ведь при всем бессилии обратить массу — что-то все-таки остается у единиц?.. Что-то передается, как-то срабатывает?.. Эстафета — только от лучших к лучшим, но вдруг — и НЕ ТОЛЬКО к лучшим?..

Существенно: что удается — то не намеренно, а как-то нечаянно и побочно, само...

В этом и чуется воля Высшая, и отсюда приходишь к мистической надежде, к молитве.

Да, надо действовать, действовать вопреки...

Смех небесный

Кто же Ты, сделавший эту хрупкую плоть вулканом своей энергии? Сколько, о, сколько ее пронеслось уже через слово мое, через клавиши — океан, мощь разрывающая...

Дай же, Господи, изойти, пошли нестерпимое!..

Не отпустишь, знаю. На службе. Не для того ли оставляешь меня, вопреки всему, молодым, свежим, как будто сегодня только начинающим жить. Как благодетельно насилуешь волю, как снисходителен к потугам самонадеянного умишки. Слышу небесный смех — вот он ты, дурачок — удивляйся, живи!

О, легче...

Мама зовет

Проснулся от сновидения. Видел маму, листал какой-то альбом, повествующий о ее болезни, с большим количеством цветных вкладышей. Текст был давно знакомый, я был кем-то вроде научного консультанта и, холодно комментируя, вдруг заметил живое, искаженное болью выражение одной из фотографий — глаз будто вывернут... Ужалила жуть, проснулся с криком раздираемой пуповины...

— Мама!.. Зовешь на помощь?.. Или приходишь?..

Я скоро, еще чуть-чуть...

Касания: детские рисунки на песке Вечности

Тайна мира познается только исследованием души. Как называется исследующий — художником, писателем, музыкантом, ученым, врачом, философом, богословом или вовсе никак — не имеет значения.

Мы все вокруг Одного, все в Едином.

Я был одним из исследующих. Я к чему-то приблизился, но, как и все, не успел достигнуть. До откровения иногда оставалось совсем чуть-чуть, казалось даже, что оно посещало, но не успевал впиться... Может быть, я теперь уже весь в Этом.

Может быть, это Тот, Кого зовут Богом — не знаю — но Это являлось и улетало, и было Главным, и было невыносимо прекрасно и невместимо...

**

Мы приходим только к известному. Но да будет известно, что известное — не известно, оно и есть Тайна, всякой душе предстающая в ином виде. Тайна мира — тайна души — является нам то как вдохновение, то как выводы беспристрастного размышления, то как долг, то как совесть, то как любовь. Мне дано было все это испытать. Но не имел счастья — СПОЛНА. Не примите за ненасытность. Не о краткости срока, отпущенного мне, сожалею, но лишь о безответственности в пользовании.

О душевной лености; о бессилии порвать путы сует и соблазнов; о недостаточной напряженности творческой воли; о нехватке отваги в любви и вере, о лживости, залезшей в подкорку; о темной глупости эгоизма; о недостойности самого себя...

Поверьте, не поза кающегося и не мазохистическая гордыня. Простое старание быть точным.

**

Хочу, любимые, чтобы вы знали и о том, чего я касался — верней, Что касалось меня, к Чему имел посланность, Что обещалось.. Хочу, чтобы знали о чуде, которое было мной, — хоть и только как недовыполненное обещание, — и затем лишь, чтобы смогли ближе узнать чудо СВОЕ — каждый свое.

Всю жизнь я и рвался к вам вот за этим — чтобы помочь приблизиться каждому к самому себе.

И больше всего мешал своему делу, конечно, я сам. Жаждал восхищения вашего, да, кололся им, как наркотиком, не мог жить без него, даже сию минуту еще дожигаюсь на этой энергии...

Но, видит Бог, не могу себя упрекнуть и в отсутствии дара восхищаться другими. С этим тоже не мог совладать, до самозабвения. Восторг, восхищение дарованьем соперника побеждали во мне и зависть, и ревность. Именно восхищение, то и дело ослепляя, мешало всю жизнь любить истинно, то есть трезво.

**

В моей жизни — именно в жизни, а не в той ее искусственно выкусываемой частности, которая людоедски именуется «творчеством» — был всего лишь один способ, которым я сделал, что сделал, и стал тем, чем стал.

(В основном топтался на месте, но все же какие-то шажки и прыжки удавались...)

Способ этот испытан, всеобщ — но, быть может, в рассказе моем мелькнет что-то свежее.

Назову приблизительно, заимствуя термин: в-себя-смотрение, интроспекция. Близко, какими-то боками: «интуиция», «медитация»...

Не могу сказать, что никем не интересовался, кроме себя, но воспринимал — только ЧЕРЕЗ себя — в том числе и в таких, казалось бы, далеких от самосозерцания деятельностях, как гипноз, музыкальные импровизации или рисованье портретов.

Как раз здесь интроспекция бывала наиболее напряженной и приносила плоды в виде точного попадания в другое существо, в иные миры...

Все, что есть живого, любовного, угадывающего в моих книгах, рисунках, стихах, музыке — вытащено, выловлено, высмотрено из себя.

Глядя в себя, художественно и научно описывал всевозможные личности, типы, характеры, персонажи. Списывая со своих внутренностей, сочинил множество пациентов и докторов, друзей и врагов...

Но — небесный пунктир! — Очень часто моя выдумка вскоре являлась мне воплощенной в реальности, и это внушало подчас мистический ужас.

Пациентку К., обожженную без лица, описанную в одной из моих книг, повстречал на другое утро после ее сочинения — в метро, на станции, где живу, — идущую на меня прямо, такую в точности, как мне пригрезилась — в той же одежде, того же роста, с той же походкой и ВЫРАЖЕНИЕМ...

Совпадения? Просто совпадения, каких уймы, самых фантастических совпадений?..

Согласен: да, совпадения. Но вот только что это случайные совпадения — с этим не соглашусь.

Ничего не значащих совпадений не может быть — каждое совпадение о чем-то дает нам знать. Не могу выразить это четко, но верю, что неслучайность случайного будет доказана наукой Всебытия, которая объяснит, наконец, и телепатию, и ясновидение...

**

— Люблю только живое в литературе — дыхание, голос, смех, пульс, мускул, запах строки... Непереводимое, недолговечное... Не долго, но вечное!

А в сфере идей (не путать с идеологией) всегда был отъявленным коммунистом — не признавал никакой собственности. Спокойно и радостно брал чужое и позволял брать свое. Мечтаю быть разочарованным до последней ниточки.

Собственнический инстинкт в сфере духа должен быть вытравлен до нуля, иначе человекам так и придется остаться зверьми. Чем духовней, чем выше — тем меньше частного. Кто, в самом деле, осмелится утверждать свою собственность на Бога?

(Есть, однако, такие универсально ревнивые личности, которые и к Богу относятся как к персональной зубной щетке.)

Отсюда и любимейший мой идеал Безымянности Добра, к которому я пришел путем множества откровенных духовных краж...

Но — возвращаясь к интроспекции — совершенно необходимо, чтобы заимствуемое уже было своим. Пушкин весь состоит из заимствований, обворовал всех, кого мог, но у него нет чужого ни капельки.

Мысль или чувство, выраженные другим, его слово, его острота, его сумасшествие, его глупость — все это и любое прочее должно давать, при правильном восприятии, некий знак тождества.

Знак этот может иметь вид восторга, благоговения, смеха, согласия, ужаса — много ликов, в том числе зависть, но только белая или в крапинку...

И вот в миг, когда он появляется, этот знак — все: это уже твое, пользуйся как ДУШЕ угодно.

В худшем случае будет вторичность, которой то и дело грешили и величайшие — а в европейской поэзии, наверное, все после Гомера. Но если нет *знака* — а ты все-таки хапаешь из практических соображений, то тогда ты есть вор, плагиатор, подлец, душегубец — и всего того хуже — бездарь.

Случись чудо: кто-то по-своему гениально перепишет «Евгения Онегина» — мы должны пасть ниц перед небесами. Только честность перед собой, не проверяемая никем, кроме Бога, может дать санкцию на присвоение. Идея — особа эмансипированная, горе тому, кто попытается ее приковать...

**

Жажда запечатления, неутолимая жажда...

Детские рисунки на песке вечности...

Вот чем я болел и болею, вот что унес...

Выпарились волоски честолюбия, место на лесенке не вопрос больше. Но остервенелая жажда, но безумная ненависть к небытию! — здесь, сейчас, среди вас и дальше хочу остаться! Хочу быть, смеяться, рычать, дурачиться!.. Ну что делать, если отсутствие так беспредельно противно моей природе?..

Всю жизнь пытавшийся быть затворником, имею в виду отсутствие не физическое. Но и физическое тоже — в том, что относится к духовному существу. Вот моя нынешняя физиономия, ее скоро не будет, ее уже нет, только эти плоскенькие фотографии и видеокадры... Ну — что?.. Жалко и вон того маленького, которого не стало еще раньше... Это не сентиментальность, любимые, это восстание. Не знаю, как этот, бредово сейчас строчащий, а вон тот, маленький, за пианино, за книжкой — заслуживал БЫТЬ ВСЕГДА.

Наша истинная любовь к себе — любовь грустная. Тот, маленький, успел подарить вам несколько рисунков. И я прошу вас за него их сохранить, иногда рассматривать. Особенно две картинки — одну карандашную, где много зверюшек (нарисована в 5 лет) и другую — акварель, где то ли закат, то ли восход, и задумчивый человек в лодке (нарисована в 9 лет).

Это не творчество. Это настоящее...

**

Живая прелесть, стремительная сладость умирания, пронзительное очарование! — Кто чувствует это, как я, тот понимает и тоску, и смертельную ярость. Уберечь, дать жить дальше, запечатлеть!.. Все на свете твое — и все не твое — ибо ты умираешь.

Цветение агонии... Я был создан, чтобы видеть, слышать, вдыхать, мыслить, двигаться, изобретать, обнимать. Я не был карточным игроком. Во мне напрочь отсутствовали свойственные большинству природные притупляющие защиты, ограничители, делающие существование более или менее переносимым. Не умел ни к чему привыкать, уравновешивался только за счет попыток ума, ненадежно.

Долго боялся живых цветов в сорванном состоянии — некоторые думали, что не люблю, я же просто не мог выносить криков умирания красоты, и одна роскошная роза вызвала однажды что-то вроде эпилептического припадка...

...Раздарить жизнь свою — что ж еще?.. Как успеть?.. Я в слезах сейчас, потому что не успеваю выразить благодарность. Чтобы только назвать тех, кому я обязан жизнью и счастьем, нужна еще одна жизнь, еще одна бесконечная жизнь...

Последний сквозняк

Шелестящее шевеление дубовых листьев на люстре... Прошлой осенью я пристроил их там, еще не увядшие, чтобы электричество не рвало глаз.

Никогда не опасался сквозняков, наоборот, приветствовал, даже сам устраивал. Но сейчас дует непонятно откуда, сию минуту все было смирно...

Сквозняк усиливается, качается уже откровенно люстра, начинает дребезжать; взлетела и разметалась по углам, как стая летучих мышей, копирка, выплюнулся из пепельницы пепел с окурками, ухнуло что-то в кухне, как всегда бывает при набегах грозы, заверещал обалдело будильник...

Надо все-таки высунуться, а вдруг...

Тихо, ни облачка... Зажглись кое-где окна, фонари еще медлят. Над дальней рекламной крышей троица уток пересекла розовеющий сверхзвуковой хвост; это селезни-холостяки летят на ночевку обычным своим маршрутом, на Порфирьевские пруды.

Антициклон обязался стоять недвижно до полнолуния, а у меня ветер мечется по всем направлениям, ходит ходуном, дует из стен, из мебели, из-под пола и с потолка... Лопнула лампа... Еще одна... Люстра грохнулась... Сизая змея с искрами обвинтилась вокруг комбайн-системы Стерео-Люкс, непринужденным рывком смешала все в планомерную кучу, подняла к потолку, потолкала там и вышвырнула в окно — телевизор, впрочем, вернулся обратно, еще не выключенный, произнес змеиным голоском:

...загадочный гад гадящий наугад...

...штепсель шикарный шарахнуло шоком —

...и разлетелся вдребезги.

Все понятно, намеками это уже бывало: домашний смерч — сквозняк всесторонний, спиральный взрыв энтропии, вихревой пробив измерений.

Покуда дубленка расправляется с чайной посудой, пока чайник с отбитым носом кончает с собой в унитазе, как и было давно задумано, а в ванной бьется в судорогах душевой шнур, шипящий петлей удушая пиджак, я сузившимися глазами взираю на неотвратимо надвигающуюся со стороны санузла пенную мутно-коричневую жижу с растворяющимися в стиральном порошке чеками, сберкнижками, телефонными счетами, дипломами, почетными грамотами...

Полтергейст в доме. Франция, 19 век.
По документальному свидетельству.

Все нормально, потоп как потоп. Прямо на меня плывет приглашение на заседание редколлегии журнала «Трезвость и воспитание»... Три рецептурных бланка, на одном набросок поэмы «Энтропоид»... Повестка в товарищеский суд...

Снизу давно стучали по радиатору, сразу в четыре раскаленных стука, звонили и барабанили в дверь, надрывался, как и тысячу лет назад, телефон...

Воздух остановился.

344

Энтропоид
поэма доктора Лялина

Публикатор. В древнем мире Гермес считался богом общения, покровителем путешественников, торговцев, воров и всяческого перемещения в пространстве и времени. Называли его еще вестником богов и «психопомпом» — душеводителем.

Гермес препровождал души умерших в иные обители и поселял души блуждающие в незанятые тела.

В одном из своих воплощений, по мифу, Гермес был человеком и положил начало эзотеризму.

Гермеса можно считать и мистическим покровителем психотерапии — она ведь и есть одоление разобщенности, хаоса одиночеств, застоя и «мерзости запустения» — энтропии в человеческих душах.

Что же до энтропоида, то это, как вы сейчас развернуто убедитесь, научно-поэтический термин доктора Лялина, обозначающий издревле известный разряд существ, именуемых в просторечии нежитью.

Рассказ в поэме ведется от лица Гермеса — он повествует подробно об одном из своих душеводительских путешествий в Большую Вселенную.

Гермес с новорожденным Дионисом.
С античного изображения.

Осенний мир,
где пыльным сплошняком
лежалый лист
в библиотеках преет,
и сонный дух,
устав ходить пешком,
не зная солнца
сам себя не греет,
осенний мир,
где ангелы грешны
и не узнать
торопятся друг друга,
был мне знаком.

Я добывал там сны.
А снами славен город Теменуга,
в Клоаке Облаков державный центр
одноименной пылевой планеты.

Плутон дал знать о повышеньи цен.
В сандалию — сикстинские монеты,
полет через Гасингу и Моргас,
и я на месте.
Здешний обитатель
родится с фонарями вместо глаз:
свет тускл, зато энергии не тратит.
На небосводе никаких светил
не водится.
Захожие кометы
закон о Поле Зренья запретил
как самые недобрые приметы.
Размытость очертаний без углов —
всеобщий признак, равно характерный
для улиц, для жилищ и для голов

с их содержимым. Вечный равномерный
всесильный дождь. Внимающий туман.
Здесь все мерещится — и голоса, и лица,
и кладбище, и пылевой фонтан
на площади, где каждый звук ветвится
как лабиринт...
Из дождевых дрожжей
выводятся искусственные души,
а на развилках уличных траншей
по праздникам развешивают уши...

На Сером Рынке топчется толпа.

— Берите сон. Недорого, два карма!
— Восьмое приключение пупа!
— Кому нужна твоя абракадабра?
— Пан-секс желаете? Любой фасон!..

Приметил типа в пепельной хламиде,
а он меня.

— Что зыришь, пупсик?

— Сон,
что я увидел сон...что я увидел...

— Ясно, ты нездешний.
Откуда приморгал?

— Издалека,
тридцатый зодиак.

— А я-то, грешный,
не раскусил... Нога твоя легка,
я вижу, а рука?

— *Смотря по ноше.*
А голова твоя не тяжела?

— *Такой, как ты,*
горазд и укокошить.

— *А ты психолог. Хоть и не со зла,*
но подшутить не вздумай, сам уснешь
на этом месте. Сон придет не сладкий,
а вечность обеспечу.

— *Ты не врешь,*
я вижу, ты персон и вправду хваткий.
Клянусь восьмой дырой моих кальсон...

— *Кончай травить.*
Выкладывай игрушки.
Мне нужен сон, что я увидел сон,
что я увидел сон...

— *Своей подружки,*
сказал бы сразу, чем клопа за ус
тянуть. Я угадал?

— *Ни в коей мере.*

— *Тогда скажи ясней.*
На всякий вкус товар имею
и по всякой вере.
Меня тут знают...

— *А, ладонный знак,*
квадратное сердечко... Энтропоид?

— *Так точно. Ваш покорный вурдалак.*

— *А сколько же товар твой нынче стоит?*

– Смотря по категории. Растяг,
фактура, густота, накал, подсветка...
Сон высосать, милочек, не пустяк,
не кровушка тебе и не конфетка,
того гляди, вспорхнешь. Опасный спорт,
мозги синеют, портится фигура.
Зато уж и добычка первый сорт,
известно, у меня губа не дура.

– В цене сойдемся. Вот валютный лист.
Мне нужен чистый сон. Теперь ты понял?

– Свят-свят.
Да ты, дружок, контрабандист.

– А ты подумал, ангел? Вор в законе,
герой потустороннего труда.
Я повидал картинки и почище,
чем ваша дефективная звезда,
но, видишь ли, один приятель ищет
забвения обид – приличный срок
вмостырили за шалости в натуре...
(Не аппетитно, скажем между строк,
без крыльев подыхать в звериной шкуре,
обслуживая кукольный театр,
в движенье приводимый сапогами.)
По должности он как бы педиатр
и учит кукол шевелить мозгами.
Но с этими детьми, как ни хитри,
прыг-скок, ура-ура, и снова скисли.

– Ему бы вставить наши фонари
да отсосать флакончик лишних мыслей...

– Цыц, комментатор. Волю бы тебе,

ты б высосал весь мир с дерьмом впридачу.
У друга ум, как видишь, не в губе,
а я напрасно времени не трачу.
Приятель Прометей попал впросак
за огонек в болоте человечьем.
Я развлекал его и так, и сяк,
и, наконец, у Зевса свистнул печень,
приладил на поклевку для орла.
Пичужка сдохла. Много было яду
в печенке этой. Давние дела...

— Сработано по высшему разряду.
Уж верно, наследил, голубчик?

— Ша,
не хочешь ли дыру в билетик членский?
Я угадал, что ты, антидуша,
продашь мне сон младенческий.

— Вселенский?.. Шедевр моей коллекции!..

— Держи.

— Хо-хо, беда, любезный... Нету сдачи,
а разменять здесь негде...

— Не дрожи,
считай, что нужник твой вперед оплачен.
Открой девятый зонд.

На чей-то глаз
похож был этот невесомый шарик
с неведомой волной... Он сделал пасс,
еще один, еще...
Волну нашарил

мизинцем скользким,
выгнувшись как кот...
Сияние возникло,
девять нот —
и дух заговорил:

— Я не упорствовал,
все мне сразу стало понятно, младенцу:
гонят туда же, откуда пришел.
Для чего же, за землю цепляясь,
путь удлинять
и небеса оскорблять
криком неблагодарным?..
Вы, в корчах слепого страха ползающие,
узнайте: это ошибка,
дальше своей колыбели никто не уйдет,
нежным рукам себя укачать позвольте
и спите тихо...

— Он самый, да...
Он все постиг и не познал стыда...

Доверчивость!.. Немыслимая жалость
влечет меня к тебе... Я помню звук —
те девять нот, которыми рождалась
Вселенная на кладбище наук,
я видел этот миг...
Великий Логос
распался, рухнул, сам себя поправ.
Ткань Истины, как ветошь, распоролась,
и сонмище наоборотных правд
плоть обрело в потугах самозванства:
Добро и Зло, Начала и Концы,
Вражда и Дружба, Время и Пространство,

две мнимости, уроды-близнецы...
То был финал магического цикла:
смерть Знака и зачатье Вещества.
Но раньше ты, Доверчивость, возникла.
Беспечная, как первая трава,
ты собрала безликие частицы
в земную твердь и звездный хоровод,
ты повелела встретиться и слиться
враждующим корням огней и вод...
Живая кровь в сосудах мирозданья,
Доверчивость! — я твой слуга с тех пор,
как застонало первое страданье
в ответ на первый смертный приговор...

— Что ж, по рукам? Законная работка.
Уж как давился, чтоб не оклемать,
язык вспотел. А как дымилась глотка...
Не просто, братец, душу вынимать!

Я расплатился честно. Восемь тысяч
сикстинских стигм сварилось вместе с ним
в зловонной слизи. Искру Феба высечь
пришлось на эту мразь...
Теперь летим.

Явись, дитя! Нисторгнуто заклятье,
тот сон ошибкой был, добычей лжи.
Прижмись ко мне,
прими судьбы объятье —
да здравствует бессмертие души!

Змеистый луч скользнул как полотенце,
вспорол тумана мертвенную взвесь,
и теплое светящееся тельце
к руке моей прильнуло.

Вот он весь —
младенец мой,
украденное чудо,
готовое опять
произрасти.
Летим, дитя,
летим скорей
отсюда.
Я спас тебя,
а ты меня
прости...

Жужжащий звук над рыночной толпою
услышали, описывая круг:
— Глядите-ка, глядите!.. Энтропоид!
— Не может быть! — Ей-ей!
— Ни ног, ни рук...
— А кто ж его?.. — Да тут один...
— Догнали?
— А как же. За усы отволокли...

Они на небо глаз не поднимали.
Они себя увидеть не могли.

Осенний мир, хранилище испуга,
бесцветный дождь, моргающий как трус...
Прощай, туманный город Теменуга,
прощай, сюда я больше не вернусь.

Антоново дерево
рассказ доктора Павлова

Лыткин пруд за Сокольниками, мало кто знает это название.

Возвышение, холмики.

Пруд маленький, но так расположен, что кажется морем — с той точки.

Дерево. Не знаю какое. Большое.

Ствол не очень толстый, но как бы это сказать... Всегдашний. Теплый даже в мороз.

Слегка наклонен, а корень приподнят снизу, так что если встать, спиной прислонясь, само держит, обнимает со всех сторон.

С этой точки вода сливается с небом, взгляд растворяется, шумы уходят.

Особенное пространство, отдельное.

Такие места есть всюду, даже на Садовом кольце. Их проходят, проезжают, заплевывают, а им ничего не делается, они есть.

Вы замечали, может быть?.. Иногда вдруг на самом людном месте посреди улицы сидит себе кошка и никто не гонит ее; или ребенок играет, а вокруг как бы прозрачное ограждение.

Первичные существа чувствуют точно, границы этих пространств для них совершенно четки.

Это, как Антон говорил, природные противосуетные ниши: пространства преобладания тонкого мира над нашим толстым, жлобским, загаженным.

Мы ходили на ту точку изредка, вечерами — побыть, постоять в живой неподвижности. Антон медитировал, а я просто отключался, но не совсем, потому что дерево это и мне что-то сообщало.

Одиннадцатого ноября я поехал к Антону после работы. Подъехал к его дому, что близ Чистых Прудов, и не изменил привычке — заглушив мотор, секунд семь посидеть в машине, даже если спешу.

Вылезаю. Стемнело уже. Небо ясное, сухо, свежо. На душе спокойно как никогда. В окне антоновом легкий свет, как и обычно, горит настольная лампа.

И вмиг откуда-то знание, что свет этот одинок.

Поднимаюсь, шагов не чувствую.

Какая-то невесомость и ощущение, будто это он поднимается, а меня нет...

Ключ от его квартиры всегда со мной, открываю. Сразу втянуло внутрь, как пылинку, и сразу к лампе. Записка. Рукой Антона одно слово:

там

Ехал невероятно медленно, бесконечно, хотя везде попадал на зеленый и жал на полную, обогнал две «скорых», свистели постовые, на кругу у Сокольников занесло, вырулил на сантиметр от автобуса...

Он стоял там, как всегда. На той точке.

Упасть нельзя, дерево держит.

Я не сразу подошел.

Надо было еще постоять.

Потом я сказал себе и ему: «Ну, давай».

Подошел.

Дотронулся до дерева. Теплое.

Шелохнулось что-то наверху, упал кусочек коры.

Потом все было просто.

...а дальше?
Опусти мои ресницы
и Книгу Бытия
закрой...
Начни свою
с нечитанной
страницы.

Открылась?..
Видишь —
за горой
беззвучно тает
ломтик солнца,
у края синего колодца
в изломе золотых лучей
зрачок звезды
вот-вот проснется...

Послушай, как бежит ручей...

ГУРОЛОГИЯ

или Куда податься человеку?

К роману и всей книге это уже послесловие.
Да, здесь поменьше рецептов,
чем в других моих книгах. Зато, надеюсь, побольше
дорожных знаков и средств освещения...

...И опять я сказать не сумею,
не пробью непроглядную мглу...
Чью-то душу в ладонях согрею,
а свою уроню как иглу.

Веет встречный ветер,
вечный ветер,
сеет семя ветер без конца...
И на каждой маленькой планете
есть у ветра маленькие дети
и летят на поиски Отца.

Оживай, ледяная пустыня,
смертный сумрак, снегами вскружись,
просыпайся, больная богиня,
наркоманка по имени жизнь.

Вечный ветер веет,
встречный ветер
и на этом свете,
и на том...
В этом ветре,
встречном вечном ветре
будем друг от друга в миллиметре
завтра или как-нибудь потом...

На всякую дуру найдется гуру

ГИД — Что осталось за кадром? Когда опубликуете полный текст романа?

— Осталась любовь. Много любви... Всему свой черед.

— У ваших героев есть прототипы, вы этого не скрываете. Читателю понятно, что Антон Лялин — сам автор, его «альтер эго»...

— Второе, но не первое. Существенная разница. Альтер означает *другое – иное* я.

— В чем именно — что совпадает с автором, с вами, что различается?

— Не стоит лишать читателя удовольствия самому поразмыслить над этим, если захочется; я сам точно не могу знать, не подсчитываю... Оба боксеры и пианисты, но Лялин играет на бегах, автор — нет... Антон женится всего лишь однажды, автор успел побольше. В стихах Лялина больше сухого жара, иронии и веселой злости, меньше лирических соплей. Наконец, Антон Лялин убит. Ваш покорный слуга жив пока...

— Конечно, все остальное в сравнении с этим капитальным различием мелочи. И все же — если разрешите, вопросы на засыпку. Как вы сами полагаете, альтер эго ваш лучше вас или хуже? Сильнее или слабее? Умнее или глупее?

— Лялин, конечно, нравственно симпатичнее: не то чтобы совсем чистенький, но все же в нем явлен по преимуществу авторский позитив, которому предоставилась возможность себя выразить, более или менее справившись с негативом. На письме это легче...

Вопрос об уме смешон, и сильней кто — ну как же узнать?.. Наверное, мой герой...

— Хорошо, а Калган? А Оргаев? А доктор Павлов?

— Ларион Павлов почти один к одному срисован с моего любимого друга В.Л. (у нас одинаковые инициалы), с которым мы долго бок о бок работали в психиатрии... Потом В. Л. стал священником.

Оргаев — образ более собирательный. Есть сходство с гипнотизером Р., которого я давно знал, но так тесно, как Лялин с Оргаевым, не общался. Истории с зомбированной парочкой и другими пациентами совпадают с тем, что Р. вытворял в действительности.

Что же до Бориса Калгана, Боба, то такого человека или подобного ему в жизни я никогда не встречал.

— А ведь из ваших героев самый убедительный и правдоподобный именно он...

— Он для меня истиннее, чем я. Внутренний Учитель.

— Но как это понять, как объяснить, если никого похожего в жизни вы не видали?

— Как объяснить явление образа?.. Были два человека в моей жизни, не подобных Калгану, но *наводящих*.

Один, условно говоря, негатив, другой позитив.

Негатив, антипод — психиатр Ц. из той же корсаковской клиники, тоже Борис, тоже инвалид войны, которого коллеги меж собой звали одноруким двурушником по причине его цинизма и коварства. Одинокий несчастный злой человек, ростом коротыш, одно время пытавшийся учить меня делать карьеру.

А позитив, не столь внешний, сколь внутренний — женщина-психиатр той же клиники, тоже инвалид и диабетик, как Боб. С трудом передвигалась на костылях. Отличалась широтой познаний, изумительной добротой и потрясающей глубиной проникновения в души пациентов. Настоящая наследница Корсакова. Доктор от Бога. Звали ее Евгения Леонтьевна Семенчук.

— Она вас учила психиатрии и психотерапии?

— Специально — нет. И дружбы отдельной у нас не было. Но те часы, когда я, молодой врач, присутствовал при ее работе с больными, остались в памяти как драгоценнейшие уроки, запали в душу... С подачи Евгении Леонтьевны я начал играть пациентам на рояле их музыкальные портреты, чтобы вместе прокладывать *выход из вероятья в правоту...*

— *То, что Шопен у Пастернака делает в одиночку... Евгения Леонтьевна была музыкантом?*

— Нет, но хорошо слушала, любила и знала музыку. Услышав как-то меня, обронила: «Володенька, а почему бы вам не играть нашим больным?..»

— *Подсказала...*

— Да, но довольно было и того, что Евгения Леонтьевна живет, улыбается, что я мог облучаться ее светом. Для влияния и воздействия человеку, достигшему цельной высветленности, нужно лишь быть собой — солнышки такие пробуждают семена духа, спящие в каждом.

Воздействие не стопроцентно, конечно. Личности типа Оргаева — хищные черные дыры — всегда были и будут... И в каждом есть свой Оргаев, маленький или побольше.

— *Как сами определяете главные темы романа?*

— Природа доверчивости. Психология власти. Кухня психонасилия и пути освобождения от него. Гигиена веры. Борьба совести как высшего интеллекта с функционально-вычислительным, манипулятивным умом, хищной подлостью. Введение в гурологию, от знакомого вам слова «гуру»...

— *И все это, как говорится, из первых рук.*

— Первых рук не бывает, мы все только посредники. Дела древние, всечеловеческие.

— *Но немаловажно, что автор профессионально сведущ во всем том, о чем пишет, владеет сам делом и практикует.*

— Компетентность необходима, но не достаточна.

Я провожу многолетнее гурологическое исследование методом *включенного наблюдения*: жил, живу, буду, вероятно, и дальше жить в шкуре той разновидности гуру, которая именуется психотерапевтом; получаю от этого обратную связь — жизненные истории и переживания моих пациентов, читателей, всевозможных людей...

Но чтобы писать об этом не просто в качестве действующего лица, вольно или невольно себя рекламируя, а шире и глубже — исследовательски, художнически — нужно не только «быть в материале», но и быть от него свободным, сопоставлять подходы изнутри и извне...

— ***Я не уверен, что все читатели точно знают, что такое «гуру». В моем представлении это восточный духовный наставник, учитель жизни...***

— Да, изначально так, но теперь и не только так. Перекочевав на прагматичный Запад, понятие «гуру» расплескалось по частностям, профанировалось и стало обозначением почти всякого жизненного руководства. Психологический гуру, врачебный, риэлторский, компьютерный, юридический, политический, сексуальный...

— ***Компетентный, короче говоря, человек, авторитет, которому ты доверяешься...***

— ...да, и главное: доверие твое несет тебя, как необъезженный конь, и то и дело норовит выскочить за пределы компетентности этого самого гуру, каковой может и вовсе не быть. Прочтем биографию Казановы, шарлатана и мультигуру — поймем, в чем фокус.

Вот ключевая фраза любого гуру:

Я ЗНАЮ, КАК ТЕБЕ БУДЕТ ЛУЧШЕ

и мое к ней присловье, грубое и печальное, как жизнь наша: на всякую дуру найдется гуру.

Целитель с большой дороги

Нехватка собственных сил, знаний, ума, недоверие себе до отчаяния... Ищешь, кому довериться, ищешь если не на всю жизнь, то хоть на час, самый трудный...

Это так понятно, так детски. И так опасно.

Вот случай из многих. Из моей свежей почты. Письмо приведу без своего ответа, сообразованного с уровнем адресата. Цитирую с несущественными изменениями.

ВЛ, мне **48 лет**. Обращаюсь со своей наболевшей и непонятной мне проблемой..

Так уж случилось, что мне пришлось обратиться за помощью к целителю Ермолаю (*Имя изменено. – ВЛ*) по поводу навязчивых мыслей, которые меня замучили..

Денег он с меня взял не так уж и много, но тем не менее я заплатила за свое лечение немалую цену.. Сразу же, как только его увидела, почувствовала на себе его благотворное влияние. Во время сеансов Ермолай просто говорил со мной, я его слушала. По его просьбе принесла ему свою фотографию на второй сеанс.

После сеанса, придя домой, я почувствовала себя как-то не так: началась необычная сердечная аритмия плюс острое желание секса. Стало не по себе.

А ночью со мной случился небывалый приступ: сильно, до потери сознания кружилась голова, в глазах было темно и передвигаться я могла только на корточках, на ноги стать было невозможно, давило вниз..

Вызвали «скорую», сделали укол, полегчало, а утром все началось сначала, муж отвез меня к этому Ермолаю.

Я похудела за эту ночь.. Ермолай нажимал мне какие-то точки, много говорил, а в конце сеанса угостил яблоками. Они были мелкие, желтые и кислые, но я их съела с жадностью.

После этого у меня несколько дней болело сердце, я была очень слаба, но выполняла все предписания Ермолая: пила отвары трав, витамины. Состояние нормализовалось..

Прервемся для предварительного комментария. Дамский случай вульгарно-фрейдовского образца: классический психоневроз с рассогласовкой сознания и подсознания — всадник в одну сторону, лошадь в другую... Подпочва — застарелая и *недоосознанная* эмоционально-сексуальная неудовлетворенность.

— *Плюс радости близкого климакса?..*

— Да — и сразу, как обычно бывает в подобных случаях, вся перезрелая сила изголодавшегося инстинкта обрушилась на подвернувшегося избавителя.

— *Это и есть «трансфер», перенос влечения?*

— В первозданном виде, поспешный.

«Сразу же, как только его увидела, почувствовала на себе влияние.. острое желание секса.. случился небывалый приступ..»

— *Это что, как понимать?..*

— Вызванное «целителем» обострение внутреннего конфликта с прибавкой новых симптомов к неврозу. Ермолай сразу начал неявными (лишь сперва неявными) внушениями возбуждать подавленную сексуальность своей пациентки, и она это почувствовала.

Читаем дальше.

..Еще до встречи с целителем у меня началось охлаждение к мужу, которое усилилось во время сеансов.

В беседах со мной Ермолай был не очень корректен по отношению к моему мужу, называл его глупым, говорил, что «в разведку с ним не пошел бы».

Я с ним не соглашалась, так как всегда уважала своего мужа. Но тем не менее отношения мои с мужем стали очень напряженными, я не узнавала себя.. Во мне росло неотвязное желание видеть Ермолая, общаться с ним. Сеансы уже прекратились, лечение почти помогло, но мною полностью овладели мысли об этом человеке..

В конце концов я не выдержала эту пытку и сообщила ему письменно о своих переживаниях. В этот же день Ермолай позвонил мне и сказал, что переживает аналогичные чувства, что «это» началось у него даже раньше, что полностью меня понимает, поддерживает — и.. приглашает на сеанс.

— *Ну, вполне ясно, что за «целитель» попался даме. Мерзавец-манипулятор типа вашего Оргаева, только грубей, примитивней, быдлее. Сексуальный разбойник с большой дороги.*

— Нам-то с вами это вполне ясно, а вот самой даме...

Психофокус тут в том, что и ей это сразу стало ясно, еще до начала «сеансов». Но ясность эта по еще более ясным причинам в сознание допущена не была.

..Ермолай сказал, что на сеансе будет «проникновение на расстоянии». Назначил день и час моего прихода к нему.

Но накануне, где-то после часа ночи, вдруг сам без предупреждения пришел к нам домой. Сел за стол по-хозяйски и приказал мужу налить ему водки. Пил очень много, но выглядел трезвым и беспрерывно рассказывал о своих целительских чудесах.

Потом, уже около трех часов ночи, объявил, что мы оба опасно больны, и что прямо сейчас он проведет с нами сеанс срочной помощи, с каждым по отдельности.

Сначала взялся работать с мужем. Мне велел ждать в другой комнате. Как потом рассказал муж, Ермолай, говоря с ним, называл себя «ясновидящим гуру» и уверял, что мужу скоро конец, что ему жить недолго, что спасет только он, Ермолай.. Потом велел сесть на кровать, не вставать и молиться, пока он будет проводить сеанс со мной.

Мы вышли во двор. Ермолай начал меня целовать, я не сопротивлялась, но была очень напряженной, боялась.. Потом предложил нечто поинтимнее, но не слишком настаивал, а я не решалась — муж рядом.. Два раза приказательно сказал: «БУДЕШЬ моей женой!»

Но жена-то у него есть, всем известно!..

Наконец, Ермолай захотел спать и ушел. Муж как истукан сидел на кровати..

Через два дня пошла к Ермолаю, я уже просто безумно хотела его, и он провел этот сеанс «проникновения на расстоянии».

Крутил меня, вертел, я была как пьяная.. Оргазм испытала такой, какого никогда не испытывала. В общем, пропала я..

Мужа потом в постели назвала Ермолашей один раз, второй.. Муж все это очень переживал, через неделю после прихода к нам Ермолая с ним случился приступ, как и со мной, только еще страшнее: на сутки его парализовало. Но выжил, пришел в себя..

— Владимир Львович, а это что? Реализация отрицательного внушения?

— Ну конечно. Слегка отсроченная. Но и одного лишь поведения жены и ситуации в целом любящему мужу вполне хватило бы для угрозы инсульта или инфаркта.

— Но ведь это уже не только сексуальный разбой, а бандитизм в чистом виде, психотеррор, фактически покушение на жизнь...

— Ну да, уголовщина и все та же оргаевщина. Что называется, пустили козла в огород.

..Я испугалась за жизнь мужа, но душой и телом была с этим необыкновенным мужчиной, с Ермолаем, буквально сохла по нему..

Не выдержала, опять ему написала. Но..

Он вдруг охладел ко мне. Сказал, что такое бывает, что надо перетерпеть.. А у меня не было никакого терпения, ощущение было, что по спирали засасывает в воронку, в голове было что-то вроде иглы, грудь сдавливало.. Звонила ему, кричала, что мне плохо, что умираю, вымолила еще сеанс «проникновения».. Потом еще и еще..

— *Наркотическая сексуальная подсадка?*

— Она самая. И увы, подсадки такой дама сама от себя втайне хотела. Ермолаша же испугался бури, по пьяни вызванной, и по трезвянке дал задний ход.

..Потихоньку мне становилось легче, хотя я не хотела расставаться со своими мучениями.. Нет, полностью я еще не «излечилась» от Ермолая, хотя ум мой прояснился. Да, все эти мои приступы и его непонятное для меня поведение — все это дико, но!.. Таким вот образом он и вылечил меня не только от навязчивых мыслей, но буквально вытащил из болота, из тупика, в котором многие из нас рано или поздно оказываются.

Несмотря на все то, через что мне пришлось пройти, я ему благодарна. Но нужны ли были мне такие страдания? С кем меня свела судьба, что это за человек?.. *Валентина*

— *С кем свела судьба, не вопрос. Но как понять, что дама этой нечистью вроде бы вылечена и даже, как она утверждает, вытащена из болота?*

— Из болота?.. Это кто как понимает... У меня есть рабочие понятия: *лечение-вниз* и *лечение-вверх*.

Лечение-вниз, для аналогии: бывают случаи, когда сравнительно мелкая венерическая неприятность — гоноррея — лечится крупной: сифилисом. Клин как бы клином. Потом можно и от сифилиса при желании полечиться, скажем, малярией, как раньше делалось...

Еще типичное лечение-вниз — довольно частые случаи снятия затяжных депрессий и шизоидных состояний впадением в алкоголизм.

Лекарство нашлось, душа вроде бы не болит, душа спит под постоянным наркозом. А потери страшнейшие: ущерб нравственный и интеллектуальный, опустошение, деградация — до времени не приметны...

Вот и у Валентины произошло излечение-вниз: санкционированная якобы-лечебной ситуацией мощная разрядка неизрасходованного полового влечения.

— *Да, практически измена мужу на полную катушку, только способ не очень стандартный...*

— Детали не принципиальны. В разрядке этой, как в топке, сгорели навязчивости, внутри стало проще, а если точнее — пустей. Нравственный барьер сокрушен.

— *Он, кажется, и не был очень уж прочным.*

— Для загнанного волка, как знаете, и бумажные флажки — преграда неодолимая. До первого перепрыга...

— *Как же еще можно было вылечить эту пациентку или облегчить состояние?..*

Ведь одной из главных причин ее страдания была какая-то сексуальная или эмоциональная недостаточность со стороны мужа, и Ермолаша безнравственно, дико, грязно и подло, но как-то восполнил этот, так сказать, дефицит?..

— Да, на инстинктивном уровне воссоздал архетипный образ сильного самца-Альфы, хозяина первобытного гарема, сыграл эту роль. Омега-муж, как и полагается по архетип-сценарию, подчинился его власти, был полностью им «опущен». А у Валентины самым архетипичным образом взыграл инстинкт самки полигамного самца: для полноценного оргазма с Ермолашей достаточно оказалось «проникновения на расстоянии».

— *Почему же эта женщина написала вам? Какая у нее «наболевшая и непонятная проблема»? Чувствует — что-то не то?..*

— Чувствует опустошение души. Чувствует, употреб-
ляя несколько устарелое слово, падшесть:

..в общем, пропала я..

Эти слова написала уже не самка, а человек.

Сразу после падения человек обычно бывает оглушен-
ным, потом может почувствовать боль. Потом может постараться подняться. Или не постараться...

Молокососы и мозгососы

— **Кто же еще мог помочь Валентине? И как?**

— Любой порядочный квалифицированный психотерапевт, понимающий язык подсознания и разбирающий-
ся в подноготной внутрисемейных проблем. Работать
он — или лучше она, тут доктору спокойней было бы женщиной быть, понимаете, почему — должен или должна
была и со страдалицей-пациенткой, и с ее незадачливым,
чересчур простодушным мужем, что навыворотно и сделал «целитель»... Работать чисто, со строгой дистанцией.
Прочитав суть ситуации, искать ее разрешение на уровне обучающего общения. Постепенно выводить супругов
к новому качеству *осознанных* взаимоотношений, в том
числе сексуальных. Это я и называю *лечением-вверх.*

— **Всегда ли возможно?.. Учитывая возраст, характер, предрассудки, уровень интеллекта...**

— Не можешь — не берись, вот и весь сказ. Взялся —
будь человеком и за свои действия отвечай.

— **Но ведь в любом случае, как читал я у Фрейда,
трансфер, перенос влечения на психотерапевта
все равно неизбежен и даже полезен...**

— Это, во-первых, спорно; а во-вторых, трансфер —
явление гораздо более широкое и объемное, чем его
представил нам первопроходец психоанализа.

Трансфер, он же перенос или перемещение чувств, бывает не только на психоаналитиков и врачей, но сплошь и рядом — на учителей, на священников, на режиссеров, начальников, режиссеров, актеров, спортсменов и прочих ЗНАЧИМЫХ персонажей.

Переносятся не только половые влечения, но и дочерние, сыновние чувства, материнские, отцовские, агрессивные, религиозные и всякие иные. Чувства наши по самой природе своей текучи и липучи, как жидкий клей, подслеповаты, как новорожденные, и тем только и заняты, что ищут предметы для прилипания... Ищут не на основе различающего анализа, а по обобщенным образам, весьма смутным, да по ключевым признакам, записанным в глубине бессознательной психики.

O дайте, дайте сисю!
Я от нее зависю!

Видели, как легко младенец-молокосос принимает за материнскую грудь пустышку или собственный пальчик? Живой прообраз всех на свете трансферов.

— *Случается ли вам и вашему коллеге В. Л. быть объектом таких переносов чувств?*

— А как же. Самых разнообразных.

— *В чем это выражается?*

— Влюбляются без ума, ненавидят до смерти, обожествляют до одури, презирают до скрежета, уважают до посинения, боятся как черта, приписывают то всеведение, то невежество, то святость, то сатанизм... В общем, буря и натиск — говорю, конечно, о случаях крайних.

— *Можно хоть один конкретный пример?*

— Понимаю ваше литературное нетерпение, но я связан моральными обязательствами внутри дела, дождемся эпохи пенсионных воспоминаний...

— *Как справляетесь с натиском?*

— Понимания и выдержки подчас не хватает, проколы случаются. С годами прибыло юмора, это защита главная. Кое-что видишь, предвидишь. Но не все, нет...

— *Когда ваш друг В.Л. принял священнический сан, его проблемы с трансфером ушли в прошлое?*

— Нет, но приняли иной характер соответственно тем правилам отношенческих игр, что господствуют в церкви и около. Церковь работает с паствой на самой сокровенной оси душевного бытия — детско-родительской вертикали — и использует многовековый, весьма действенный арсенал приемов *инфантилизации* прихожан: введения в детское психологическое состояние. Посему перенос духовными чадами на батюшек сыновне-дочерних чувств со всеми их наворотами более чем закономерен. Везде своя светотень. И своя гниль...

— *Да, но инфантилизацией, как вы это называете, занимается не одна только церковь. А реклама, а политическая пропаганда? А вы, врачи?*

— Еще как. Все стараются. Но за церковью — мощь традиции, винный погреб патриархальной истории...

— *Есть ли связь между чадо-родительской осью и педофильскими скандалами церковников?*

— Было бы странно, если бы такой связи не было. Детская доверчивость — предмет самых разнузданных вожделений. Знаю много страшных историй, рассказывать не хочу, но выводы надо написать красными буквами. Для прихожан и учеников, избирателей и пациентов...

Вот выводы: *сомневайся, проверяй, различай.*

Не переставай всматриваться в того (или в то), кому (или чему) хочешь довериться или уже доверился. Всматривайся и вдумывайся. Спокойно и пристально.

Зри в корень и внюхивайся в негатив.

Отличай в себе веру в вечное — Бога, Добро, Истину — от более или менее обоснованного доверия переменным человеческим институциям: церкви, науке, медицине, искусству, законам, власти — а главное, от некритического доверия людям, вещающим от имени высших сил. Помни о всегдашнем отличии подлинника Истины от ее перевода на язык ограниченного человеческого разумения. Открыт будь, но инфантилизации не поддавайся: пусть Взрослый в тебе бережет Ребенка, на благо обоих.

— Не будь лохом, короче?.. Ребенок в тебе и есть лох?.. А жорики, ермолаши, все сатаньё, бесьё, этропоиды эти — плодятся где, откуда вылазят?

— Откуда вылез «святой старец», гуру царских особ Распутин?.. Народ и спрос рождает, и предложение.

— Но Распутин действительно кое-что мог. Кровотечения царевичу останавливал...

— Это мог бы делать и любой другой гипнотизер: заговоры на кровь — дело известное. Есть и в Евангелии эпизод, когда женщина с кровотечением, едва дотронувшись до Христа, исцелилась, помните?.. Внушением и самовнушением можно загустить кровь, сжать сосуды — действие производится нейрогормонами через мозг.

Распутин был типовым лекарем-вниз; такие гуроиды-сатаноиды плодятся, как пауки, во всех закоулках неутоляемых человеческих потребностей и неразрешимых проблем. Питательная среда: темнота, невежество, страхи, эгоизм человеческий... Энтропоид, мозгосос-психохищник может залезть в любую социальную нишу, надеть любую форменную одежду: врачебный халат, рясу священника, учительскую мантию, шапочку астролога, военный мундир, жилетку торговца, платок колдуньи, костюм политика... Пиджачок психолога или платьице психологини в гардеробе сем фигурируют тоже.

МОЛОКОСОСЫ И МОЗГОСОСЫ

ВЛ, мне 17 лет. Полтора года назад я записался на консультацию к психологу Н., для того чтобы он посоветовал мне литературу по самосовершенствованию. Этот Н., как все у нас в городе знают, является мастером НЛП и специалистом по дианетике. Занимает должность декана психфака нашего городского университета. О книгах Н. беседовал со мной 15–20 секунд. А дальше.. погрузил меня в транс. Я слышал его тихий и мягкий голос, но словно во сне, и почти ничего не запомнил из того, что он говорил.

На выходе из транса Н. дал мне какой-то тест. Через некоторое время я пришёл за результатами, и они меня сразили наповал. Оказывается, я жуткий пессимист и эгоист с нарушенным мыслительным процессом, всего боюсь и живу в постоянной депрессии.

Н. взглянул на тест, затем посмотрел на меня, сделал паузу, резко хлопнул в ладоши и сказал сухо: «Можешь идти на все четыре стороны. И запомни: из депрессии человека может вывести только психолог. Возьми свой тест.» Отдал листочек со всеми гадостями и выпроводил за дверь..

А через 10–12 дней из меня начало, как из переполненного мусорного ведра, вылезать всё то, что было написано на этом листочке. Пошли конфликты с близкими, в школе, с друзьями, а примерно через месяц нагрянула и обещанная депрессия.

Как мне было плохо, вспоминать не хочется.. Я ходил к Н. лечиться от страхов и депрессии, но мне становилось хуже и хуже; вместе с тем я чувствовал, что все больше завишу от Н., как от наркотика, и больше всего боялся, что мое лечение у него когда-нибудь закончится..

Позже один московский психолог мне объяснил, что последователи Хаббарда, основателя дианетики, зомбируют наивных людей, слабо разбирающихся в себе, в трансе внушают им несуществующие проблемы, а потом за их же деньги от них избавляют.. Он посоветовал мне как можно сильнее разозлиться на Н. — со сволочью расстаться легче.. Я постарался сделать это, хотя тянуло меня к нему очень сильно, как к любимому папе и маме, вместе взятым..

(Своих родителей в мои проблемы я стараюсь не посвящать, не хочу расстраивать.)

Расстался, бросил к Н. ходить. Но началась тоска, страшное одиночество, ужас перед жизнью. Стал совсем беззащитным, начали липнуть всякие неприятности. Какие-то отморозки вскоре меня избили и ограбили, появилась новая куча страхов..

Наконец, не выдержал, снова пошел к Н., он сразу вспомнил меня и с ядовитой улыбочкой спросил: ну, что в жизни радует, Дима?

И снова дал тест, который на этот раз показал, что я уже в шаге от психбольницы, а чтобы её избежать, нужно пройти 10 сеансов по очень приличной стоимости.

Конечно, я во все это поверил и начал ходить. Пока разобрался, что все это вранье, крыша сдвинулась..

Обратился в другую частную клинику. Обследовали. Сказали, что у меня особое восприятие мира, очень отличающееся от других людей. Но это я и без них знал.. Прописали вот такие препараты (перечисление опускаю. — ВЛ). Прочел инструкцию к одному и впал в ступор: неужели шизофрения? Что делать теперь? Принимать лекарства? А если крыша от них уедет еще дальше?.. Как выздороветь, и болен ли я в самом деле? *Дима*

Читаю это письмо, и сердце кровоточит, душа леденеет от ужаса и стыда за профессиональное сословие, к которому принадлежу, за время, в котором живу... Мозгососная схема классическая, пятиходовка: загипнотизировал-запугал-подсадил-использовал-выбросил.

Каким же циничным подонком быть надо, каким безжалостным отморозком, чтобы такого вот простодушного, доверчивого и притом вовсе не больного и не глупого паренька, подростка, еще ребенка по существу, пребывающего в обычном возрастном кризисе, в нормальных исканиях и метаниях, — путем преступного злоупотребления внушением довести до состояния псевдошизофренической дойной коровки, с риском действительной инвалидизации... Какой мерзостный обман юного существа. Какое одьяволение, на что только не идут эти коммерческие мутанты от психологии и медицины. Многим ли они отличаются от нелюдей, душегубствовавших в Беслане?..

— *Издержки капитализма? Коммерциализации медицины, американизации психотерапии?*

— Капитализм, как и социализм — не причина расчеловечивания, а повод для проявления.

Дима, читаешь ли ты меня, слышишь ли? Обращаюсь к тебе, изменив имя и отредактировав текст письма, но, как видишь, всю суть и основные подробности постарался передать точно. Твое письмо и ответ делаю публичными, потому что ты далеко-далеко не единственная жертва преступных психоманипуляций подобного рода.

Теперь слушай внимательно: ТЫ ЗДОРОВ, ВСЕ У ТЕБЯ БУДЕТ ХОРОШО, ВСЕ НАЛАДИТСЯ. СТРАХИ УЙДУТ, НАСТРОЕНИЕ СКОРО УЛУЧШИТСЯ, а крыша была, есть и будет на месте, только несколько потряслась, не без того... Забудь о мерзавце-псевдопсихологе Н. и его так называемом тесте как можно быстрее. Включайся в жизнь. Набирайся мужества и терпения, начинай взрослеть. Приветствуй свои трудности как обучение жизнью, как стимул саморазвития, как закалку духа. Ни лекарств, ни каких-то особенных психотехник тебе не нужно.

Читай все, что приходится по душе (в том числе и мои книги, если понравятся), но ни на чем не зацикливайся, не ищи ответа сразу на все вопросы, не жди панацеи, двигайся, развивайся дальше.

Придет время, и все только что пережитое ты оценишь как тяжкий, но полезный урок на пути обретения внутренней свободы и душевной самостоятельности.

**

Это письмо я разослал 30 тысячам подписчиков своей электронной рассылки. Получил множество откликов от жертв аналогичных злодейств...

— ***Когда-нибудь эта дьявольщина может кончиться? Управа найдется?***

— Это зависит и от нас с вами.

Охота за трансом. История названия книги

С поэтом Евгением Евтушенко мы некое время часто виделись и разговаривали то вскользь, то подолгу.

После одной из встреч (у него на даче) в печати появилось стихотворение Евтушенко со строчкой:

...И психиатр, наемный друг...

Невкусным мне показался этот наемный друг, почти как наемный муж. Я сказал об этом Евгению Александровичу; но он радовался своей поэтической находке и уверял, что ко мне она отношения не имеет.

Я попытался накропать ответ Евтушенко от имени психбольных в шутейном стишке под его манеру:

> *Нет, Женя, доктор нам не друг,*
> *с больным дружить накладно, стрёмно.*
> ***НАЕМНЫЙ БОГ** – не режет слух?*
> *Не выглядит слегка нескромно?..*
> *Болезней груз, проблем мешок*
> *возьмет на грудь наемный бог*
> *и все по полочкам разложит,*
> *и все сомнения стреножит...*
> *...А ежели болит душа*
> *и нет за нею ни гроша,*
> *куда податься человеку?*
> *В консерваторию? В аптеку?*
> *В пивбар?.. Везде гони деньгу*
> *и все равно – ни зги в мозгу...*

Стишок мой так и остался недоноском, никому не был показан, однако наемный бог за мозг зацепился...

— И правда, цепляет. Но как-то тоже невкусно. Диссонанс явный... Заглавие эпатажное.

— Зато сутевое. Дело-то в том, что кощунственный диссонанс этот и в жизни рвет душу на каждом шагу.

Природа внушаемости, как видим мы, такова, что на всякого, кому мы доверяемся в качестве авторитета — Знающего и Умеющего — даже в сугубо ограниченной области жизни, допустим, всего лишь в ремонте бытовой техники или зубопротезировании — мы склонны возлагать завышенные ожидания, упования, далеко превышающие истинные возможности или намерения человека... И склонны впадать от него в зависимость.

— Один мой приятель, бывший научный сотрудник гуманитарного института, после перестройки подался с голодухи в сантехники, освоил ремесло основательно, он вообще человек мастеровитый, халтурить не умеет. И что же?..

Я, говорит, и не чаял, что по совместительству стану еще и автомехаником, массажистом, исповедником, няней и... Именно вот наемным мужем, со всеми подробностями.

— Если кто-то может то, чего я не могу, в чем-то одном — значит, наверное, и в другом может; если можно в одном довериться, да еще и в другом, значит, уже и во всем — вот логика подсознания, детская и животная.

— Реклама ее вовсю использует. Самый большой океан? — Тихий. Самая высокая гора? — Эверест. Самая вкусная защита от кариеса?..

— И реклама, и пропаганда работают на одной фишке: невольное обобщение, перенос, трансфер.

Расширение поля веры с отключением контроля и критики и есть введение в транс или, в просторечном смысле, гипноз. Исключение испытующего опыта, исключение сомнений, приближение веры к предельным значениям — состояние, за которым охотятся все ловцы душ.

— *Всемирная охота за трансом?!*

— Тысячеликая. Зовись ты врачом, политиком, психоаналитиком, гипнотизером, магом, ученым, учителем, артистом, писателем, тренером — как угодно, хоть компьютером — коль дело касается человека в целом, его тела и души, вместе взятых, будь это пациент, зритель, избиратель, прихожанин, читатель — и ты убеждаешь:

Я ЗНАЮ, КАК ТЕБЕ БУДЕТ ЛУЧШЕ —

ты явно или неявно ведешь человека к трансу и претендуешь на вакансию Бога в его душе.

— *Гитлер ввел в транс целый народ...*

— Это лишь один случай из тьмы подобных, вариация на одну из вечных социально-психологических тем.

— *Следует и в будущем ожидать повторений?*

— Конечно, только не копий, а вариаций — они и были, и есть, и будут, только в других местах, с другими реалиями, на других уровнях.

— *Можно ли для всех пользователей наемных богов или гурукомпьютеров найти какое-то одно общее, объединяющее слово?*

— В том же санскрите, из которого взято слово *гуру=наставник, учитель*, есть и слово, обозначающее ученика. Занятно звучит: *чЕла.*

— *«Чела»?.. Чел... Словно обрубленный «человек», недоведенный человек, недо... Мы все — челы, а челАвеками нас делают гуру, понимать так?*

— Зрелыми не рождаемся, кто-то должен нас доводить до ума. И этот кто-то сколь нужен, столь и опасен.

— *«Я ЗНАЮ, КАК ТЕБЕ БУДЕТ ЛУЧШЕ» — слова старинные, бесконечно знакомые...*

— Ну еще бы. Главное родительское внушение. Иногда верное до поры до времени...

ᴴᴬ**демные боги и их дороги**

...Да, первейшая ипостась Бога-гуру — земной родитель или его и\о — кто-то взрослый, старший.

— *Родителей не нанимают...*

— В прямом смысле нет. Но каждый детеныш к родителю и любому взрослому относится сначала как к Богу, доброму или злому, строгому или милостивому...

— *«Я знаю, ты все умеешь...» Ну, а потом?..*

— А потом очень по-разному. То как к кредитору, требующему уплаты задолженности. То как к прислуге. То как к карающему прокурору. То как к дойной корове. То как к половой тряпке. Редко — как к другу. И совсем редко — как к затаившемуся раненому ребенку...

Каждый приходит в мир самым Младшим — глупым, беспомощным и всезависимым. Но если жизнь идет своим чередом, то каждому приходится передвигаться по естественной вертикали и становиться *относительно* старшим, *относительно* сильным, *относительно* умным, отвечающим, помогающим — тем, *от кого* зависят.

Исполнять жизненную роль Взрослого — *для кого-то* менее взрослого. Если не для братьев и сестер, то для детей. Если не для своих, то для чьих-то. Или хотя бы для себя только — ведь то дитя, та кроха в тебе навек...

Внутреннее соприсутствие Младшего и Старшего, Ребенка и Взрослого, их взаимодействие и борьба, сговоры и взаимообманы — ключи к душе всякого; увидь эту природную вертикаль в человеке, посмотри, как на ней общаются Старший и Младший — и ты можешь человека предсказывать и можешь им управлять.

— *И управлять?!*

— Да, если только сам человек ключами к своей душе не владеет. Если сдает их — добровольно или невольно.

Гуру, он же гипнотизер, он же целитель, психолог, учитель, пастырь, любимый руководитель и прочая, есть Взрослый-Родитель-Бог, нанятый твоею душой.

А кормится этот замбога не святым духом единым. Смертен и хочет кушать. «Сея духовное, пожинает телесное» — какую-то мзду берет: денежную, сексуальную или хотя бы только эмоциональную и оценочную — преданностью, поклонением, лестью...

— *Но ведь может, как исторические примеры показывают, и в жертву себя принести... Я имею в виду не только Христа. Пример Сократа вспоминается. И Пифагора... И Льва Толстого... И Корчака... И Альберта Швейцера... И Александра Меня...*

— Да, гуру — здесь хочется заменить это слово на Высший Друг или Духовный Доктор — может принести себя в жертву и так или иначе делает это — если служит Истине, если бессмертное побеждает в нем смертное...

Но и высочайшим Учителям, как всем чел-о-векам, присущи человеческая ограниченность, человеческая слабость, противоречивость и склонность принимать желаемое за действительное; человеческая беспомощность перед стихиями бессознательного.

Не знала история ни одного Учителя, который сначала не был ребенком, *чел-ом*, а значит, где-то им и остался...

— *В семье друга моего детства было трое братьев. Старший брат младших в обиду никому не давал, но сам над ними всласть измывался. Твердил: я вас защищаю, сопляки, и уму-разуму учу, а вы мне за это должны служить, как рабы божьи.*

Это что, тоже отношения типа гуру-чела?..

— Это зверино-рабские отношения старшинства-младшинства. Человеческими я их не назову, даже если в основе их — бесконечное превосходство во всем.

Чтобы жизнь не казалась медом

— Одна усеченная, примитивная до уродства модель младше-старшинских отношений нам, россиянам, особо, до боли знакома, служившим в армии в первый черед. Да-да, наша дорогая и любимая дедовщина — в самом термине «дед», «старик» сиднем сидит заскорузлое биологическое старшинство...

— *Социологи полагают, что вирус дедовщины перекочевал в нашу армию из тюремно-зонных обычаев, из отношений старосидельцев и новеньких, которых всегда «проверяют на вшивость», опускают, заставляют «шестерить»...*

— Зона повлияла немало. Но рыба тухнет с головы. Мне думается, дедовщину все же рождает сама гнилая пирамида армейских отношений, сама звероподобная суть их — бесправие и полная зависимость младших чинов от старших, сопряженные с этим произвол, лживость, холуйство, развращение властью. Обращение «дедов» с «салагами» подражает духу этой иерархии как обезьяна. Самый страшный начальник для всякого всюду — начальник самый маленький, непосредственно твой. Таким начальником для солдата неизбежно оказывается не сержант, хотя и он не подарок, а находящийся рядом и формально не имеющий права тебе приказывать старослужащий. Неуставные отношения порождаются уставными. Равно как и недружественным, насильническим характером отношений старших и младших в стране в целом...

— *Когда я был «салагой», один «дед», заставляя меня вылизывать ему языком сапоги, объяснял: «Я учу тебя жить. Сержант учит служить, а я жить. Усек разницу? И меня так учили. И ты так молодых учить будешь. Чтобы жизнь не казалась медом...»*

— Предусмотрительный гуру, педагог хоть куда. О преемственности заботится: я лизал сапоги другим, теперь ты лижи мне, потом будут лизать тебе и так без конца, так и вершится всемирный круговорот сапоголизательства. Не должна жизнь казаться медом, а грязью сапожной — должна.

— *Как же легко садистические побуждения облачаются в педагогические, мучительские в учительские и обратно...*

— Не только в армии. В педагогике, в государстве, в семье, в церкви и в самой науке, психологии не исключая, гурологические законы одни и те же.

— *Интересно — только сейчас смысл доходит... Обращения: сеньор, монсеньор, сэр, месье — «господин» — буквально означают «старший» или «мой старший». В армии — старш-ина, в церкви старос-та...Священников, откровенно подменяя родителей, величают «отцами»...*

— А также «владыками», что предполагает благоговейную готовность обращающегося к повиновению. Тождество духовной иерархии и административной как бы само собой разумеется.

— *Начальство для нас — пуп вселенной, нарыв душевный. Не случайно, наверное, среди мужской половины населения сейчас в ходу иронически-уважительное обращение к незнакомым или малознакомым мужчинам на армейский манер: «Командир!.. Слышь, командир!»*

— Ироничности в этом обращении больше, чем уважительности. На самом деле обращение «командир» (он же ведь и «отец солдатам») выражает наш массовый внутренний мятеж против власти старших, общенародный эдипов комплекс, взрывное сырье...

Кстати, о вере в любимого руководителя
из моей переписки с бывшим военным моряком

ВЛ, прочел недавно статью о семинаре в группе психологов Северного флота, по поводу кризисной работы вроде «Курска». Это вообще интересно — вчерашних манипуляторов-замполитов обучить новым приемам. В данном конкретном случае — как заставить лишенного абсолютно всех человеческих условий для жизни моряка служить дальше, а его семью — его в этом поддерживать.

Именно в этом контексте и размещены основные потуги тех, кого сейчас в армии называют «психологами». Такие задачи ставятся и даже обеспечиваются материально.

Вообще же, насколько я могу судить, имперский статус России, который еще превалирует в общественном сознании, и в который пока еще абсолютно вписываются действия властей, свидетельствует о недоверии к рациональному мышлению и его отторжении. Поэтому на абсолютно технологичное НЛП народ возлагает надежды, вокруг везде ожидания — мне помогут волшебным образом..

Масса ваших последователей бьется за осознание личной ответственности каждого за свою судьбу, но пока что не особенно успешно. Ну, это, конечно, моя дилетантская оценка. Как бы вы построили грамотную работу по развенчанию веры в любимого руководителя? И нужно ли это? *Марк*

Марк, «вера в любимого руководителя» — инфантильный тип социального сознания (скорей, подсознания), культивируемый авторитарными режимами и воспроизводимый в каждом поколении как возможность и как тенденция. Такая вера есть и у американцев, вернее, воля к такой вере — и уравновешивается пока относительной демократичностью общественного механизма. Развенчивается же обычно сама — временем и самими руководителями, живущими в реальном времени. «Развенчание веры» — не та задача, которую стоит ставить...

Задача эта должна быть *растворена* — в труде общего и психологического просвещения, в воспитании человеческого достоинства, совести и грамотного мышления, из чего только и проистекают обоснованное доверие себе и зрячая вера в Истину, а если в Бога — то как в перекрестие Истины, Совести и Любви...

ВЛ, в отношении «любимого руководителя» — спасибо за правильно понятый вопрос и развернутый ответ. Это как раз то, чего я недопонимал: научи человека просто обесценивать веру, получишь минимум депрессию.

Но вот чего я и сейчас не понимаю: кого это вообще волнует, кроме вас? Неужели Павловского? Господи, неужели президента?

Ну и кто-то же должен быть в серой тени, надо полагать. Вот Серую Тень психологическое просвещение народа, похоже, не волнует абсолютно, а если волнует, то только как возможное препятствие..

Марк, Серая Тень живет внутри каждого из нас, от детсадовца до президента. С ней и работаем...

В собственном соку на чужой сковородке...

ВЛ, близкий мне человек пошел по пути эзотерики. Познание себя: от Кастанеды и дальше. Сейчас Светлана увлеклась учением А.Пинта и ходит в эту секту.

Возможно, в этом нет ничего плохого. Но почему-то, когда я читаю в его книге обещание решить все проблемы человека путем подключения вашего Я к высшему Я посредством высокочастотных вибраций, у меня разрывается сердце.

На все мои слова Света отвечает пинтовскими схемами о ложном уме, о проецировании прошлого в будущее, о просветлении, о высшем сознании.. А когда-то мы с ней читали ваши книги и оба верили вам..

Если это нормально — скажите, тогда я сам с радостью буду ходить с ней на все эти семинары. Я и поехал на один выездной. Секта чистой воды. На каждом семинаре Пинт не забывает сказать, что деньги — иллюзия, и надо отдать ему эту иллюзию, чтобы получить от него реальность, т.е. просветление.

С другой стороны, там есть реально помогающие психологические методики, полезность которых я не могу отрицать, и в какие-то моменты думаю: может, я заблуждаюсь, это и есть духовное развитие, Путь?..

Броня Светы становится непробиваемой: на каждое мое слово готов ответ: «ложный ум», «персонаж».. У меня еще живет надежда, что к вашим словам она прислушается.. *Иван*

Иван, да, это одна из бесчисленных организаций ловцов душ, психобизнес. Для сравнения: дианетика. Шарлатанский коктейль: смесь полезного (обычно чужого, стибренного), сомнительного и вредного. Пропорции разные: монстры типа «Аум синрике» разрушительны, жутко опасны; но есть и шарашки сравнительно безобидные и даже могущие кому-то в чем-то помочь...

Важно, куда человек ходит. Но еще важнее — какой человек, с какими мотивами, с какими мозгами.

Видал я и людей, благополучно, даже с приобретениями выбиравшихся из той же дианетики и даже синрике, и встречал покалечивших себя (и не только себя) в ортодоксальном христианстве, в буддизме, в антропософии...

Переубеждать, сопротивляться — тактика глупая, результат будет обратный. Единственная надежда помочь человеку духовно переболеть и вылечиться — присоединиться к нему, если не душой, то умом (или наоборот) — разделить его духовную инфекцию хотя бы в нейтральном наблюдении, не отчуждаясь...

Мы ведь все движимы энергией заблуждения, как сказал Толстой, и главное, чтобы энергия эта не иссякла в непроходимом болоте...

ВЛ, я показал ваш ответ Свете. Она сказала, что лечить надо меня, а не ее. Что нельзя грузить вас.. что вы скажете: читайте мои книги, в них все написано..

С удивлением убедился, что стремящиеся к «просветлению» не читают ни художественной, ни научно-популярной или философской литературы. Жарятся в собственном соку!..

На чужой сковородке, добавлю я.

Из шизоида в фашизоида?

ВЛ, моя близкая подруга, по натуре очень отзывчивая, чувствительная, сердечная, тонкая, долгое время страдала резкими перепадами настроения, приступами депрессии..

Мы не виделись около года. И вдруг при встрече и общении я ее не узнала: она стала ДРУГОЙ: жесткой, бескомпромиссной, холодной, где-то даже циничной..

Я изумилась переменами в ней.

Оказалось, она прошла тренинг «Источник жизни» (адаптированный американский Life Spring), и это результат.

Сама я человек для себя трудный: со многими страхами, в вечных сомнениях и колебаниях, ото всех оценочно зависима, не могу никому ни в чем отказать, страшно боюсь обидеть.. И вот такую МЕНЯ подруга начала усиленно подталкивать к прохождению этого тренинга, и я согласилась.

Суть упражнений рассказать не могу — соглашение о конфиденциальности, но вкратце основные установки-постулаты таковы:

* человек сам выбирает себя и свой путь, выбирает: «делать жизнь» или быть жертвой;
* себя надо принимать и любить;
* не допускать незавершенных дел;
* думать — потеря времени, надо действовать; в пример приводили подлодку «Курск», когда из-за раздумий погибли люди, которых можно было спасти;
* суждения должны быть категоричными,

ибо мнение может быть правильным только одно; там, на тренингах, тебя убеждают, просто тупо переспрашивая по десять раз, так что наконец хочется закричать: «Да слон я, слон! Только по почкам не бейте!»;

  * жестокость по отношению к людям, даже друзьям, полезна для них же («я ему вчера так врезала!», «она сама выбрала это!»);

  * каждый участник тренинга обязуется работать на «общее дело» — стать его миссионером-распространителем и делать для этого все возможное; когда я решила не ходить на продвинутый курс, мне начала неотвязно звонить куча народу и настырно уговаривать: да ты что, да это же супер, это мегавозможность, не надо откладывать, ничто не бывает случайно..

Схема распространения — классика сетевого маркетинга, с Гербалайф один к одному.

Я в сомнении. Курс мне многое дал, о многом заставил помыслить, хотя результаты скромней, чем у многих других, кто тоже пришел в состоянии «жертвы», а стал «делателем своей жизни». После основного мне предложили пройти продвинутый курс, а потом еще лидерский; все это, конечно, за немалые для меня деньги..

Главное, однако, не деньги, а вопрос: во что превратишься? Цели объявляются вроде благие, а методы?! И наоборот: техники хороши, а цели?! Каков ваш взгляд на современные психотренинги (Синтон, Источник, Симорон и проч.)? *Ольга*

Ольга, современные психотренинги разнообразны; я сам провел их немало и очень разных: в зависимости и от того, с кем работал, с какими задачами, и от моих поисков, воззрений и устремлений, которые изменялись...

Те организации, что назвали вы, отличны друг от друга настолько, что выносить единое суждение о них было бы опрометчиво, хотя и общие признаки есть. Какие?.. Коммерческий момент и культ лидера-основателя (в разной мере). Еще — вы уже испытали:

навязывание некого кредо — своей малой этики, минииделогии или психофилософии, как я это именую;

большое давление группы на участника — группа работает в качестве авторитарного гуру; с человеком, в основном, не ведут диалоги, а производят «обработку»;

отсутствие углубленного, индивидуально-аналитического подхода к особенностям участника, учета и проработки возможной патологии или субпатологии.

Признаки эти характерны для всякой массовой работы, где главный прицел действия — не отдельный человек, а толпа (группа, аудитория...) и основная забота — создать и поддерживать поток клиентуры.

Хороша система или плоха, судить по этим признакам мы еще не вправе; это просто обычные условия, при которых такие системы самовоспроизводятся (но возможны и иные, мною испытано...).

«Источник» из трех вами названных — психобизнес наиболее откровенный, наступательно-рыночный, нахрапистый, американистый; подобных ему развелось нынче как сорняков на неполотой грядке, и это еще далеко не самый агрессивный, знаю и такие, где психофилософии и порядки вполне гитлеровские, где людей зомбируют и уродуют, из шизоидов делают фашизоидов...

Продолжать ли курс?.. Какой риск?..

Как итог множества врачебных наблюдений, часто бормочу себе под нос такую вот не-совсем-шутку:

больному все вредно, здоровому все полезно.

И старинное, древневосточное:

в неповрежденной ладони яд нести можно.

Переводя на другой уровень: человеку здравомыслящему, с крепким внутренним стержнем, с самостоятельным мышлением, знающему, чего хочет, никакие фашизоидные тренинги не страшны и любые могут с той или иной стороны пригодиться. Немцы при Гитлере очень здорово, лучше всех в мире научились строить дороги — прочно, надежно, чтоб танки ехали. Хорошие дороги не виноваты в том, что их использовали в плохих целях. И действенные психотехники как дороги — туда и сюда...

Злейший враг – лучший учитель.

Ну, а ежели в мыслях сумятица и нет ясной цели, ежели много зависимости и внушаемости, а мало, как моряки о кораблях говорят, о-стойчивости, — тогда...

Заметили ли вы в постулатах-установках «Источника» убывание истинности по нисходящей? Первый постулат хоть куда, точняк, только вместо «выбирает» следует читать «МОЖЕТ выбирать, если научится».

Со вторым тоже можно в общем согласиться, только вместо «надо» — опять же МОЖНО.

А третий уже фигня. Без незавершенных дел в жизни не обойтись, сама жизнь — дело незавершимое...

Вот и письмо это отправлю незавершенным, с напутственным приложением — старой детской присказкой:

*Верю, верю
всякому зверю,
и лисе, и ежу,
а тебе — погожу!*

О выпечке людолюбов

Следующие письма помогут понять, почему люди наши охотней идут к ермолашам и пинтам, нежели к дипломированным докторам и психологам.

ВЛ, сейчас много появилось повсюду рекламных объявлений о психологической помощи. Еще больше объявлений от различных учебных заведений, где якобы готовят психологов. Причем, как заметил я, приготовляют их почти везде — в обычных, традиционных университетах, всяких гуманитарных вузиках и т. п., разве что в «кулинарном техникуме» пока еще не пекут.

Мне же всегда казалось, что прежде, чем стать психологом, сначала надо выучиться в медицинском институте, потом на психфаке.. Или я что то недопонимаю?..

Психологов новейшей вузовской выпечки я уже повидал немало и успел выработать на них рефлекс осторожности — знаете? — когда зверушку зубастенькую увидишь, возникает желание погладить ее, но сперва приходится палкой потыкать — а не кусается ли?..

Один психолог в санатории пообещал мне, что снимет стресс. Долго о чем то спрашивал. Потом удивился: «А чевой-то вы при разговоре жестикулируете? А? Не замечали за собой? То-то же!» Я присмотрелся к нему и вдруг до меня дошло, что он уже минут 15 не моргает, сидит, как удав, неподвижно. Невероятно уютно стало, про стресс забыл..

Я, правда, не уверен, что и обучение в наших мединститутах сделает психологов существами более ручными и безопасными.

Вот свежий пример причины таких сомнений: поликлинический наш невролог.

С месяц назад враскорячку, с оторванной радикулитом поясницей, приковылял я к этому кабинету. Не на прием, хотел только направление в процедурный выписать на уколы.

У двери толпа больных, очень нервных больных, это сразу видно и слышно еще издали: ругаются все — кто за кем стоял и кто кому морду поцарапает, если без очереди. Я даже к медсестре прорваться не смог — и так шнурки полчаса прозавязывал, а тут еще морду обещают поразукрасить..

И вдруг из кабинета вылетает сама докторша, неврологиня. Глаза злые-презлые, из орбит вылезают, рот перекошен, кулаки сжаты до посинения и прижаты к груди. И как заорет эта мымрологиня на весь коридор: «Ктооооооооо??!!! Кто вам сказал, что я вас всех примууу?!!!! Я всего два талончика в регистратуру дала! Вооооон отсюда все!»

Вот это была психотерапия, я вам скажу. Все нервнобольные вмиг стихли, как мышки. Больше половины сразу вылечились и бодро ушли. Одна старушка опИсалась со страху.

А я почувствовал, что несмотря на боль в пояснице способен, как заяц, рвануть с места и дунуть куда подальше..

Не слабо?.. Так где же нынче пекут этих, как их теперь зовут.. Вы поняли вопрос? *Рэй*

— *Картинки снова такие знакомые...*

— До боли опять же, радикулитной... А мне — до боли и с другой стороны, внутрикабинетной. Со стороны человека, ведущего прием нашего нервного населения в условиях переизбытка оного и по меньшей мере четырех дефицитов: времени, информации, звукоизоляции и зарплаты. Со стороны этой мымр... этой задерганной нервадокторши, которую, учитывая вышеназванное плюс груз неизвестных личных проблем, очевидно, вконец достали громкие разборки очереди под дверью...

— *Так где же их пекут теперь, и кого — ИХ?..*

— Людоведов и людолюбов (примем тут эти условные обозначения искомых ипостасей наемных богов или гуру) — не пекут ни в какой институтской печке и никогда не пекли, хотя и возглашали о том со времен гиппократовых. Вырастают они всегда только сами, как грибочки, в местах, более или менее подходящих, а всего чаще вовсе не подходящих.

— *Когда я служил в армии и с помощью моих старослужащих гуру дозревал в депрессюге до суицида, наш ротный капитан-строевик поразительно верно и вовремя учуял мое состояние и оказал психологическую поддержку, равновеликую срочной врачебной помощи.*

— Ну вот видите, армия — не кафедра психиатрии, казалось бы, а и там нашелся какой-никакой людолюб местной выпечки. Знаю и случаи, когда человеков совсем или почти бескорыстно спасали не для того предназначенные налоговые инспекторы, судебные исполнители, тюремные надзиратели, не говоря уж о милиционерах — среди них хорошие психотерапевты встречаются в пропорции примерно один на пятнадцать, не так уж и мало, хотя хотелось бы больше...

Баня, водка, бабы, убийства... Психологи?
чем отличается психолог от милиционера?

ВЛ, я психолог. Закончила университет. И как младенец вот уже несколько лет бестолково слоняюсь в поисках работы. Вернее, работа есть, но совершенно нелепая, глупая..

В поисках повышения квалификации обратилась на кафедру психологии. И знаете.. Увидев своих «продвинутых» коллег, поняла, что ни за какие на свете деньги или регалии не хочу быть такой, как они.

Преподаватель семейного консультирования страдает жутким тиком. Другая, консультант по семейным проблемам, никогда не была замужем, старая дева. Профессор — параноик с манией величия.. Похоже, все они сумасшедшие или с приветом.

Разве не нужно сперва самому вылечиться, чтобы лечить других?

В нашем городе не доверяют психологам и правильно делают. Непрофессионализм сквозит во всем, и мне совсем не хочется быть одним из этих остепененных псевдоученых.

Турист в некой местности спрашивает у прохожих, как ему пройти туда-то. Останавливается психотерапевт, выслушивает вопрос. И отвечает:

– Я не знаю как туда пройти, но разве не прекрасно то, что мы смогли поговорить об этом так откровенно?

Психологи беседуют:

— Ну как твои успехи с тем парнем?

— Да совсем было уже вылечил его от паранойи. но тут его застрелили...

Была большая мечта, цель — помогать людям, она и сейчас меня пока еще не покинула. Но на нашем рынке требуются не психологи-консультанты, а шоумены. артисты в службы знакомств.

Мне уже 29 лет, а я в стадии начинающего.. мне стыдно за себя.. Приходится самообучаться и совершать кучу глупостей прежде чем дойти до чего-то цельного, важного.

Гармонии в собственной жизни достичь не могу, свои проблемы решать не научилась. Это такой закон, неизбежность — быть сапожником без сапог?

Один мой друг сказал: «Пока в этом криминально-купеческом городе есть баня, водка, бабы и регулярно происходят заказные убийства — при чем тут психологи? Останутся невостребованными, можешь успокоиться».

А я не верю. Наш город болен и нуждается в профессиональных психологах. Мне хочется учиться, хочется расти, но совершенно не хочется заниматься крысиной возней..

Я хочу быть Мастером и прошу совета.

Куда мне идти, в какой мастер-класс? Кто может помочь, научить?

Я не представляю, как начинать учиться по-настоящему помогать людям.. *Ксения*

Ксения, спасибо за свежее пополнение моей коллег-калек-коллекции. Как давно заключил один мой пациент из наблюдательной палаты, «психологов нужно изолировать от людей, тогда будем жить спокойно». А если шутки в сторону, то картина та же, что и везде в стране и повсюду в мире. Психологи тоже люди, не более того.

Квалифицированным профотбором нашего брата на предмет пригодности к делу, в том числе по части собственного психздоровья, никто не занимается, все происходит стихийно, и что из этого получается, видите сами — принцип отбора: «у кого что болит...» или похуже... Но у нас ведь и руководство страны не проходит проф-психэкспертизу, а надо бы.

..Наш город болен и нуждается в профессиональных психологах..

Вы вполне правы — поставьте вместо город «страна», «человечество» и будете еще более правы... Но прав и ваш друг: пациент своей болезни не сознаёт.

Экономическая и социально-психологическая ниша для профессиональных психологов в нашей державе, особенно за пределами столиц, говоря мягко, не разработана. Хотя все чаще в последнее время психологи оказываются во всеуслышание востребованными — особенно после каждого очередного теракта, когда на них возлагают обязанность успокаивать и возвращать к жизни людей, потерявших все или почти все — народ у нас до сих пор слабо отличает психолога от психиатра, психиатра от психоневролога, психоневролога от милиционера...

(«Вот отдам тебя психологу» — услыхал как-то, как мать стращает непослушного ребенка.)

Больше ближайшей перспективы у профессий, которые я бы назвал смежно-психологическими, как-то: визажист-парикмахер, менеджер по кадрам, врач-гинеколог...

Еще: разные виды преподавательской и актерской работы, те же шоумены; даже держатель кафе или какого-нибудь магазинчика может быть акцентированно-психологом, не говоря уже о портных и таксистах.

Посему я бы и пожелал вам не искать золотой ключик магического мастер-класса, а сделать ход конем вбок: не оставляя призвания, приобрести какую-нибудь из смежных профессий, окопаться там и вести полуявную сначала, а потом и заявленную психологическую практику.

Каждая профессия — точка наблюдения, определенный ракурс человекопознания. И нужно скромно признать, что профессия психолога — лишь одна из точек, один из ракурсов, и во многих отношениях проигрышный, поскольку уже самым ролевым раскладом «психолог — клиент» задает некую сумму невыполнимых ожиданий и неодолимых сопротивлений...

(Еще хуже в этом смысле, карикатурней ситуация «психиатр — пациент».)

Возможен и такой ход: откройте в местной газете рубрику «Маленькие житейские хитрости», где среди советов на уровне простого здравого смысла (как ответить на хамство начальника или неверность мужа, какое платье лучше надеть на собеседование по приему на работу...) можно вплетать и более тонкие разъяснения и рецепты.

Месяц, другой — и к вам начнут обращаться с психологическими проблемами уже напрямую, пойдет в копилку драгоценный собственный опыт.

Само дело заставит учиться. Повседневная жизнь — вот мастер-класс. Всюду, где нащупывается нерв какой-то житейской потребности, можно вскрыть необъятные подземные воды человеческой психологии, стоит только, как библейский Моисей, в нужном месте ударить жезлом по скале — и хлынет, прорвется!..

Как и медицина, психология относится к числу долгоиграющих в смысле обучения дисциплин, пожизненно, точнее, играющих. Мастерство в нашем деле — скорее разделяемая иллюзия, чем действительность; речь может идти лишь об относительной искушенности...

А опыт набирается по двум основным стратегиям: экстенсивной и интенсивной.

Первая: браться за что попало как можно шире.

Вторая — сузиться и углубляться.

Взять, допустим, тему «развод», в разводе — тему делимых детей, а среди этих детей — тех, кто реагирует на разводно-дележное распятие каким-нибудь болезненным проявлением (заиканием, недержанием мочи и т. п.).

Собирать на эту тему материал, открыть сайт, самой выйти пару раз замуж, разрубить парочку детей пополам, потом написать об этом... (Шучу, не дай Бог.)

Я бы пожелал вам идти сразу двумя путями.

Что же касается сапожничества без сапог, то представьте себе такой случай, вполне реальный.

Врача-реаниматолога сбивает машина — тяжелая травма, шок. По логике «сапожник, сшей себе сапоги» доктор должен немедленно подняться и самого себя реанимировать. А он лежит без сознания.

Это не казуистика, а *закон самонедостаточности*, справедливый для жизни в целом.

Каждый из нас — реаниматор, сбитый машиной своей судьбы и нуждающийся в реанимации.

Будем же продолжать учиться, меся навоз жизни и собирая нектары со всех цветов; будем искать свой если не метод, то собственную тональность или волну; постараемся сотворить из струн своей души если не оркестр, то хотя бы уютную домашнюю гитару — если музыка будет душевной, слушатели соберутся...

ПОСЛЕ ПРИЕМА

Я занят выпечкой покоя,
но в кабинете неба нет
и время года никакое.
Лекарства не дадут ответ —
как жить, куда ведет дорога...
Во всем присутствует абсурд.
Господь, я чад твоих не трогал,
а ты моих — на страшный суд?..
Я маг. Могу не суетиться.
Мой демон выполнит заказ,
и публика войдет в экстаз
и будет в судорогах биться.
Но как за Вечность зацепиться?
Как стать собой в последний раз?..

Смысл жизни лучезарно ясен:
любовь. И ласка. И оргазм,
спасительный вселенский спазм,
он столь же вечен, сколь напрасен.
Смысл смерти (милость или гнев?..)
нельзя постичь, не умерев,
быть может, он в последней дрожи...
О, неужели из ничто
мы возвращаемся в ничто же?
А вдруг, а вдруг (мороз по коже...)
тот мир — сквозное решето
и для плохих, и для хороших,
где время протекает вспять,
и все мы встретимся опять?..

Мои ночные санитары
приходят тихо, не спросясь,
убрать излишки стеклотары,
промыть сосуды, счистить грязь.

Они работают неслышно.
Пот проступает, как роса.
Я вижу, что из жизни вышло.
Я слышу чьи-то голоса.

«Послушайте... Скажите, кто вы?..
Откуда голоса звучат?..»
Они заговорить готовы,
но не решаются. Молчат.

Безлики. Серы. Безымянны.
С узлами душного белья.
Я пил за всех на свете пьяных,
за всех безумцев бредил я...

Когда кончается работа,
подходят медленно ко мне
и смотрят медленно. И кто-то
мурашки гонит по спине.

И слышен Голос — среди многих
далеких, странных и чужих:
— Вот, вот они, твои дороги.
Смотри окрест, покуда жив.
Чего душа твоя боится?
Каким замаялась житьем?
Ты сам, един во многих лицах,
к себе приходишь на прием

и расковыриваешь раны,
и слезы льешь, теряя стыд,
за всех на свете злых и пьяных,
за всех бездельников пустых,

за всех маньяков, негодяев,
за полчища больных детей....
Их души не нашли хозяев,
не слышали благих вестей.

Они бродяги. Им не спится.
Они в тебе находят дом.
Они умрут...Чего ж боится
душа твоя, твой психодром?

Мои ночные санитары
вокруг меня как образа,
как колокольные удары...
И смотрят медленно в глаза.

Взглянув на доску расписаний,
уходят. Остается ночь,
наполненная голосами,
которым некому помочь...

РАЗБИРАЯ ПАЦИЕНТСКУЮ ПОЧТУ

пришло письмо ни от кого
    без подписи... слова-вокзалы...
        плач сироты... судьбы плевок
            и сатаны инициалы

пришло письмо как первый снег
    и первый поцелуй... расплата
        за то нечаянное нет
            тебя убившее когда-то

пришло письмо как ураган
    и в оргии самосожженья
        рыдают строки как орган
            в припадке вечного движенья

письмо о том что не пришло
    мое... никто себя не выше...
        мороз свирепствует... стекло
            одним дыханьем не продышишь

не всем но тем кого жалеть
    всего трудней разменной медью
        позволь мне Господи успеть
            ответить жизнью или смертью

v

найди

обращения вверх

Что это: медитации, молитвы или подобие псалмов,
не знаю, да так ли важно?.. Идет речь изнутри,
иногда рифмованная, и кажется, будто Кто-то, к кому
речь обращена, слушает, и не равнодушно...
А яснее услышит, если удастся что-нибудь записать,
ибо в миг, когда внутренняя речь превращается
в печатное слово,
она становится не только твоей.
Одинокой волной затевается буря...

НАЙДИ

Тропинки к Тебе начинаются всюду –
концов не имеют.
Смертному в джунглях земных
суждено заблудиться.
Ищут Тебя молодые,
ответствуют старцы, будто нашли,
а в душе безнадежность...

Видишь Ты каждого путь,
знаешь заранее,
кто забредет на болото,
кто в ледяную пустыню,
кто, обезумев в тоске
и Тебя проклиная,
себя уничтожит.

Слышишь Ты каждого,
слышишь извечное вопрошание:
зачем сотворенные радостью
превращаются в скучных чудовищ?
Зачем ложь производят из веры,
насилие из свободы?
Зачем этот ужас творят из любви?..

Ищешь Ты, в чем ошибка,
каждого просишь
снова и снова:
НАЙДИ

Учитель, вернись.
В школе, тобою оставленной,
ученики перессорились.
Страшный шум. Все дерутся. И все,
не слыша друг друга, себя не слыша,
свирепствуют языками – все разом,
наперебой
учат друг дружку – вместо того,
чтобы друг у друга учиться
и у Себя,
как учился Ты.

Звезды, капли, цветы
учат нас,
и песчинки, и птицы, и дети, и звери –
наслаждаться и прятаться,
верить, искать, находить и терять,
свет в себе растворять,
играть и молиться...

Пока учение длится,
жизнь продолжается,
так Ты учил нас.

И вот
не осталось Учеников –
кто был последним?..

Учитель!
Верни детям своим
дар ученичества!

Вера есть, вот она, Вера моя.
Но не может Мысль поклониться ей.
Вот она, моя Мысль.
Две гордячки, Вера и Мысль,
не уступают друг дружке,
никак не мирятся
и не желают встречаться.
Столкнувшись, норовят сразу же
уничтожить одна другую.
Потом опять расползаются по углам...

Не могу ни бездумно верить,
ни думать безверно, бездушно думать...
Не получается у меня
благоговение на коленях,
прыжок вполовинку, как задается,
не удается.

Кто звал меня?.. Кто пути перекрыл?..
Мыслью Ты меня одарил,
чтобы отличать веру от самообмана —
и вот
не пойму: то ли думаю слишком рьяно,
то ли верую слишком пьяно,
то ли наоборот?..

Опять ломка смертного одиночества...
Как мне жить и куда идти без Тебя,
где искать Тебя?..

Я дитя Твое, и Твоею в себе частицей
насилия не приемлю,
в любви тем паче...
А здесь, в храме —
утопать в душном хламе,
Твою? — если бы! — славя власть,
поклоны земные класть,
стуча лбом о камень,
слюнявить изображения,
лишенные выражения,
крестом осеняться то тут, то там,
лобызать сальные руки попам,
бухаться на колени —
такое придумать мог только Ленин
с обратным знаком,
весь мир пожелавший поставить раком...

Ты нас выпрямил не затем, чтобы вновь
опускать, пригибать, как соломенных вдов.
Не Твоя благодать эта рабская треба.
Предпочту всем причастиям
чистое небо.

В дальнем детстве моем родовом –
там, в пустыне сухой –
Ты сказал:
испытуй все, обо Мне рекущее,
и уразумей: нет свидетелей –
глаз человечий слеп, ухо глухо,
язык слаб и лжив, к желудку привязанный,
что он может?
А мозг, моллюску подобный,
в костяной чаше, кожей обтянутой,
без Меня – что может?

Ответил я, павши ниц:
ей Господи, Боже мой!
Недоступен Твой образ
комку жалкой плоти...
В стремлении непостижимом
сотворил Ты тварь позорную,
недостойную произнести имя Твое.
Верно, среди иных забот
большего мы не стоили.
Как увидит Тебя Твой ничтожный червь?
Как услышит Твои веления?
Бездна черная стережет его...

Ты сказал:
верь красоте Моей.

Нет, не господом Тебя я зову,
Друг возлюбленный мой,
не отцом —
ибо Ты и отец мне, и мать,
и сестра, и брат, и дитя.
Нет, не раб я Твой,
ибо если любовь — имя Тебе,
то противно рабство душе Твоей,
и не хочешь Ты ничьего услужения,
но каждого, испытуя, растишь,
чтобы к Себе приблизить.
Каждый, каждый твареныш Твой
нужен Тебе,
чтобы Тебя умножить,
дополнить, досотворить
вольным своим бытием;
каждый может в свободе,
только в свободе прозреть
и дозреть до любви к Тебе.

Вот и меня призвав,
возжелал Ты расцвета
зрячей любви моей,
Тебя и меня созидающей.
Будь по-Твоему, Друг.

Не о милости молю –
вразуми:
сверх достоинства моего
мне доверено.
Слабый смертный с душою дырявой –
могу ли сосудом быть,
кровь живую Твою проводящим?
Быть руками Твоими – как,
если в своих не держу себя?
Быть устами Твоими –
возможно ли лжеязыкому?

Обступают со всех сторон меня
с печалями горькими,
с тревогами тяжкими,
с надеждой отчаянной
обступают,
несут мне боль...
Самозванцем быть не позволь.
Прожги душу мою
огнем знания,
в Тебя веровать научи
как в меня веруешь.

И голос Твой свыше
был мною услышан:

— Встаньте,
встаньте с колен,
    умолкните,
предоставьте себя молчанию.
Что просить вам,
если дарится океан,
    а взять можете каплю,
    и ту — извергая?

О чем молите бездну,
вас измеряющую?
Что вам делать с Моим огнем?
    Чтобы сжечь ваши души,
    довольно искры.

Оглушенные песнопениями,
голос Мой вы не слышите,
ядовит дым ваших жертвенников,
    и не видите жертв
    и даров Моих...

И возлюбил я пристальность,
и учусь взгляд задерживать...
Взлетать истинно
можно только ежели спотыкаешься
при ходьбе,
если и вздох каждый, как роды, труден.
Больше верю Тебе,
меньше людям,
особенно с наступлением темноты.
Верю, верю,
что близок Ты...
В мировом месиве идиотов, святых,
мерзавцев и гениев,
Твою играющих роль,
есть знамение,
есть пароль...

Владимир Леви

в серии «Азбука здравомыслиЯ»
издательства «Метафора» вышли книги

ПРИРУЧЕНИЕ СТРАХА

Тем, кому надоело бояться: самоучитель уверенности.
Техники устранения страха.

ТРАВМАТОЛОГИЯ ЛЮБВИ

Лечебник любовных травм.
Руководство к действию в любовном искусстве.

ВАГОН УДАЧИ

Начала фортунологии: как подписать договор со
своей судьбой. Как составить новый...

СЕМЕЙНЫЕ ВОЙНЫ

Как сохранять любовь и взаимопонимание в семье.
Как разрешать противоречия и конфликты. Как быть
при неразрешимых конфликтах.

БЛИЖЕ К ТЕЛУ

семьдесят приглашений в хорошее самочувствие

Самоучитель душевного и телесного здоровья, тонуса
и жизнестойкости. Практическое ядро — тонопласти-
ка, оригинальная система доктора Леви.

АЗБУКА ЗДРАВОМЫСЛИЯ

подарочное издание, пять книг в одной:

«Приручение страха», «Вагон удачи», «Травматология
любви», «Семейные войны», «Ближе к телу».

Владимир Леви

в серии «Конкретная психология» вышли книги

НОВЫЙ НЕСТАНДАРТНЫЙ РЕБЕНОК
ИЛИ КАК ВОСПИТЫВАТЬ РОДИТЕЛЕЙ

Потерять ребенка очень легко: потерять
в собственном доме... А как уберечь, как вывести на
жизненную дорогу?.. Как помочь стать счастливым?..
Вы узнаете, как дети делаются хорошими, несмотря
на воспитание, и как вырасти вместе с ребенком.

ИСКУССТВО БЫТЬ ДРУГИМ

«Искусство быть другим» — ключ к общению.
Как научиться чувствовать человека, воспринимать
таким, каков есть, постигать его внутренний мир и
предвидеть поведение, завоевать доверие и любовь.
Как обрести уверенность, стать победителем в жизни.

КУДА ЖИТЬ?

Связка ключей к освобождению от всевозможных
зависимостей: алкогольной, любовной, табачной,
пищевой, оценочной, игровой...
Энциклопедия отвычек и полезных привычек.

ОШИБКИ ЗДОРОВЬЯ

О том, как ошибки души и тела исправлять и
предупреждать.
Книга о вкусной и здоровой жизни.

Книги Леви можно заказывать
в интернет-магазине «Болеро» — www.bolero.ru.
Оптовая торговля: т. (095) 375-3673

Владимир Леви
Серия «Доверительные разговоры»

НАЕМНЫЙ БОГ

Подписано в печать 29.10.04
Формат 84×108^1/$_{32}$. Бумага газетная. Печать офсетная.
Усл. печ. л. 13. Тираж 11 000 экз.
Зак. тип. № 3701.

Отпечатано с готовых диапозитивов
в полиграфической фирме «КРАСНЫЙ ПРОЛЕТАРИЙ»
127473, Москва, ул. Краснопролетарская, 16

Издательство «Торобоан»

Персональный сайт Владимира Леви: **www.levi.ru**

Book